Książę Czwartek

GARTH NIX

Klucze do królestwa

TITLE: "PRINCE THURSDAY"

tom 4

Książę Czwartek

Przełożyła Małgorzata Hesko-Kołodzińska

Wydawnictwo Literackie

Thomasowi, Edwardowi, całej mojej rodzinie
i wszystkim przyjaciołom.
Szczególnie dziękuję Davidowi Levithanowi,
redaktorowi o wyjątkowej cierpliwości.

PROLOG

Najdalej wysunięty na zachód kraniec Wielkiego Labiryntu kończył się zwartym górskim łańcuchem wysokości prawie pięciu tysięcy metrów. Góry łączyły się ze sklepieniem Domu. Żadna dolina, przełęcz ani rozpadlina nie prowadziła na drugą stronę, bo za wielką barierą skalno-lodową rozciągała się Nicość. Góry były murem Domu, jego fortyfikacją i wspornikiem, chroniącym przed niszczycielskim działaniem Otchłani i atakami Niconi, stworów wyłaniających się z Nicości.

Istniało tylko jedno miejsce, przez które Niconie mogły przeniknąć do Domu. W odległych czasach, gdy powstawały góry, dodatkowo poprowadzono przez nie tunel o łukowym sklepieniu, długi na jedenaście kilometrów, szeroki na trzy, wysoki na jeden kilometr. Wstępu do niego broniły cztery gigantyczne bramy. Zewnętrzna, od strony Domu, pokryta była warstwą złota o grubości dwóch i pół centymetra, osadzonego na metalowym podłożu za sprawą Niematerialnych Mocy, których właściwie nie dało się osłabić zwykłą Nicością lub magią. Następna brama, oddalona o kilometr od pierwszej, była posrebrzana. Trzecią, zbudowaną kilometr dalej, wykonano z brązu. Czwarta i ostatnia brama, prowadząca wprost do Nicości, nosiła miano Klarowrót. Była w całości niematerialna i kompletnie przezroczysta, jeśli nie liczyć połysku, bolesnego nawet dla nieśmiertelnych oczu.

Pomimo tego bólu Rezydenci pełniący straż przy Klarowrotach zaglądali na drugą stronę, by obserwować dziwny, podlegający nieustannym zmianom, niedostępny świat. Ziemie te częściowo wciąż wpływały na Nicość, kształtując ją i nadając jej określoną formę. Za Klarowrotami roztaczał się widok na peryferia Nicości, lecz Otchłań zawsze pozostawała blisko. Zdarzało się, że Nicość niemal dotykała Klarowrót; czasami pozostawała w oddali, poza zasięgiem wzroku.

Celem istnienia tunelu było wprowadzanie do Wielkiego Labiryntu w określonym czasie pewnej liczby Niconi. Wykorzystywano je do szkolenia stacjonującej w Labiryncie Chwalebnej Armii Architektki, służyły także czasem do rozrywki.

Procedura wprowadzania Niconi pozostawała niezmienna. Jeśli było zapotrzebowanie na niewielką ich liczbę — zaledwie tysiąc lub dwa tysiące sztuk — wówczas Klarowrota otwierano i czekano, aż przejdzie przez nie dostatecznie dużo istot. Następnie brama zostawała zamknięta i Niconi przepuszczano przez Brązowrota, które po zakończeniu operacji zamykano. Ten sam proces powtarzał się przy Srebrnowrotach i Złotowrotach. Na koniec Niconie trafiały na teren właściwego Domu. Istniała zasada, że wszystkie cztery bramy nie mogą być jednocześnie otwarte. W całej historii Domu tylko dwukrotnie zdarzyło się, by trzy bramy otworzono symultanicznie, aby przepuścić ponad sto tysięcy Niconi.

Otwieranie i zamykanie wrót było możliwe za sprawą zegarowego mechanizmu przekładni, nakręcanego przez podziemne rzeki, które toczyły swe wody wewnątrz górskich ścian. Każdą bramą kierowała oddzielna dźwignia, a wszystkie cztery znajdowały się w sterowni Fortu Granicznego, kompleksie pokojów i komnat wybudowanych we wnętrzu góry, ponad tunelem. Do Fortu dostać się można było przez szereg prowadzących w górę ramp, wybudowanych na skalnej ścianie. Konstrukcja była solidnie umocniona bastionami i flankami.

W Forcie Granicznym stacjonował oddział, wystawiony przez Legion, Hordę, Regiment lub Umiarkowanie Czcigodną Kompanię Artylerii. Straż zmieniała się co sto lat Czasu Domowego.

Obecnie, po upływie przeszło dziesięciu tysięcy lat od zniknięcia Architektki, nad Fortem Granicznym sprawowała pieczę kohorta Legionu, dowodzona przez pułkownika Trabizonda Nage'a, 13 338 w hierarchii ważności Domu.

Pułkownik Nage przebywał w swoim gabinecie i akurat przywdziewał uroczysty, posrebrzany kirys oraz odpowiedni dla własnej rangi hełm z pióropuszem, kiedy do drzwi zapukał ordynans.

— Co jest? — spytał Nage. Był nieco rozkojarzony, bo za niespełna godzinę miał przejąć dowodzenie nad Klarowrotami, aby pokierować operacją wpuszczenia około dziesięciu tysięcy Niconi. Tylu właśnie wrogów potrzebowała Armia do przeprowadzenia Kampanii numer 108 217.

— Wizytator z Kwatery Głównej, panie pułkowniku — zapowiedział ordynans głośno. — Ponadto porucznik Corbie chce złożyć pilny raport.

Nage sposępniał. Podobnie jak wszyscy najwyższej rangi Rezydenci, był niezwykle przystojny i bardzo wysoki. Grymas nie zeszpecił jego urodziwej twarzy. Pułkownik zmarszczył czoło, gdyż nikt nie powiadomił go o wizytacji z Kwatery Głównej, nie otrzymał również ostrzeżenia od żadnego z przyjaciół ani starych towarzyszy w Kwaterze.

Nage zapiął pasek pod brodą i podniósł swój egzemplarz *Efemerydy* 108 217 Kampanii. *Efemeryda* była magicznie dostosowana do jego rąk i eksplodowałaby, gdyby dotknął jej ktoś inny. Na okładce z czerwonej skóry widniało imię i nazwisko właściciela, wytłoczone drukowanymi literami wysokości prawie ośmiu centymetrów. *Efemeryda* zawierała wyszczególnienie, kiedy i w jakiej kolejności należy otwierać bramy, a na dodatek była przewodnikiem po przesunięciach poszczególnych segmentów Wielkiego Labiryntu.

Nie licząc kilku stałych segmentów, Wielki Labirynt dzielił się na milion kwadratów o powierzchni 2,56 kilometra kwadratowego każdy. Spoczywały na siatce, której boki miały po tysiąc sześćset kilometrów. O zachodzie słońca każdy kwadrat przesuwał się na nowe miejsce, zgodnie z planem ustalonym z rocznym lub dłuższym wyprzedzeniem. Chcąc trafić gdziekolwiek na obszarze Wielkiego Labiryntu, należało wiedzieć, na jakie miejsce przesunie się kwadrat, na którym się przebywa. Rzecz jasna, mogło się zdarzyć, że kwadrat pozostanie tam, gdzie był. *Efemeryda* zawierała także informacje o rzeźbie terenu i innych cechach charakterystycznych dla każdego segmentu, a także o miejscach, w których należy szukać wody i zmagazynowanej żywności lub amunicji. W książce zgromadzono też wszelkie inne istotne wiadomości.

Pułkownik Nage włożył *Efemerydę* do wielkiej kieszeni, przyszytej do frontu jego długiej, skórzanej tuniki. Podniósł potężny miecz i wsunął go do brązowej pochwy u boku. Był przeznaczony do codziennej służby, a tego typu broń to standardowe wyposażenie w Legionie. Miecz wyglądał jak kopia gladiusa, miecza rzymskich legionistów z Ziemi w Poślednich Królestwach i wykonano go w warsztatach Ponurego Wtorka. Głownia broni powstała ze ściętego gwiezdnego blasku, rękojeść wyprodukowano z grawitacyjnie utwardzonego bursztynu, a w głowicy zamknięto drobinę zaczarowanej Nicości, która zapewniła mieczowi kilka praktycznych funkcji, takich jak obrotowe ostrze.

Nage otworzył drzwi.

— Wprowadź wizytatora — przykazał ordynansowi. — Corbiego przyjmę za minutę lub dwie.

Wizytatorem okazał się major sztabowy, ubrany w galowy mundur Cytadeli, w której mieściła się Kwatera Główna Księcia Czwartka. Usytuowano ją w jednym z nieruchomych sektorów Wielkiego Labiryntu. Czerwona tunika gościa, jej pozłacane guziki oraz polakierowany na czarno kapelusz skopiowano z dziewiętnastowiecznych ubiorów, stosowanych na Ziemi. Z tego miejsca wielokrotnie czerpano pomysły i wzorce, powielane przez Rezydentów Domu. Major miał pod lewą pachą krótką szpicrutę, zapewne magiczną broń.

— Witam, panie pułkowniku — powiedział na wstępie. Stanął przy tym na baczność i z namaszczeniem zasalutował. Nage odwzajemnił pozdrowienie, uderzając prawym ochraniaczem na nadgarstek o kirys, pancerz osłaniający jego tors. — Nazywam się Pravuil, służę w randze majora i przynoszę przesyłki z Kwatery Głównej. Chodzi o modyfikacje do pańskiej *Efemerydy*.

— Modyfikacje? To się nigdy dotąd nie zdarzało!

— Zmiana planów związana z kampanią — wyjaśnił Pravuil szybko. — Tym razem Książę Czwartek zamierza naprawdę wypróbować chłopaków. Proszę bardzo. Zechce pan podpisać na dole, a następnie przyłożyć kartkę do *Efemerydy*.

Nage pośpiesznie złożył podpis, a następnie sięgnął po *Efemerydę* i położył kartkę na okładce. Papier przez chwilę leżał spokojnie, potem zadrżał, jakby w pomieszczeniu powiał wiatr. Na oczach dwóch Rezydentów strona zatonęła w książce, wnikając przez okładkę, tak jak woda wsiąka w gąbkę.

Nage odczekał kilka sekund, a następnie podniósł *Efemerydę* i otworzył ją na dzisiejszym dniu. Dwukrotnie przeczytał zawarte tam słowa i ponownie sposępniał.

— Co to ma znaczyć? Wszystkie cztery bramy otwarte? To wbrew stałym rozkazom!

— Zostały one zniesione przez bezpośrednie polecenie Księcia Czwartka.

— Nie mam tutaj do dyspozycji całego garnizonu, wie pan?! — zaprotestował Nage. — Nasze siły są niekompletne. Dowodzę zaledwie jedną kohortą Legionistów oraz oddziałem Graniczników. Co będzie, jeśli Fort zostanie zaatakowany po uchyleniu bram?

— Będzie go pan bronił — odparł Pravuil zwięźle. — Mówimy przecież o zwykłej zbieraninie Niconi. Tyle tylko, że pojawi się ich więcej niż zwykle.

— W tym sęk — upierał się Nage. — Granicznicy donoszą, że coś dziwnego dzieje się na nietrwałych obszarach. Przez kilka ostatnich miesięcy znajdował się tam jednolity krajobraz, a z Klarowrót nie widać nawet Otchłani. Zgodnie z ostatnimi raportami, w tamtych rejonach pojawiły się kolumny Niconi, maszerujące nie wiadomo skąd. Ci Niconie są zorganizowani.

— Zorganizowani Niconie? — żachnął się Pravuil. — Niconie są do tego niezdolni. Przychodzą z Nicości, walczą jak idioci. Jeśli nie mogą się przedostać do właściwego Domu, wdają się w bójki między sobą. Gdy ich zabijamy, wracają do Nicości. Zawsze tak było, zawsze tak będzie.

— Proszę o wybaczenie, panie majorze, ale teraz jest inaczej — dobiegł ich głos od drzwi. Należał do Rezydenta w piaskowej tunice Granicznika, wyposażonego w zawieszony na plecach łuk. Przybysz stał na baczność. Na jego twarzy i dłoniach widniały blizny po ranach zadanych przez Niconi. Takie obrażenia były typowe dla Rezydentów, patrolujących regiony graniczne pomiędzy Domem a Nicością, nie tylko w Wielkim Labiryncie, lecz także w innych okolicach.

— Czy mogę złożyć raport, panie pułkowniku?

— Do dzieła, poruczniku. — Nage sięgnął pod kirys, aby wydobyć zegarek kieszonkowy i otworzył jego kopertę. — Mamy czterdzieści minut.

Corbie stał na baczność i przemawiał do punktu, usytuowanego nieco ponad głową Nage'a, zupełnie jakby znajdowała się tam publiczność.

— Siedemnastego bieżącego miesiąca, wraz z czterema Granicznikami w stopniach sierżantów i sześcioma szeregowcami, przeszedłem przez bramę wypadową Klarowrót. Sitowniki wskazywały bardzo niski poziom wolnej Nicości w okolicy, Otchłań zaś rozciągała się w odległości co najmniej dwudziestu dwóch kilometrów, co sprawdziliśmy przy użyciu Nicomierza. Nie widzieliśmy ani rzeczonej Otchłani, ani niczego innego, gdyż wszystko tuż przed Klarowrotami okrywała nigdy niespotykana mgła.

Wmaszerowaliśmy prosto w nią i odkryliśmy, że ma grubość od dwudziestu do trzydziestu metrów i jest generowana bliżej nieokreślonymi metodami, zapewne magicznej natury. Mgła była emitowana przez kolumny z brązu, przypominające kominy, regularnie rozmieszczone w szeregu długości półtora kilometra, naprzeciwko Klarowrót.

W trakcie przemieszczania się przez mgłę — mówił dalej Corbie — odkryliśmy, że z Nicości uformowała się gigantyczna, trawiasta równina, a blisko nas toczy się przez nią szeroka rzeka. Na przeciwległym brzegu ujrzeliśmy tysiące namiotów o ujednoliconych barwach. Namioty rozbito w rzędach po sto sztuk, przed każdym rzędem zatknięto sztandar. Obóz w niczym nie przypominał zwykłego, chaotycznego obozowiska Niconi. Natychmiast dostrzegliśmy ogromny plac defilad na ubitej ziemi za namiotami. Właśnie odbywała się tam parada wojsk, których liczebność oceniam na dwieście do trzystu tysięcy Niconi. Ich armia maszerowała w szyku bojowym.

Zwracam uwagę pana pułkownika — podkreślił Corbie — że widzieliśmy regularną defiladę! Gdy podeszliśmy bliżej, zauważyłem przez lunetę, że Nicone noszą mundury, a na dodatek są do siebie niezwykle podobni. Różnili się nieznacznie sylwetkami, rozmieszczeniem i liczbą czułków, ewentualnie długością szczęk.

Nie zdążyliśmy przeprowadzić dalszych obserwacji, gdyż ukryta w trawie straż Niconi wszczęła alarm. Wyznam, że zaskoczyła nas zarówno obecność czujki, jak i rychła reakcja Niconi, których zakamuflowane siły momentalnie wyłoniły się znad brzegu rzeki. Ścigano nas aż do samych Klarowrót. W ostatniej chwili wpadliśmy do bramy wypadowej. Chwila zwłoki oznaczałaby straty z naszej strony. Koniec raportu, panie pułkowniku.

Nage nie odrywał wzroku od podkomendnego, zupełnie jakby nie wierzył własnym uszom. W końcu zamrugał oczyma i oznajmił:

— To nader niepokojące! I całkowicie zmienia postać rzeczy. Nie możemy otworzyć wszystkich czterech bram, skoro taka horda Niconi tylko czeka na okazję do ataku!

— Czyżby pan pułkownik zamierzał zignorować bezpośrednie rozkazy Księcia Czwartka? — spytał Pravuil leniwie i kilkakrotnie uderzył szpicrutą w środek lewej dłoni. Z końca kijka wypełzły drobne, fioletowe iskierki, które rozpłynęły się po jego palcach. — Jeśli tak, to powinien pan wiedzieć, że będę zmuszony pozbawić pana dowództwa.

— Nie... nie — wymamrotał Nage i spojrzał na zegarek. — Nadal mamy czas. Skontaktuję się z generałem Lepterem.

Pułkownik cofnął się do biurka i wysunął szufladę. Znajdowało się w niej pół tuzina małych, ołowianych żołnierzyków z Armii Architektki, w pomalowanych na różne barwy mundurach. Nage wybrał figurkę z długimi piórami na hełmie, w pozłacanym kirysie legata Legionu. Ranga ta była równoważna generałowi w innych typach wojsk Chwalebnej Armii Architektki.

Nage postawił żołnierzyka na małym podium z kości słoniowej, przypominającym pusty kałamarz. Gdy tylko figurka zetknęła się z podwyższeniem, jej krawędzi rozmazały się na moment, a w następnej chwili przeobraziła się w maleńką kopię najprawdziwszego, żyjącego legata. Dziesięciocentymetrowy żołnierzyk popatrzył z dołu na Nage'a i przemówił głosem ostrym i przenikliwym, jakby dowódca osobiście przebywał w pokoju i miał rzeczywiste rozmiary.

— Co jest, Nage?

Nage uderzył naręczakiem o kirys i dopiero wtedy odpowiedział:

— Otrzymałem z Kwatery Głównej korektę do *Efemerydy*, dostarczoną przez majora Pravuila. Zgodnie z nowymi rozkazami mam na pół doby otworzyć wszystkie cztery bramy. Rzecz w tym, że zaobserwowaliśmy zorganizowane, co najmniej dwustutysięczne siły zdyscyplinowanych Niconi, wyczekujące na obszarze nietrwałym.

— Do czego zmierzasz?

— Chcę mieć niezachwianą pewność, że mam autentyczną korektę do mojej *Efemerydy* i nie jest ona niebywałą sztuczką Niconi.

— Znam majora Pravuila — oświadczył Lepter. — To jeden z kurierów odpowiedzialnych za dostarczanie korekt do wszystkich oficerskich *Efemeryd*. Książę Czwartek życzy sobie przeprowadzić test sprawności Armii, której od tysiącleci nikt nie wystawiał na próbę.

— W takiej sytuacji proszę o natychmiastowe skierowanie do mnie posiłków — zażądał Nage. — Nie mam pewności, czy w razie próby ataku Niconi uda mi się utrzymać Fort. Przypominam, że obecna załoga garnizonu jest zredukowana.

— Nie bądź śmieszny, Nage — warknął Lepter. — Co z tego, że Niconie wydają się zorganizowani, skoro natychmiast po opuszczeniu tunelu pójdą w rozsypkę? Ostatniej nocy naprzeciwko Złotowrotu ustawiono tuzin segmentów wyjątkowo bogatych przyrodniczo. Niconie ruszą na łowy, jak to mają w zwyczaju, a z nastaniem nocy segmenty przeniosą ich w różne miejsca i rozdzielą ich siły. Tektoniczna strategia, Nage! Porozmawiam z tobą później.

Maleńki legat znieruchomiał i ponownie przybrał postać ołowianej figurki. Nage zdjął go z podium i wrzucił do szuflady.

— Sprawa wydaje się jasna jak słońce, panie pułkowniku — zauważył Pravuil. — Chyba jednak będzie najlepiej, jeśli wyda pan rozkaz otwarcia wszystkich czterech bram.

Nage puścił jego słowa mimo uszu. Podszedł do wąskiego, obitego drewnem orzechowym sekretarzyka, który stał oparty o ścianę, otworzył jego szklane drzwiczki i wysunął półkę, na której stał telefon. Następnie podniósł mikrofon i przemówił.

— Połączcie mnie z Czwartkowym Południkiem. Ważna sprawa wojskowa.

W telefonie rozległ się szept, przygłuszony trzaskami.

— Pułkownik Nage z Fortu Granicznego.

Ciszę w słuchawce wypełniły nowe szumy i szepty, a następnie w całym pokoju zagrzmiał huczący głos:

— Mówi marszałek Południk! Nage, to ty? Czego chcesz?

Nage pośpiesznie powtórzył to, co wyjaśnił generałowi Lepterowi. Zanim zdołał skończyć, przerwał mu chrapliwy głos Południka:

— Nage, otrzymałeś wyraźne rozkazy! Wykonaj je i nie waż się ponownie zbaczać z drogi służbowej! Teraz przekaż słuchawkę Pravuilowi.

Nage odszedł od telefonu. Pravuil minął go i podniósł mikrofon. Tym razem głos Południka nie wypełnił pomieszczenia. Dowódca przez dłuższą chwilę przemawiał cicho do Pravuila, który wyjaśnił coś szeptem. Potem rozległ się bardzo donośny trzask, kiedy major się rozłączył.

— Mam w trybie natychmiastowym powrócić do Cytadeli — oświadczył Pravuil. — Pułkowniku, czy jest pan gotowy do wykonania rozkazów?

— Tak jest — potwierdził Nage. Wyciągnął zegarek i ponownie rzucił na niego okiem. — Niconie szybko pokonają tunel, majorze. Mogą pana dopaść.

— Mam do dyspozycji dwa wierzchowce — odparł Pravuil i wsunął *Efemerydę* do płóciennego pokrowca, który miał przyczepiony u boku. — Dziesięć kilometrów stąd znajduje się segment, wraz z którym o zmroku pokonam połowę trasy do Cytadeli.

— Zatem w drogę — popędził go Nage, nawet nie próbując ukrywać pogardy dla majora, który ucieka przed zbliżającą się bitwą. Zaczekał, aż Pravuil opuści jego gabinet, a następnie szybko wydał serię rozkazów Corbiemu oraz ordynansowi, który wszedł do pokoju.

— Poruczniku, proszę natychmiast zebrać swoich ludzi i opuścić Fort. Otrzymuje pan zadanie nękania wroga niezwłocznie po jego przejściu przez Złotowrót. Spróbuje pan wciągnąć nieprzyjaciela na obszar obficie zalesionych segmentów, z dala od Fortu. Czy ma pan komunikacyjne figurki kogokolwiek spoza Fortu?

— Wyłącznie mojego bezpośredniego zwierzchnika, kapitana Ferouka. Aktualnie przebywa on w białej twierdzy, nie w Kwaterze Głównej.

Nage pogmerał w szufladzie biurka i wręczył podkomendnemu dwóch ołowianych żołnierzyków, jednego w jaskrawoszkarłatnym mundurze, drugiego w jasnych błękitach. Szkarłatna figurka nosiła wysoką czapkę z piórami, postać w błękitnym uniformie miała na głowie płaską, skórzaną czapkę.

— To moi druhowie. Pułkownik Repton z Regimentu oraz major artylerii Scaratt. Obaj przebywają w Kwaterze Głównej i będą mogli udzielić panu wsparcia, jeśli sytuacja rozwinie się tak fatalnie, jak podejrzewam. Teraz w drogę!

Corbie zasalutował, obrócił się na pięcie i odmaszerował. Gdy Granicznik wyszedł, ordynans podszedł do dowódcy. U boku trzymał pokaźnej wielkości trąbę z brązu, długą na co najmniej metr dwadzieścia.

— Zagraj na powszechny alarm — polecił mu Nage. — I na zbiórkę oficerów.

Ordynans przycisnął instrument do ust i wycelował go w ścianę. Następnie nadął policzki i dmuchnął, lecz z trąby nie wydobył się żaden dźwięk. Dopiero po sekundzie jej odgłos rozległ się poza gabinetem, odbijając się echem we wszystkich częściach Fortu, nawet bardzo odległych.

Trębacz zagrał dwie różne melodie. Gdy przebrzmiały ostatnie nuty, opuścił instrument i stanął na baczność.

— Hopell, jak długo razem służymy? — spytał Nage.

— Osiem tysięcy czterysta dwadzieścia sześć lat, panie pułkowniku — padła odpowiedź. — Tyle czasu jestem w Legionie. Nie licząc szkoły dla rekrutów.

— Ile osób z naszej rekruckiej klasy jeszcze żyje?

— Wszyscy poza sześcioma, jak sądzę. Ropresh ostatecznie wydobrzał po tej ranie od Nicości, więc się nie liczy. Został skierowany wyłącznie do lekkich obowiązków, to oczywiste, zważywszy, że jego noga się stopiła…

— Czy twoim zdaniem będziemy równie dobrze walczyli, wiedząc, że tym razem zachodzi znacznie większe prawdopodobieństwo, iż poniesiemy śmierć?

— Jak to, panie pułkowniku? — zdumiał się Hopell. — Jesteśmy Legionistami Chwalebnej Armii Architektki. W razie potrzeby oddamy życie i jesteśmy na to przygotowani.

— Czy na pewno? — Nage wcale nie wyglądał na przekonanego. — Chętnie odniesiemy rany, to oczywiste, ale bardzo niewielu z nas ginie. I zawsze zwyciężamy. To się wkrótce zmieni, niestety. Po otwarciu wszystkich czterech bram rozgorzeje bitwa o Fort. Tym razem stawimy czoło zorganizowanej, zdyscyplinowanej armii Niconi. Nigdy dotąd nie byliśmy w takiej sytuacji. Niconie muszą podlegać czyimś rozkazom. Kieruje nimi ktoś... albo coś inteligentnego.

— Jesteśmy Legionistami — zauważył Hopell ponownie. — Będziemy walczyć do końca.

— Tak — potwierdził Nage. — Będziemy walczyć. Ale nasz koniec nie musi być taki, jakiego byśmy sobie życzyli.

Za drzwiami rozległ się odgłos ciężkich kroków, stukot butów kilkunastu oficerów, maszerujących korytarzem. Na wezwanie trąby zmierzali, by stanąć przed obliczem pułkownika.

— Nie mów nikomu o moich rozterkach — poprosił Nage pośpiesznie. — To była tylko chwila niepewności, nic ponadto. Ruszymy do boju i zwyciężymy. Niconie poniosą klęskę podczas natarcia na Fort, a nasza Chwalebna Armia pokona ich w innych segmentach Wielkiego Labiryntu.

— Tak jest, panie pułkowniku! — wykrzyknął Hopell i zasalutował, gdy w drzwiach pojawił się pierwszy oficer, za którym weszli pozostali.

— Stańcie bliżej — pośpieszył ich Nage. — Mamy mało czasu, a musimy się przygotować do obrony. Otrzymałem potwierdzony rozkaz otwarcia wszystkich czterech bram. Tak, wszystkich czterech. Gdy tylko go wykonamy, Fort zapewne zostanie zaatakowany przez kilkaset tysięcy zorganizowanych Niconi. Musimy bronić pozycji przez dwanaście godzin. Mamy rozkaz zamknąć bramy dopiero po upływie tego czasu. Cokolwiek się wydarzy, bez względu na liczbę ofiar po naszej stronie, trzeba obronić sterownię, a bramy muszą zostać zamknięte na czas.

— Panie pułkowniku, z pewnością nie będzie tak źle — oznajmił jeden z centurionów i cicho zachichotał. Legionista ten od niedawna stacjonował w Forcie, a ostatnie tysiąc lat spędził w Kwaterze Głównej. Na jego kirysie brakowało medali za odwagę, lecz widniało na nim kilka gwiazdek za efektywną pracę administracyjną. — Gdy Nicone miną Złotowrót, będą musieli wspiąć się po rampach, wytrzymać grad megawłóczni oraz kąpiel ogniową z dział na bastionach, potem przedostać się przez bramy Fortu… Bez trudu ich powstrzymamy. Poza tym, na pewno nie zachowają porządku. Niconie zawsze wpadają w amok…

— Cieszy mnie ten optymizm — przerwał mu Nage. — Otrzymuje pan zaszczyt dowodzenia Przyczółkiem Porzuconej Nadziei, który niniejszym zakładam u podnóża rampy.

Centurion wyraźnie markotnie stuknął ochraniaczem o kirys, a towarzyszące temu gestowi brzęknięcie było cichsze niż dzwoneczek w zegarku pułkownika.

— Dwadzieścia minut. Przez pięć minut zarysuję swoje plany, a potem powrócicie do własnych jednostek. Zamierzam osobiście dowodzić sterownią. Nasz okrzyk bojowy będzie brzmiał… — Pułkownik zawahał się, nim dokończył: — Zguba i Legion!

Zebrani oficerowie natychmiast powtórzyli jego słowa, a ich donośny okrzyk sprawił, że zadrżały filiżanki do herbaty w kredensie dowódcy.

— Zguba i Legion!

ROZDZIAŁ PIERWSZY

S zybciej! — zawołał Arthur Penhaligon. — Musimy dotrzeć do Drzwi Frontowych, zanim zjawi się Pierwsza Dama i zacznie mnie przekonywać, żebym nie wracał do domu.

— Już dobrze, dobrze — burknęła Liść. — Przystanęłam tylko po to, żeby podziwiać widoki.

— Nie ma czasu — uciął Arthur. Nadal wdrapywał się na Wzgórze Uchylonych Wrót, najszybciej jak potrafił z nogą w krabim pancerzu. Złamana kość jeszcze nie zdążyła się zrosnąć.

Liść ruszyła za nim, znów zerkając przez ramię. Wybiegli prosto z windy, która przetransportowała ich w dół... albo w poprzek... albo w bok... od Portu Środy na zalanych wybrzeżach Morza Granicznego. Liść nie miała czasu na obejrzenie czegokolwiek w Niższym Domu.

— Oto Drzwi Frontowe! — Arthur wyciągnął rękę przed siebie, wskazując potężne, wolno stojące Drzwi, usytuowane na grzbiecie wzgórza i wspierane przez dwa białe, kamienne słupy, odległe od siebie mniej więcej o dziesięć metrów i wysokie na trzynaście metrów.

— To są Drzwi? — zdziwiła się Liść. — Na pewno trudno je otworzyć.

— Ich się nie otwiera — wyjaśnił jej Arthur. — Po prostu wchodzisz do środka. Ale nie przyglądaj im się zbyt długo.

— Dlaczego?

— Bo stracisz rozum — oznajmił. — Albo nie będziesz mogła oderwać od nich wzroku.

— Dobrze wiesz, że teraz będę musiała spojrzeć — westchnęła Liść. — Gdybyś nic nie powiedział, pewnie nawet bym nie zauważyła tych ozdób.

Arthur pokręcił głową.

— Nic na to nie poradzisz. Po prostu nie przyglądaj się zbyt długo.

— W którą stronę pójdziemy? — spytała Liść, gdy od Drzwi dzieliło ich zaledwie kilka metrów. — Powinniśmy zapukać?

— Strony nie mają tam znaczenia — odparł Arthur. Usiłował oderwać wzrok od wykonanych w kutym żelazie, misternych ornamentów na Drzwiach, lecz nie był w stanie tego zrobić. Po sekundzie kształty zadrżały i zaczęły się zmieniać. Każdy obraz utrwalał się w głowie chłopca i dopiero potem przeobrażał w następny.

Arthur zacisnął powieki i na ślepo wyciągnął rękę w stronę dziewczynki, aby pociągnąć ją za łokieć albo za koszulę na plecach. Liść znajdowała się jednak znacznie bliżej, niż zakładał, i trafił ją palcami prosto w twarz.

— Au! Ehem… Dziękuję.

Odwrócił głowę od Drzwi i otworzył oczy.

— Chyba przez moment dałam się złapać — mruknęła Liść, rozcierając nos. Celowo nie patrzyła na Drzwi, tylko na kopułę sklepienia ze srebrzystego metalu, której najwyższy punkt znajdował się na wysokości kilkuset metrów, bezpośrednio nad nimi. W Niższym Domu panowała noc, a jedynego światła dostarczały osobliwe, jaśniejące chmury w kolorze fioletowym lub pomarańczowym, dryfujące po srebrnej powierzchni.

Gdy Liść patrzyła w górę, ze sklepienia wystrzelił słup światła, wyznaczając drogę windzie z innej części Domu. Wkrótce pojawiły się jeszcze dwa snopy, które spłynęły z góry.

— Więc jak, pukamy? — ponowiła pytanie Liść.

— Jeszcze nie — odparł Arthur. Przesunął spojrzeniem po blednącym szlaku promienia windy, wyraźnie czując, że zapewne przybyła nią Pierwsza Dama i jej orszak. Oczywiście, miała zamiar dać mu nauczkę. W gruncie rzeczy spodziewał się, że Dama przybędzie na miejsce pierwsza, gdyż miała do dyspozycji Podróżny Talerz. — Najpierw musimy zaczekać na Strażnika Porucznika Drzwi Frontowych.

Pierwsza Dama chciałaby, żeby Arthur pozostał, a przynajmniej przekazał jej Trzeci Klucz, który podobno był potrzebny do utrzymania Morza Granicznego w ryzach. Chłopiec nie zamierzał jednak rozstawać się z jedyną dostępną sobie bronią. W końcu pogodził się z myślą, że musi wystąpić przeciwko Potomnym Dniom, unikanie odpowiedzialności nie wchodziło w grę. Banda Księcia Czwartka, Pani Piątek, Dostojnej Soboty i Lorda Niedzieli nie zamierzała zostawić go w spokoju. Planowali ze zgubnym skutkiem ingerować w sprawy jego świata i każdego innego. Byli gotowi, jeżeli tylko by zechcieli, ranić i zabijać wszystkich. Zamierzali robić to, na co im przyszła ochota, aby tylko zatrzymać Klucze, a wraz z nimi władzę nad Domem. Jedynym sposobem na powstrzymanie Potomnych Dni było ich pokonanie.

Arthur miał świadomość, że przyjdzie mu walczyć, ale chciał to robić na własnych warunkach. Teraz zamierzał sprawdzić, co słychać u rodziny i upewnić się, że w jego świecie jest po staremu. Potem planował powrócić do Domu i zrobić wszystko, co w jego mocy, aby uwolnić Czwartą Część Woli z rąk Księcia Czwartka oraz przejąć Czwarty Klucz.

Przez kilka minut czekali przed Drzwiami i spoglądali na wieżyczki, wieże i dachy miasta w dole. Gdy Arthur ujrzał je po raz pierwszy, było spowite mgłą, lecz teraz znikła i dawało się dostrzec sylwetki kilku Rezydentów na ulicach. W pewnej chwili z jednego z pobliskich budynków wyłoniła się spora grupa, która przez kilka sekund kręciła się w miejscu, a następnie ruszyła prosto ku świeżo skoszonym trawnikom na zboczach Wzgórza Uchylonych Wrót.

— Chyba jednak powinniśmy zapukać — zadecydował. — Nadciąga Pierwsza Dama razem z całą ekipą.

Zrobił krok do Drzwi i nadal odwracając wzrok, energicznie załomotał w ich dziwaczną powierzchnię. W dotyku nie przypominała drewna ani żelaza, ani też innego ciała stałego. Pięść chłopca zanurzała się w Drzwiach jak w galarecie. Jednocześnie czuł w kostkach palców mrowienie, które wędrowało przez dłoń do nadgarstka i dalej do łokcia.

Mimo tej osobliwej struktury Drzwi, łomotaniu towarzyszył normalny odgłos pukania — pusty, długi stukot, odbijający się zza nich wyraźnym, choć opóźnionym o kilka sekund echem, zupełnie jakby dźwięk pokonywał długą drogę, a dopiero potem wracał.

Po chwili rozległ się dobrze znany Arthurowi dźwięk. Strażnik Porucznik mówił powoli i wyraźnie, lecz jego niski głos wydawał się zaskakująco odległy.

— Zaraz, moment. Na skrzyżowaniu są utrudnienia.

Arthur widział, że Pierwsza Dama kroczy na czele gromady Rezydentów i już dociera do podnóża wzniesienia. Trudno jej było nie zauważyć — miała ze dwa metry trzydzieści centymetrów wzrostu i nosiła połyskliwą, bladozieloną, fluorescencyjną suknię z gigantycznym trenem. Wraz z Pierwszą Damą szedł Poniedziałkowy Południk (niegdyś Zmierzchnik) oraz odziany w czerń Rezydent, którego Arthur nie od razu rozpoznał, a który okazał się Poniedziałkowym Zmierzchnikiem (niegdyś Południkiem). Z tyłu podążali najrozmaitsi urzędnicy, Komisarze Sierżanci, Nocni Przybysze i inni Rezydenci.

— Arthurze! — krzyknęła Pierwsza Dama, uniosła suknię i zaczęła się wspinać na górę. — Czekaj! Musisz o czymś wiedzieć!

— Szybciej, szybciej.... — mamrotał Arthur do Drzwi. Zupełnie nie miał ochoty na dyskusję z Pierwszą Damą.

— Sądziłam, że oni są po twojej stronie — zauważyła Liść. — Kim jest ta wysoka kobieta w odlotowym ubraniu?

— Oni naprawdę są po mojej stronie — zapewnił Arthur przyjaciółkę. — To Pierwsza Dama. Jest Wolą, w każdym razie jej pierwszymi dwoma fragmentami. Teraz pewnie nawet trzema, bo Karp prawdopodobnie już do niej dołączył. Moim zdaniem to tłumaczy zielony kolor sukni. Poza tym jest wyraźnie wyższa, a jej oczy stały się trochę wyłupiaste...

— Arthurze! Nie powinieneś tutaj przebywać!

Arthur się odwrócił i ujrzał Strażnika Porucznika, który wyszedł zza Drzwi Frontowych. Nie wydawał się tak spokojny i opanowany jak zazwyczaj. Jego długie, białe włosy były rozczochrane, na niebieskim palcie widniały plamy błota oraz ciemnoniebieskiej substancji, być może krwi Rezydenta. Zamiast lśniących oficerek nosił przemoczone buciory o cholewach sięgających ud. W dłoni ściskał nagi miecz. Głownia połyskiwała lodowym, jasnobłękitnym światłem, które raziło Arthura. Liść musiała odwrócić głowę i osłonić twarz.

— Nie powinienem tutaj przebywać? — powtórzył Arthur. — Ależ ja wcale nie chcę tego! Razem z Liść zamierzam natychmiast wrócić do domu.

Strażnik Porucznik pokręcił głową i ukrył miecz w pochwie, która zmaterializowała się z powietrza.

— Arthurze, nie możesz powrócić do swojego świata.

— Czemu?!

— Bo już w nim jesteś. Ściślej rzecz biorąc, znajduje się tam twoja kopia. Duchożer. Zdziwiłem się, gdy poczułem, że szybko, bez powitania przemykasz przez Drzwi. Ktokolwiek jednak wysłał Duchożera, z niebywałą starannością zaplanował jego przeniknięcie. Moją uwagę pochłonął wówczas zarówno nagły napływ z Morza Granicznego, jak i kilka nielegalnych otwarć.

— Nic nie rozumiem — wykrztusił Arthur. — Kopia znalazła się w moim świecie? Jak ją nazwałeś?

— Duchożer.

— To nie brzmi dobrze — mruknęła Liść. — Co robią takie stwory?

— Nie mam czasu na pogawędki — oświadczył Strażnik Porucznik. — Za Drzwiami nadal pozostają nielegalni wędrowcy. Powodzenia, Arthurze!

Zanim chłopiec zdążył zaprotestować, Rezydent pośpiesznie się obrócił i zniknął za Drzwiami, po drodze znowu wyciągając miecz. Zarys broni odbił się na żelaznych dekoracjach, które po chwili przeobraziły się w misterny wzór pnących róż.

Arthur pociągnął Liść za ramię, gdyż dziewczyna znowu patrzyła jak zahipnotyzowana na ozdoby.

— Oj, przykro mi, Arthurze. Jednak będziesz musiał teraz porozmawiać z tą wielką, zieloną kobietą.

— Chyba rzeczywiście — przyznał Arthur ponuro. — Mam nadzieję, że nie zastosowała jakiejś sztuczki, żeby mnie tutaj zatrzymać.

Odwrócił się, by spojrzeć z góry na Pierwszą Damę i zderzył się z kimś, kto zmaterializował się tuż przed nim i schodził z porcelanowego talerza w dopracowane żółto-białe wzory. Przybysz upadł razem z Arthurem, który instynktownie zamachnął się na obcego. Dopiero po zadaniu ciosu zorientował się, że tajemniczym nieznajomym jest jego przyjaciółka Suzy.

— Au! Ostrożnie!

— Przepraszam — wymamrotał Arthur.

— Przybyłam najszybciej, jak mogłam. — Gdy Suzy wstawała, w kieszeniach jej długiego, brudnego palta rozległo się wyraźne pobrzękiwanie żółto-białych Podróżnych Talerzy. — Skierowałam wszystkie Talerze na Wzgórze Uchylonych Wrót, ale Stara Damula jest już w drodze, zatem lepiej się pospiesz…

Arthur w milczeniu wskazał dłonią podnóże wzniesienia. Suzy umilkła i obejrzała się przez ramię. Pierwsza Dama i jej orszak znajdowali się w odległości zaledwie kilkunastu metrów. Wola groźnie spoglądała na Suzy.

— Pierwsza Damo! — zawołał Arthur, zanim zdążyła przystąpić do besztania Suzy lub wygłaszania wykładu. — Chcę tylko wpaść do domu z krótką wizytą i zaraz potem wrócić. Są jednak pewne trudności…

Pierwsza Dama zatrzymała się przed Arthurem i dygnęła. Najpierw przemówiła głosem zwykłej kobiety, lecz po chwili stał się on niski i chrapliwy, a do tego pobrzmiewały w nim nuta zadowolenia z siebie i pohukiwanie Karpia.

— W rzeczy samej, zaistniały trudności. I to liczne. Lordzie Arthurze, muszę cię poprosić o powrót do Pokoju Dziennego Poniedziałka. Zachodzi potrzeba zwołania rady wojennej.

— To nie jest jakaś sztuczka? — zapytał Arthur podejrzliwie. — To nie ty posłałaś mojego sobowtóra do mnie do domu?

Wstrząśnięta Pierwsza Dama odetchnęła głęboko.

— Nigdy w życiu! Tworzenie Duchożera jest absolutnie zabronione. Pomijając wszystko inne, nie mam ani wiedzy, ani umiejętności, by wykreować coś podobnego. Ponad wszelką wątpliwość mamy do czynienia z najnowszym posunięciem Potomnych Dni, wymierzonym przeciwko tobie, Arthurze, jak również przeciwko nam. To jedna z wielu spraw, które naprawdę musimy przedyskutować.

Arthur zacisnął pięści, lecz po chwili rozluźnił dłonie.

— Czy mogę wykorzystać Siedem Cyferblatów?

Chłopiec już raz powrócił do swojego świata za pomocą magii, zawartej w dziwnym pomieszczeniu ze stojącymi zegarami, znanymi jako Siedem Cyferblatów. Wiedział, że jest to drugi podstawowy portal, którym Rezydenci mogą opuszczać Niższy Dom i wkraczać do Poślednich Królestw.

— Nie — zaprzeczyła Pierwsza Dama. — Jak rozumiem, Duchożer w magiczny sposób zajął twoje miejsce w Poślednim Królestwie. Gdybyś ty również tam się znalazł, interakcja pomiędzy tobą a Niconiem doprowadziłaby do erupcji Nicości, która zapewne zabiłaby ciebie i, jak mniemam, zniszczyłaby twój świat.

— Zatem ten Duchożer jest czymś w rodzaju antymaterialnego Arthura? — zainteresowała się Liść.

Pierwsza Dama pochyliła głowę i wbiła wzrok w dziewczynę, po czym prychnęła z wyższością.

— Chyba nie byłyśmy sobie przedstawione, moja panno.

— To moja przyjaciółka Liść — pośpieszył z wyjaśnieniem Arthur. — Liść, poznaj Pierwszą Damę.

Liść ostrożnie skinęła głową. Pierwsza Dama prawie niedostrzegalnie opuściła brodę.

— Co zamierza zrobić ten Duchożer? — zaniepokoił się Arthur. — Poza tym, że pragnie uniemożliwić mi powrót do domu?

— To miejsce nie nadaje się do prowadzenia takich rozmów — oświadczyła Pierwsza Dama. — Powinniśmy wrócić do Pokoju Dziennego Poniedziałka.

— Zgoda — westchnął chłopiec. Przez moment spoglądał na Drzwi Frontowe, potem odwrócił wzrok. — Zatem w drogę.

— Zaraz! — zaprotestowała Liść. — A co ze mną? Chcę wracać. Bez urazy, Arthurze, ale muszę spędzić trochę czasu we własnym domu, żeby... bo ja wiem... przypomnieć sobie normalność.

— Liść może wrócić, prawda? — spytał Arthur zmęczonym głosem.

— Może, a nawet powinna — potwierdziła Pierwsza Dama. — Najlepiej będzie, jeśli skorzysta z Siedmiu Cyferblatów. Strażnik Porucznik zamknął Drzwi i nie otworzy ich, dopóki nie upora się z intruzami. Teraz ruszajmy wszyscy do Pokoju Dziennego Poniedziałka. Suzanno, ty również. Ufam, że nie zbiłaś żadnego Talerza.

Suzy wymamrotała, że kilka wyszczerbień i pęknięć jeszcze nikomu nie zaszkodziło, lecz mówiła na tyle cicho, że Dama nie miała szansy jej dosłyszeć.

Gdy schodzili po zboczu Wzgórza Uchylonych Wrót, Arthur zauważył, że otacza ich kordon Metalowych Komisarzy oraz Komisarzy Sierżantów, którzy zgodnie obserwowali ziemię i niebo. Nocni Przybysze — ubrani na czarno słudzy Poniedziałkowego Zmierzchnika — szybowali w powietrzu nad głowami zebranych, a długie baty kołysały się u ich boków. Także Przybysze się rozglądali, bezustannie obracając głowami, aby widzieć wszystko dookoła.

— Czego wypatrują? — zdziwił się Arthur.

— Skrytobójców — odparła Pierwsza Dama zwięźle. — To jedna ze zmian, które zaszły. Zarówno były Pan Poniedziałek, jak i były Ponury Wtorek zostali zamordowani... Za pomocą magii.

ROZDZIAŁ DRUGI

abici za pomocą magii? — powtórzył Arthur, gdy pospiesznie weszli do windy. Chciał się upewnić, że słuch go nie zawodzi, gdyż pozbawienie Rezydenta życia było wyjątkowo trudne. — Naprawdę zostali zamordowani? Są martwi jak głazy?

Pierwsza Dama dała znak Poniedziałkowemu Południkowi, który stanął u boku Arthura i ukłonił się z rezerwą, niezbyt głęboko. Przebywali w ogromnej, sześciennej kabinie o boku długości prawie dwudziestu metrów, całkowicie zapełnionej przez najrozmaitszych strażników, urzędników i karierowiczów. W jednym kącie rozlokował się kwartet smyczkowy, grający łagodną melodię. Arthur był prawie pewien, że już ją kiedyś słyszał.

— Martwi jak głazy — potwierdził Poniedziałkowy Południk, błyskając srebrnym językiem. Nie licząc języka, niewiele się zmienił od czasu, gdy Arthur awansował go ze Zmierzchnika na Południka. Choć nie ubierał się już na czarno, jego sposób mówienia i spokojne ruchy nadal kojarzyły się Arthurowi z łagodnym, gasnącym światłem wieczoru. — Były Pan Poniedziałek otrzymał cios magicznym ostrzem, które przebiło głowę i serce. Ofiary nie znaleziono na tyle szybko, by przeciwdziałać skutkom ataku.

Były Ponury Wtorek został zepchnięty lub wrzucony do Studni z najwyższego poziomu.

— Czy on na pewno jest martwy? Chodzi o to, czy nikt w to nie wątpi? — naciskał Arthur. Wciąż nie mógł w to uwierzyć. — Czy znaleźliście jego zwłoki?

— Tylko szczątki — westchnął Południk. — Wylądował w bajorze Nicości. Świadkami zdarzenia byli robotnicy, spora grupa pracowała nieopodal przy zasypywaniu Studni. Istnieje duże prawdopodobieństwo, że przed upadkiem również został zaatakowany mocą magii, żeby nie mógł krzyczeć lub się uratować.

— Czy wiadomo, kto jest sprawcą zbrodni?

— Niestety, nie — odezwała się Pierwsza Dama. — Możemy tylko zakładać, że zarówno Poniedziałek, jak i Wtorek coś wiedzieli o Potomnych Dniach oraz o ich planach, które nie mogły wyjść na jaw. To zastanawiające, że Potomne Dni posunęły się do takiego czynu, zważywszy, że już drobiazgowo przesłuchałam obu byłych Wykonawców i nie ustaliłam nic godnego uwagi. Możliwe, że chodzi o próbę ukrycia jakichś niezwykle istotnych wiadomości, które gdzieś wyszły na jaw. Poruszymy to zagadnienie podczas obrad naszej rady.

— Chciałbym więcej się dowiedzieć o Duchożerze — oświadczył Arthur niespokojnie. — Rozumiem, że przez niego nie mogę wrócić do domu, ale czy mojej rodzinie coś grozi z jego strony? Co on może zrobić?

— Sama nie wiem — przyznała Pierwsza Dama. — Nie jesteśmy... chciałam powiedzieć, nie jestem zaklinaczem Domu. Wezwałam do Pokoju Dziennego twojego świeżo nominowanego Środowego Zmierzchnika, doktora Scamandrosa, aby opowiedział nam o Duchożerach. Wszystko wskazuje na to, że jest on obecnie jedynym zaklinaczem szkolonym w Wyższym, a przebywającym w Niższym Domu, w Odległych Rubieżach i na Morzu Granicznym.

Hałaśliwie zabrzęczał dzwonek, kwartet smyczkowy umilkł. Drzwi windy nie otworzyły się jednak.

— Zabezpiecz Pokój Dzienny — rozkazała Pierwsza Dama Południkowi, który się ukłonił i dotknął drzwi. Gdy się nieznacznie rozchyliły, wyprowadził z kabiny kilkunastu Komisarzy Sierżantów oraz zwykłych Komisarzy. Kilkunastu pozostałych otoczyło Arthura, Liść, Suzy i Pierwszą Damę.

— Musimy zachować ostrożność — wyjaśniła Pierwsza Dama. — Nie wolno nam dopuścić do tego, Arthurze, byś został zamordowany.

— Ja? — Arthur poklepał mały trójząb, zatknięty za pasem. — Przecież Trzeci Klucz ma mnie chronić.

— Racja — potwierdziła Pierwsza Dama. — Cokolwiek jednak doprowadziło do śmierci dwóch byłych Wykonawców, opierało się na wyjątkowo wysokiej magii Domu. Dość powiedzieć, że Ponury Wtorek, choć pozbawiony większości Mocy, z pewnością nie był łatwy do pokonania. Zatem skrytobójca lub skrytobójcy są w stanie obejść lub zneutralizować działanie Klucza. A wy, śmiertelnicy, jesteście tacy krusi.

— Krusi. — Arthur powtórzył to słowo i pomyślał o skorupkach jajek, a potem wyobraził sobie własną głowę miażdżoną na kawałeczki przez maga skrytobójcę, który zakradł się od tyłu…

Z trudem odegnał od siebie tę wizję, lecz mimowolnie się obejrzał. Za plecami ujrzał tylko strażników, ale i tak poczuł, jak ze strachu kurczy mu się żołądek.

Nie zdradził się jednak, usiłując rozluźnić napiętą atmosferę.

— Świetnie — powiedział z ironią. — Wszystko zmierza ku lepszemu, prawda?

— To nie jedyne przerażające wieści — uprzedziła go Pierwsza Dama. — Wkrótce pomówimy o następnych.

— Droga wolna — oznajmił Południk z zewnątrz. Drzwi windy rozsunęły się bezszelestnie i odsłoniły hol Pokoju Dziennego Poniedziałka. Pod względem architektonicznym wyglądał niemal tak samo jak wówczas, gdy Arthur widział go po raz ostatni. Wtedy dymiące studnie błotne i żelazne podesty przerobiono na staromodne pokoje, kojarzące się chłopcu z muzeum. Pojawiła się jednak pewna zasadnicza różnica. Wzdłuż ścian holu, od podłogi do sufitu, zalegało tysiące paczek papieru, poowijanych czerwonymi wstążkami. Co mniej więcej trzy metry w stertach znajdowały się otwory wielkości Rezydenta. W każdym stał na baczność Komisarz Sierżant.

— O co chodzi z tymi wszystkimi papierami? — zdumiała się Liść, gdy szli wzdłuż holu.

Nikt nie pokwapił się z odpowiedzią, dopóki Arthur nie powtórzył za nią pytania.

— Środkowy i Wyższy Dom zasypują nas robotą papierkową — westchnęła Pierwsza Dama. — To skuteczna metoda angażowania naszych zasobów i spowalniania reorganizacji. Arthurze, skręcamy w następne drzwi po lewej. Kichol, kamerdyner, powinien mieć wszystko przygotowane do przeprowadzenia narady.

Drzwi po lewej również były całkowicie otoczone stertami papieru powiązanego w paczki. Wejście z solidną gałką z brązu wydawało się zupełnie zwyczajne. Arthur przekręcił gałkę i pchnął drzwi.

Przed nimi rozpościerała się przestronna komnata, na oko od czterech do pięciu razy większa od sali gimnastycznej w szkole Arthura, z dziesięć razy wyższym sufitem. Podłogę, ściany i sufit wykończono białym marmurem ze złotymi żyłkami. Gdy chłopiec wszedł do środka, wydało mu się, że przypadkiem znalazł się w łazience pozbawionego dobrego smaku olbrzyma.

Pośrodku tej ogromnej sali umieszczono okrągły stół o ponadtrzydziestometrowej średnicy. Mebel wykonano zapewne z lanego żelaza i pomalowano na ciemnoczerwono. Był pusty, a wokół niego stało ponad sto krzeseł o wysokich oparciach ze zgrzewanego żelaza, dla odmiany pomalowanego na biało. Jedno z nich, z litego złota lub pozłacanego żelaza, miało znacznie wyższe oparcie. Krzesło obok również wyglądało na wyższe od pozostałych. Ponadto powoli zmieniało barwę z czerwonej przez białą na złotą i z powrotem.

Kichol, ubrany w nieskazitelny surdut, stał w otworze pośrodku stołu, z białą ściereczką przerzuconą przez rękę. Jego niegdyś zmierzwione włosy były zaczesane do tyłu, przewiązane złotą wstążką i przypudrowane na biało. W dłoni trzymał srebrną tacę z trzema kryształowymi szklaneczkami, napełnionymi pomarańczowym płynem (zapewne sokiem) oraz z wysokim kieliszkiem do wina, pełnym krwistej cieczy. Arthur miał nadzieję, że to wino.

Krzesła stały puste, lecz za stołem zgromadził się spory tłum stojących w ciszy Rezydentów. Arthur rozpoznał doktora Scamandrosa i pomachał do niego. Potem pomachał raz jeszcze, ujrzawszy tuż za jego plecami Spalonego Słońcem. Ten ostatni prezentował się wyśmienicie, choć było mu nieco niewygodnie w admiralskim mundurze, do którego miał prawo jako nowy Środowy Południk. Wkrótce Arthur machał do wszystkich, gdyż rozpoznał Tezaurusa Japetha oraz urzędnika zaopatrzeniowego Mathiasa, którzy stali razem, oraz do Jutrzenek, Poniedziałkowej i Środowej, a także do innych osób, które uczestniczyły w jego wcześniejszych przygodach — takiego słowa użyłaby Liść — w Domu.

— Zasiądźcie! — zawołała Pierwsza Dama. Jej niski, chrapliwy głos przestraszył Liść. — Pora rozpocząć sesję rady. Suzanno, nim do nas dołączysz, możesz odłożyć Podróżne Talerze do kredensu z porcelaną.

Suzy się skrzywiła, brzęknęła podczas dygnięcia i wybiegła. Po drodze zdążyła jeszcze się zatrzymać i pokazać język Pierwszej Damie, kiedy Wola się odwróciła i wskazała złote krzesło.

— Oto twój tron, lordzie Arthurze. Wszyscy inni zasiadają zgodnie z hierarchią ważności.

— A gdzie jest miejsce dla mnie? — upomniała się Liść.

— Możesz stać za Arthurem — odparła Pierwsza Dama lodowatym tonem.

— Uważam, że Liść powinna raczej zająć miejsce na krześle obok mnie — oświadczył Arthur twardo. — Jako gość honorowy.

— Tak jest, wasza lordowska mość — potwierdził Kichol, a zaskoczony Arthur podskoczył. Kamerdyner całkiem niespodziewanie znalazł się za jego plecami i teraz podsuwał mu sok pomarańczowy. — Przyniosę krzesło dla pani Liść.

— Przygotowałam harmonogram przebiegu narady — obwieściła Pierwsza Dama po zajęciu miejsca. Jej krzesło zmieniło barwę z czerwonej na białą, a potem na złotą. Arthur zauważył też, że oparcie urosło o ładnych kilka centymetrów, niemal dorównując wysokością jego krzesłu.

Pierwsza Dama postukała palcami w dużą księgę w twardej oprawie, liczącą trzysta lub czterysta stron, która leżała na stole. Arthur miał przed sobą taki sam egzemplarz. Usiadł, przysunął go do siebie, otworzył na stronie tytułowej i przeczytał: „Harmonogram przebiegu narady, zwołanej w celu przedyskutowania rozmaitych kłopotliwych kwestii związanych z Domem, uwolnieniem Woli Architektki, uznaniem Prawowitego Dziedzica i najróżniejszych innych zagadnień".

Na następnej stronie znajdowała się lista tematów od pierwszego do trzydziestego. Kolejna zawierała kwestie od trzydziestej pierwszej do sześćdziesiątej. Arthur przewertował kartki do końca, aby się przekonać, że plan narady obejmuje ponad sześć tysięcy zagadnień.

— Proponuję, byśmy rozpoczęli od Numeru Pierwszego — zasugerowała Pierwsza Dama. — A następnie omawiali wszystkie kwestie po kolei.

Arthur rzucił okiem na Numer Pierwszy.

„Arbitraż międzyterytorialny, artykuł pierwszy: spór w kwestii prowadzenia archiwum oraz transportu archiwaliów między Środkowym a Niższym Domem".

— Harmonogram jest ułożony w porządku alfabetycznym — pośpieszyła z wyjaśnieniem Pierwsza Dama. — Wszystkie problemy arbitrażowe znalazły się na początku.

— Nie mam na to czasu — oświadczył Arthur i zatrzasnął książkę z głośnym hukiem. — Interesuje mnie to, czym jest Duchożer, co zrobi mojej rodzinie i jak można się go pozbyć. Doktorze, czy wiesz coś na ten temat?

— To wykracza poza obowiązujące obyczaje — poskarżyła się Pierwsza Dama. — Lordzie Arthurze, muszę zaprotestować. Jak możemy dojść do należytych wniosków i przystąpić do skutecznego działania, skoro nie przestrzegamy ustalonego Harmonogramu?

— Mam pomysł: ułóż harmonogram w kolejności od najważniejszego zagadnienia do najmniej istotnego. Gdy ty się będziesz tym zajmować, my porozmawiamy o Duchożerze — zaproponował Arthur, nie mając śmiałości spojrzeć na Pierwszą Damę. Było w niej coś, co kazało mu siedzieć cicho i potulnie wykonywać polecenia. Kojarzyła mu się z najbardziej przerażającym nauczycielem, jaki go kiedykolwiek uczył i uciszał całą klasę samą swoją obecnością. Podobnie jak w wypadku groźnego pedagoga, Arthur czuł, że Pierwszej Damie łatwiej się przeciwstawić, jeśli się na nią nie patrzy. — Doktorze?

— Hm, no cóż, nie miałem zbyt dużo czasu na gruntowną analizę tej kwestii — wyjaśnił Scamandros, nerwowo zerkając na Pierwszą Damę. Tatuaże w postaci palm na jego policzkach nagle się zatrzęsły, a wtedy kilka zdenerwowanych małp gruchnęło na ziemię i zsunęło się mu na brodę. Palmy znikły, ich miejsce zajęły cyferblaty o chyżo pomykających wskazówkach. — Rzecz w tym, że nie zdążyłem nawet uraczyć się szklaneczką rewitalizującego napoju w Porcie Środy. Od razu mnie tu przygnano. Tak czy owak, dysponuję pewnymi informacjami, zgromadzonymi z pomocą Poniedziałkowego Południka, zdolnego maga, choć nie kształconego w Wyższym Domu...

Przerwał, aby skłonić głowę przed Poniedziałkowym Południkiem, który odwzajemnił ukłon. Arthur zacisnął dłoń na szklance z sokiem pomarańczowym, usiłując nie sprawiać wrażenia zbyt zniecierpliwionego. Kątem oka dostrzegł Suzy, która, po powrocie, dyskretnie siadała na podłodze, ukryta za Poniedziałkowym Południkiem.

— Jeśli nam wiadomo — kontynuował Scamandros — Duchożery stworzono tylko przy kilku okazjach w całej historii Domu. Duchożer to przebiegły i paskudny typ Niconia, powołany do życia w celu przyjęcia czyjejś postaci, Rezydenta lub śmiertelnika. Jego podstawowa siła tkwi w umiejętności przekształcania się w wierną kopię atakowanego obiektu, ale dysponuje również dodatkową umiejętnością wtłaczania własnej osobowości we wszystkich, którzy go otaczają, czy to śmiertelników, czy to Rezydentów…

— Co takiego? — przerwał mu Arthur. — Na czym dokładnie polega „wtłaczanie własnej osobowości"?

— Nie jestem do końca pewien… Prawdopodobnie chodzi o to, że gdy Duchożer uczyni coś takiego, wówczas może przejąć kontrolę nad umysłami ofiar i odczytywać ich niedawne przemyślenia oraz wspomnienia. Ta umiejętność jest przydatna przy pogłębianiu i rozbudowywaniu mistyfikacji. Z początku otoczenie ma do czynienia wyłącznie ze zwykłą, zewnętrzną powłoką zaatakowanego, dlatego stwór dąży do uzyskania możliwie obszernej wiedzy o osobach zaufanych i druhach ofiary.

— Chcesz powiedzieć, że to coś zawładnie umysłami moich najbliższych? — Wstrząśnięty Arthur zerwał się z krzesła, rozchlapując sok pomarańczowy. — Ile czasu mu to zabierze?

— Tak… Zakładam, że właśnie tak postąpi — przyznał Scamandros. — Choć nie wiem, w jaki sposób.

— Ile czasu mu to zabierze? — powtórzył chłopiec. Nic gorszego nie przychodziło mu do głowy: jego rodzina była w niebezpieczeństwie! Przypomniał sobie, jak dwaj Szkaradzieje Ponurego zionęli swoim parszywym oddechem zapomnienia na jego ojca, jak on sam się poczuł w tym koszmarnym momencie, w którym mgła ogarnęła jego tatę. Teraz cała jego rodzina ponownie była narażona na niebezpieczeństwo, a on utknął w Domu. Jego bliscy byli bezbronni.

Muszę im pomóc, pomyślał zdesperowany. Musi istnieć coś... ktoś...

— Moim zdaniem kilka dni. Ale nie mogę mieć pewności — podkreślił Scamandros.

Arthur zerknął na Liść. Skrzyżowali spojrzenia.

— Coś mi się widzi, że myślisz o tym, o czym ja myślę — odezwała się. — Nie możesz wrócić, bo cały świat będzie kaput. Ale ja mogę i pozbędę się tego Duchożera.

— Sam nie wiem — mruknął Arthur. — To wszystko wygląda bardzo niebezpiecznie. Czy Poniedziałkowy Południk mógłby...

— Żadnej ingerencji! — zagrzmiała Pierwsza Dama. — Przypomnijcie sobie Pierwotne Prawo! Śmiertelnik może wrócić tam, skąd przybył, ale nikomu innemu nie wolno kalać dzieła Architektki.

— Moim zdaniem ono i tak jest już nieco pokalane — zauważył Arthur ze złością. — Jak to możliwe, że źli mogą robić wszystko, na co im przyjdzie chętka, a kiedy ja chcę coś zrobić, słyszę tylko: „Zapomnij, nawet o tym nie myśl"? Jakie korzyści mam z tego, że jestem Prawowitym Dziedzicem? Same kłopoty!

Nikt nie odpowiedział na pytanie Arthura. Zebrani nie patrzyli na niego. Nikt też nie kazał mu się zastanowić nad własnym zachowaniem. Poczuł się nagle dziwacznie i zapragnął, aby ktoś powiedział po prostu: „Zamknij się, Arthur, mamy kupę roboty".

— Czy to możliwe? — zapytała Liść. — Chodzi mi o pozbycie się Duchożera.

Arthur i Liść jednocześnie spojrzeli na Scamandrosa. Tatuaże na jego twarzy świadczyły o lęku: przedstawiały chwiejne wieże, budowane kamień po kamieniu tylko po to, by na sam koniec runąć.

— Tak myślę. Przede wszystkim jednak wiązałoby się to ze znalezieniem przedmiotu, wykorzystanego do stworzenia Duchożera. Chodzi o coś osobistego, co należało do ofiary, coś obłożonego zaklęciami. W tym wypadku chodzi o jakąś twoją własność, Arthurze, coś, co przez dłuższy czas należało do ciebie. Ulubiona książka, łyżka, może coś z ubrania. Tego typu przedmiot.

Zaskoczony Arthur zmarszczył brwi. Co takiego zgubił? Co posłużyło komuś do stworzenia Duchożera?

— Kiedy mogło dojść do tego zdarzenia? — spytał.

— Wyrośnięcie Duchożera z Nicości mogło trwać ponad rok Czasu Domowego — oświadczył doktor Scamandros.

— Rok... Ile czasu minęło, od kiedy otrzymałem od Pana Poniedziałka wskazówkę zegarową? — dopytywał się Arthur. Dla niego wydarzyło się to w ubiegłym tygodniu, lecz w Domu musiało upłynąć znacznie więcej czasu. — Chodzi mi o Czas Domowy.

— Półtora roku — odparła sztywno Pierwsza Dama. Miała przed sobą otwarty Harmonogram i stukała w niego złotym ołówkiem. Przy każdym stuknięciu jeden z punktów programu narady przesuwał się w górę lub w dół, albo na inną stronę, ukrytą głębiej w książce.

— To z pewnością robota Aporterów Poniedziałka — mruknął chłopiec. — A może jednego ze Szkaradziejów Ponurego Wtorka. Nie przychodzi mi jednak do głowy nic osobistego, co mogłem stracić.

— Możesz o to spytać *Atlas* — podsunęła Pierwsza Dama. — Masz przy sobie Trzeci Klucz, zatem *Atlas* udzieli ci odpowiedzi.

Arthur wyciągnął go z kieszeni, położył na stole i wziął do prawej ręki mały trójząb, czyli Trzeci Klucz. Nie zaczął jednak koncentrować się na pytaniu, które chciałby zadać *Atlasowi*. Po chwili odłożył Trzeci Klucz, kierując jego zęby ku pustemu środkowi stołu.

— Muszę być ostrożny przy korzystaniu z Kluczy — oznajmił. — Tego trójzębu używałem już wielokrotnie na Morzu Granicznym, a nie chcę się stać Rezydentem. Gdyby do tego doszło, nie mógłbym powrócić do domu.

— Ile ci brakuje? — zaciekawiła się Liść. — Czy to jest tak, że jeszcze użyjesz Klucza dajmy na to sto razy, a potem łubu-du, ni z gruszki, ni z pietruszki, masz ponad dwa metry wzrostu i jesteś zabójczo przystojny?

— Sam nie wiem — westchnął Arthur. — Między innymi na tym polega problem.

Doktor Scamandros kaszlnął dyskretnie, a następnie podniósł dłoń. Pierwsza Dama na moment przestała stukać w Harmonogram i skierowała na doktora uważne spojrzenie, ale zaraz potem powróciła do wprowadzania zmian.

— Lordzie Arthurze — odezwał się Scamandros. — Chyba powinieneś wiedzieć, że jako student opracowałem prostą metodę badawczą, która może cię zainteresować. Służy ona do mierzenia magicznego skażenia obiektów, czyli także osób, rzecz jasna.

Scamandros przystąpił do przetrząsania swojego żółtego szynela i wyjął z niego wachlarz z pawich piór, kilka emaliowanych tabakier, rzeźbiony w motywy żeglarskie nożyk do listów oraz mosiężny pikolo. Wszystko to wyłożył na stół.

— Gdzieś tutaj — mruknął i po chwili triumfalnie wyciągnął aksamitne, kilkucentymetrowej powierzchni pudełko, wyraźnie zniszczone na krawędziach. Otworzył je i przekazał Spalonemu Słońcem, który wręczył je Liść. Dziewczyna z ciekawością obejrzała przedmiot w środku i podała pudełko Arthurowi. Wewnątrz znajdował się cienki, srebrny krokodyl zwinięty w pierścień, z paszczą zaciśniętą na ogonie. Zamiast oczu miał jaskraworóżowe brylanty, a jego ciało było pokryte kreskami podzielonymi na dziesięć segmentów. Każdy z nich był oznaczony małymi, grawerowanymi cyframi rzymskimi.

— Co to ma wspólnego z naradą? — zirytowała się Pierwsza Dama. — Jestem już gotowa do procedowania ze skorygowanym Harmonogramem.

Arthur puścił jej słowa mimo uszu i wyciągnął pierścień. — Do czego to służy? — spytał. — Mam go przymierzyć?

— Tak, wsuń go na palec — potwierdził doktor Scamandros. — Krótko mówiąc, dzięki temu pierścieniowi dowiesz się, w jakim stopniu zostałeś... hm... naznaczony magią. Miernik nie jest precyzyjny, to oczywiste, a w wypadku śmiertelnika nie ma pewności co do kalibracji. Powiem tylko, że jeśli więcej niż sześć segmentów pierścienia zabarwi się na złoto, to będzie oznaczało, że zostałeś nieodwracalnie przeobrażony w...

— Czy możemy kontynuować? — warknęła Pierwsza Dama, gdy doktor Scamandros wypowiadał słowo: „Rezydenta".

Arthur wsunął pierścień na palec i ze zdumieniem oraz narastającą zgrozą patrzył, jak kolejne segmenty krokodyla nieśpiesznie zmieniają się ze srebrnych w złote.

Pierwszy... drugi... trzeci...

Gdyby przeobraził się w Rezydenta, nigdy nie mógłby powrócić do własnego domu. W starciu z Potomnymi Dniami musiał jednak korzystać z Klucza oraz *Atlasu*, a to oznaczało pogłębienie magicznego skażenia.

Chyba że już było za późno.

Arthur wpatrywał się w pierścień, ogarnięty falą złotego przypływu, który pochłaniał czwarty segment i wcale nie zamierzał zwolnić.

rthur obserwował pierścień z fascynacją przemieszaną z lękiem. Po czwartym segmencie złoto nagle przestało się rozprzestrzeniać, a potem powoli nieznacznie się cofnęło.

— Prawie sięga czwartej linii — obwieścił chłopiec.

— Miernik nie jest precyzyjny — przypomniał mu doktor Scamandros. — Ale ten pomiar zgadzałby się z wynikami mojego poprzedniego badania. Twoje ciało, krew i kości są w czterech dziesiątych skażone magią.

— Po przekroczeniu granicy sześciu dziesiątych zostanę Rezydentem?

— Nieodwracalnie.

— Czy mogę się jakoś pozbyć skażenia? — Arthur usiłował mówić spokojnie. — Czy ono słabnie?

— Tak, z biegiem czasu skażenie traci na sile — potwierdził Scamandros. — Pod warunkiem że nie będziesz się na nowo zatruwał. Zakładam, że zmniejszy się po upływie stulecia.

— Po stu latach! Równie dobrze mogę je uznać za stałe. W jakim stopniu korzystanie z *Atlasu* przyczynia się do pogłębienia skażenia?

— Bez starannie przeprowadzonych eksperymentów oraz obserwacji nie mogę nic stwierdzić. Na pewno jednak *Atlas* ma na ciebie mniejszy wpływ niż interwencje medyczne lub te, które mają na celu odwrócenie skutków niewłaściwego użycia mocy Klucza. Wszystko, co nie koncentruje się na twoim organizmie, jest mniej szkodliwe.

— Nie ma nic szkodliwego w tym, że ktoś zostaje Rezydentem — zauważyła Pierwsza Dama. — To zdarzenie należy traktować jak przejście do wyższej formy bytu. Nie pojmuję twojej niechęci do odrzucenia śmiertelności, Arthurze. Ostatecznie jesteś Prawowitym Dziedzicem Architektki Wszechrzeczy. Czy teraz możemy już zająć się Harmonogramem narady?

— Wybrano mnie tylko dlatego, że miałem lada moment umrzeć i akurat byłem pod ręką — burknął Arthur. — Idę o zakład, że masz gdzieś wypisane stado Prawowitych Dziedziców, na wypadek gdyby coś mi się przytrafiło.

W przestronnym pomieszczeniu zapadła kilkusekundowa cisza, przerwana chrząknięciem Pierwszej Damy. Zanim jednak zdążyła cokolwiek powiedzieć, Arthur podniósł głos:

— Powrócimy do Harmonogramu narady, gdy tylko ustalimy, jak postąpić z Duchożerem! Chciałbym sobie przypomnieć, co takiego mi zginęło.

— Spróbuj odtworzyć w pamięci wszystko, co robiłeś — zasugerowała Liść. — Czy upuściłeś inhalator na boisku? Może go podnieśli? A może miałeś coś w szkole, kiedy spalili bibliotekę?

Arthur pokręcił przecząco głową.

— Nie sądzę... Zaraz, zaraz! Moment!

Odwrócił się do Poniedziałkowego Zmierzchnika, odrobinę niższego niż wtedy, gdy był Południkiem. Nie wydawał się już tak groźny, choć nie stracił na urodzie. Miał na sobie kruczoczarny strój Zmierzchnika, podobny do tych, które noszą przedsiębiorcy pogrzebowi, ale zdjął cylinder z długim, czarnym szalikiem z jedwabiu, przewiązanym wokół korony.

— Gdy byłeś Południkiem, wysłałeś Aporterów. Czy któryś z nich powrócił z jakimś łupem, czy też od razu trafili do Nicości?

— Nie powrócili do mnie — zapewnił Zmierzchnik głosem cichszym niż dawniej. Jego niegdyś srebrny język teraz miał barwę połyskującej kości słoniowej. — Ale też nie ja ich stworzyłem. Pan Poniedziałek przypisał ich do mnie. Sądzę, że odkupił ich od Ponurego Wtorka, gdyż brakowało mu energii, aby ich stworzyć we własnym zakresie. Być może pamiętasz, że zostałem zmuszony do powrotu do Domu, kiedy wraz z Aporterami ścigałem cię w twojej szkole.

— W szkole — powtórzył Arthur powoli, odświeżając w pamięci tamte wydarzenia. — Zabrali mi *Atlas*! Zapomniałem o tym, bo *Atlas* wrócił tutaj i po prostu go wziąłem z powrotem. Aporter oderwał mi kieszeń od koszuli i wraz z nią zabrał *Atlas*…

— Kieszeń! — przerwał mu Scamandros i entuzjastycznie machnął rękami, rozrzucając rzeczy wyłożone na stole. Wieże wytatuowane na jego policzkach nagle stały się wyraźniejsze i wyrosły na nich wymyślne blanki. — To musi być to. Oto źródło, z którego powstał Duchożer. Skrawek materiału blisko twojego serca. Opatrzono go zaklęciami i zatrzymano w Nicości, aby wyhodować Duchożera. Wystarczy znaleźć ten materiał, a będziemy mogli uporać się z potworem.

— Wszystko jasne — podsumowała Liść. — Każdy przyzna, że to nic trudnego.

— Nie musisz próbować — zapewnił Arthur przyjaciółkę. — Zrozumiem, jeśli postanowisz trzymać się od tego wszystkiego z daleka.

— Chyba nie mam specjalnego wyboru — burknęła Liść. — Przecież nie będę siedziała z założonymi rękami, kiedy twój zły klon zacznie się kręcić po okolicy i przejmować kontrolę nad umysłami ludzi, no nie?

— Jeśli nie chcesz, nie angażuj się w tę sprawę — powtórzył Arthur. Chociaż Liść próbowała zlekceważyć problem, widać było, że się boi. — Znam ludzi, którzy nie kiwnęliby palcem, gdyby jakaś sprawa nie dotyczyła ich bezpośrednio.

— Tak, ale ja nie zamierzam być kimś takim. Mój brat, Ed, mi pomoże, jeśli kwarantanna już się skończyła... Chociaż wydaje mi się, że kiedy po moim powrocie jeszcze będzie środa, to nadal zatrzymają go w szpitalu...

Liść skrzywiła się na myśl o tym. Rodzice, ciotka i Ed zapadli na Senny Pomór i poddano ich kwarantannie.

— Tak czy owak, doktorze, czy jest coś konkretnego, co mogę zrobić temu Duchożerowi? No bo dajmy na to sól niszczy Aporterów, a srebro rozpuściło Sponiewieraka.

Scamandros zacisnął usta. Wokół jego wytatuowanych wież pojawiło się rusztowanie.

— Nie wiem — westchnął. — Srebrna włócznia lub miecz mogłyby go zirytować, zapewne, a podobnie jak wszystkie Nicianie zjadłby sól tylko pod przymusem. Rzecz w tym, że jedynie Nicianie niższego rzędu cierpią przy kontakcie ze srebrem lub dają się przegnać solą.

— Czy on sypia? — chciała wiedzieć Liść. — I czy będzie miał przy sobie kieszeń Arthura? A może schował ją w innym miejscu?

— Dobre pytania, bardzo trafne — mruknął Scamandros. — Obawiam się, że moje źródła ani słowem nie wspominają o tym, jak ta istota odpoczywa. Przyjmuję jednak, że kładzie się spać. Najprawdopodobniej ukryje kieszeń gdzieś nieopodal legowiska, ale niestety, moje informacje są fatalnie niepełne...

— Czy ma pan jakieś pojęcie, gdzie należy szukać jego legowiska? — dociekała Liść. — W domu Arthura?

Dwie małe chmury kurzu na policzkach Scamandrosa zaczęły gwałtownie wirować, przybierając postać miniaturowych tornad, które zagroziły domowi, wytatuowanemu u nasady nosa.

— Moje źródła są niekompletne. Jeden z odnośników wskazuje na hasło „Legowisko Duchożera", lecz niewiele z tego wynika.

— Skoro ten stwór udaje Arthura, to pewnie prędzej czy później opuści jego dom — zauważyła Liść. — Mogę wkraść się do środka przez tylne drzwi albo jakoś inaczej. W twoim domu są tylne drzwi?

— Najlepiej byłoby przedostać się przez garaż — zastanawiał się Arthur. — Pod niebieskim kamieniem na podjeździe znajduje się pilot. Jeśli to coś jest mną, to zapewne zagnieździło się w moim pokoju, na najwyższym piętrze. Chyba jednak powinniśmy uzyskać więcej informacji o tej istocie, zanim cokolwiek ustalimy.

Ponownie podniósł Trzeci Klucz, a drugą dłoń położył na *Atlasie*. Zielona, skórzana oprawa zadrżała.

— Moment! — zaprotestowała Liść. — Wcale nie musisz...

— Nie pozwolę, abyś bez odpowiedniego przygotowania wyruszała na spotkanie z czymś takim jak Duchożer — oświadczył. — Zresztą, to dobry sposób na sprawdzenie, jak silnemu skażeniu ulegam.

— Arthurze… — zaczęła Liść, lecz chłopiec zdążył się już skupić na pytaniach do *Atlasu*:

Czym jest Duchożer? Jak można pokonać tego, który jest moją kopią? Gdzie się znajduje jego legowisko?

Ledwie zdążył sformułować w myślach pytania, *Atlas* gwałtownie się otworzył i jednocześnie powiększył do rozmiarów dużej księgi. Jego stronice zatrzepotały niczym gnany wichurą wiatrak. W końcu kartki się uspokoiły, a niewidzialna ręka przystąpiła do kreślenia liter. Kilka pierwszych zapisano w osobliwym alfabecie, złożonym z prostych linii oraz kropek. Na oczach Arthura tekst jednak zalśnił i przeobraził się w stylowe angielskie pismo, autorstwa pierwszorzędnego kaligrafa.

Wszyscy obserwowali chłopca, który nie odrywał wzroku od *Atlasu*. Patrzyła na niego nawet Suzy, ukryta za plecami Pierwszej Damy.

Przez wzgląd na zgromadzonych gości Arthur na głos przeczytał notatkę, co sprawiło mu nieco trudności, gdyż nie był przyzwyczajony do archaicznego liternictwa. Wielu słów z tekstu nigdy dotąd nie używał.

„Duchożer" to określenie odnoszące się do jednego z rodzajów Niconi, zbliżonych do klasy Rezydentów i zwanych Niemalstworami, gdyż zawierają część technicznej magii stosowanej przez samą Architektkę do kreowania życia z Nicości. Brak im jednak typowego dla Architektki artyzmu.

Duchożer zawsze powstaje na bazie jednego z osobistych tworów Architektki, czy to bezpośrednio jako kopia Rezydenta, czy to pośrednio, w wypadku skopiowanego śmiertelnika. Końcowy rezultat to wynik dawnych eksperymentów Architektki, badającej ewolucję życia.

W obu wypadkach celem istnienia Duchożera jest zastąpienie pierwowzoru, zwykle ze względów szpiegowskich, zdradzieckich lub innych, równie niegodziwych. Duchożer dąży do wykonania zadania, upodobniając się do ofiary, przy czym dla większości obserwatorów kopia będzie nieodróżnialna od oryginału. Prawdziwe oblicze i rzeczywistą postać stwora można ujrzeć po uważnym przyjrzeniu się mu przez zasłonę gęstego deszczu w słoneczny dzień lub też po zastosowaniu rozmaitych technik czarnoksięskich.

Duchożer z początku dysponuje znikomą wiedzą o ofierze, nie większą niż ta, którą zapewnił mu jego twórca. Element zaklęcia, stosowanego przy hodowli Duchożera, doprowadza jednak do wzrostu pewnych mocy, zawartych w Niconiu. Dzięki nim potrafi wpajać swoją umysłowość każdej rozumnej istocie, z którą ma do czynienia. Do przeprowadzenia tego procesu potrzebna jest umysłowo przewodząca pleśń, żyjąca w symbiozie z Duchożerem. Rzeczona pleśń wywodzi się z półinteligentnej formy życia, obecnej w jednym ze światów Poślednich Królestw (nazwa stosowana w Domu: Abraxyn, nazwa lokalna: Ⲭⲕⲛⲇ*).

— Nie jestem w stanie odczytać lokalnej nazwy...
Liść pokręciła głową, lecz nie z tego powodu.

— Co jest umysłowo przewodzące? Co takiego powiedziałeś? Ten stwór hoduje pleśń na ludziach?

— Tak jest tutaj napisane... — tłumaczył się Arthur, który dopiero teraz zrozumiał sens tekstu. Wcześniej zbytnio się koncentrował na odczytywaniu słów.

— To mi się nie podoba. — Liść przeszył dreszcz. — Jak można powstrzymać tę istotę?

— Zaraz... zaraz sprawdzę, co mówi *Atlas* — wykrztusił Arthur i czytał dalej.

Pleśń przenika przez skórę, łuski lub sierść ofiary, kiedy Duchożer stworzy odpowiedni pomost poprzez podanie ofierze dłoni, dotknięcie jej ramienia i tak dalej. Zarodniki pleśni mają barwę szarą, lecz pozostają na skórze zaledwie przez kilka minut, zatem ofiara jest zwykle nieświadoma, że uległa skolonizowaniu. Pleśń wędruje wraz z krwią, by ostatecznie rozlokować się w mózgu ofiary lub innym istotnym ośrodku sensorycznym. W miejscu zagnieżdżenia następuje gwałtowne rozprzestrzenianie się infekcji, połączone z duplikowaniem tkanki nerwowej, aż wreszcie pleśń zyskuje możliwość przesiewania myśli i wspomnień ofiary, by telepatycznie dzielić się nimi ze swoim większym skupiskiem, pozostającym we wtórnym mózgu Duchożera, zwykle zlokalizowanym w części brzusznej. Duchożer wykorzystuje te wspomnienia i myśli do tego, by lepiej naśladować ofiarę, której miejsce zajął. Istota potrafi kontrolować umysły osób, u których doszło do trwałego osiedlenia się pleśni, lecz czyni to z niewielką precyzją.

Wpływ pleśni jest także odczuwalny w zachowaniu Duchożera. W swoim naturalnym środowisku, Abraxynie, pleśń zawsze zakłada legowisko, gdzie jej gospodarz jest bezpieczny. W Duchożerze pleśń zostaje podporządkowana nosicielowi i musi podążać tam, gdzie on sobie zażyczy, lecz zawsze skłania go do stworzenia legowiska. Musi ono być w miejscu mrocznym i w miarę możliwości ukrytym jak najgłębiej pod ziemią, pod warunkiem że Duchożer będzie mógł dostać się do niego bez wysiłku.

Leże jest wyłożone miękkimi materiałami, a gdzieś w jego wnętrzu pozostaje pierwotne źródło kreacji Duchożera. Zazwyczaj w grę wchodzi kość, kawałek mięsa, element ubrania, ceniony przedmiot osobisty lub też zwierzę domowe, ewentualnie towarzysz ofiary.

— To naprawdę obrzydliwe — podsumowała Liść.

— Bywało gorzej — wymamrotał głos spod stołu. Doktor Scamandros się rozejrzał, lecz albo nikt nie usłyszał uwagi Suzy, która tam się wsunęła, albo zebrani byli zbyt dobrze przygotowani do ignorowania tego typu dziewcząt.

— To jeszcze nie koniec — westchnął Arthur. Stronica się wybieliła, a potem niewidzialna ręka kontynuowała:

Konkretny Duchożer, który powielił lorda Arthura, postanowił przybrać imię Bezskórego Chłopca, być może dlatego, iż w swoim pierwotnym wydaniu jest prawie całkiem pozbawiony skóry, przez co dobrze widać jego kości. Stwora można pokonać przez odebranie mu przedmiotu wyjściowego w postaci kieszeni ze szkolnej koszuli lorda Arthura, który musi ją cisnąć z powrotem w Nicość.

Obecnie, w czwartek o dziesiątej dwadzieścia rano miejscowego arthuriańskiego czasu ziemskiego, Bezskóry Chłopiec dysponuje tymczasowym legowiskiem w pomieszczeniu z brudną bielizną Szpitala Wschodniego na trzecim dolnym poziomie. Jeśli Duchożer przeniesie się do domu Arthura, najprawdopodobniej w pobliżu stworzy leże w studzience ściekowej, do której można się dostać, podnosząc betonową klapę w ogrodzie, blisko tylnego ogrodzenia.

— Co tam było o czwartku? — zapytała Liść. — Co to takiego „arthuriański czas"?

Arthur raz jeszcze przeczytał całe zdanie.

— U nas w domu nie powinien teraz być czwartek! Musimy powrócić w środowe popołudnie! Jak to możliwe, że tam jest czwartek?

— Czas jest elastyczny na styku Domu i Poślednich Królestw — wyjaśnił doktor Scamandros. — Potężne osobistości, takie jak ty, lordzie Arthurze, wpływają na względny upływ czasu i kierują nim. Mogę jedynie zakładać, że Duchożer przejął część twoich umiejętności i zajął twoje miejsce dla celów chronologicznych. Hm... Innymi słowy... już powróciłeś do siebie.

— Ale co z Liść? Czy ona może wrócić w środę?

— Moim zdaniem nie — odparł Scamandros. — Nie czuję się jednak specjalistą w zagadnieniach względności. Może Kichol, ten od Siedmiu Cyferblatów, będzie wiedział więcej.

— Nie mogę powiedzieć nic konkretnego, dopóki nie przeprowadzę konkretnych badań — odezwał się kamerdyner. — Ogólna zasada głosi jednak, że chwilowy związek pomiędzy Poślednim Światem a Domem jest ustalany przez Drzwi Frontowe i nie podlega analizie. Drzwi zapewne uznały, że powróciłeś na swoją Ziemię i nie zapomniałeś o pani Liść. Dlatego pani Liść może znaleźć się na Ziemi najwcześniej o dziesiątej dwadzieścia w czwartek. Jeśli ta godzina już nie minęła. Jeszcze soku pomarańczowego?

— Ale to oznacza, że nie było mnie przez całą noc! — Liść nie wierzyła, że to się dzieje naprawdę. — Rodzice mnie zabiją!

ROZDZIAŁ CZWARTY

D oprawdy? — zaniepokoił się doktor Scamandros. — To raczej okrutne.

— Och, tak naprawdę mnie nie zabiją — westchnęła Liść. — Zresztą, nawet gdyby chcieli, są objęci kwarantanną, więc mogą jedynie krzyczeć na mnie przez interkom i łomotać w okno. Tyle tylko, że moje życie się nieco skomplikuje.

Arthur spoglądał na *Atlas*. Coś się zmieniło w wyglądzie książki, co przykuwało jego wzrok. Dopiero po sekundzie się zorientował, co to takiego.

— Ejże, w naszym domu jest teraz dwadzieścia jeden po dziesiątej! — wykrzyknął.

— Naprawdę muszę wracać — oświadczyła Liść z naciskiem. — Spróbuję zrobić coś z Bezskórym Chłopcem, obiecuję, ale muszę dostać się na Ziemię, żeby chociaż pomachać rodzicom. Więc jak mogę tam przeniknąć? I w jaki sposób mam wrócić, gdy... gdy już znajdę kieszeń?

— Kichol potrafi ustawić Siedem Cyferblatów tak, abyś znalazła się w szpitalu — odparł Arthur.

— W rzeczy samej, wasza lordowska mość — odparł Kichol i nisko się ukłonił.

— Co do powrotu... sam nie wiem.

— Bezskóry Chłopiec minął Drzwi Frontowe, zatem Dom objawił się w twoim świecie — wyjaśniła Pierwsza Dama i lekko machnęła ręką. — Musisz tylko znaleźć przejście, zapukać do Drzwi, a wszystko zostanie zrobione. A teraz nalegam, byśmy powrócili do Harmonogramu!

— Już dobrze, niech będzie — mruknął Arthur.

Odwrócił się do Liść i nagle uświadomił sobie, że nie wie, co powiedzieć. Znał tę dziewczynę od niedawna, lecz już uważał ją za dobrą przyjaciółkę i prosił, by zrobiła dla niego coś bardzo ważnego. Nie wiedział, jak wyrazić ogromną wdzięczność za jej przyjaźń i wsparcie.

— Wiesz, Liść... przepraszam, że cię w to wciągnąłem. Naprawdę doceniam to, co robisz... bo widzisz... nawet moi starzy przyjaciele tam, gdzie kiedyś mieszkałem, nie byliby tak... zresztą... szkoda, że nie mam nic... Och!

Ściągnął z szyi sznurek, na którym wisiał medalion od Żeglarza — tylko on nadawał się na prezent.

— Nie wiem, czy to ci się przyda, ale jeśli znajdziesz się w prawdziwych tarapatach, spróbuj wezwać Żeglarza. Może... co prawda ostatnio nieszczególnie mu się śpieszyło, ale... cóż, powodzenia.

Liść zawiesiła sobie sznurek na szyi, energicznie pokiwała głową i się odwróciła.

— Mnie tam nigdy nic nie dał — wymamrotał niewidzialny głos. Arthur spojrzał na krzesło, przed chwilą zwolnione przez Liść, i zobaczył przy nim Suzy, zgarbioną pod stołem. Dziewczyna obserwowała stopę Pierwszej Damy, a w dłoni trzymała wielką igłę krawiecką. Uśmiechnęła się szeroko do Arthura i wbiła igłę, lecz bez żadnego efektu. Drobne literki rozsunęły się w miejscu zetknięcia ostrza z ciałem, a następnie na metalu groźnie rozbłysła czerwona iskra. Suzy upuściła igłę i wepchnęła palce do buzi. Gdy je ssała, igła zmieniła się w plamkę stopionej stali.

Arthur westchnął i ruchem ręki zachęcił Suzy, aby podeszła i usiadła obok niego. Pokręciła głową i pozostała na swoim miejscu.

Chociaż Liść nie widziała, by Kichol się poruszył, już stał przy drzwiach, gdy do nich doszła. Właśnie zamierzała minąć próg, lecz nagle podbiegł do niej doktor Scamandros i wepchnął jej do ręki jakiś przedmiot.

— Będzie ci to potrzebne — wyszeptał. — Bez tego nie zobaczysz Domu ani nie znajdziesz Frontowych Drzwi. Pierwsza Dama jest nieco niecierpliwa, z pewnością bez złych intencji.

Liść spojrzała na podarunek od Scamandrosa. Dostała otwartą, skórzaną teczkę, a w niej parę okularów w złotych, drucianych oprawkach, z cienkimi soczewkami, które były silnie popękane i poprzecinane siateczką drobnych kresek. Liść zatrzasnęła teczkę i wsunęła ją za ciasny pasek bryczesów.

— Zapraszam tędy, pani — zachęcił ją Kichol, a Scamandros potruchtał do swojego miejsca przy stole. — Czy mam przygotować odzież stosowniejszą do wymagań pani Pośledniego Królestwa oraz panującej w nim epoki?

— Będzie super, jeśli znajdziesz coś odpowiedniego — odparła Liść, która, oprócz bryczesów z niebieskiego płótna, miała na sobie bawełnianą koszulę o szerokich rękawach. Tak się prezentował uniform chłopca okrętowego z „Latającej Modliszki". Nawet nie zaczęła się jeszcze zastanawiać nad tym, jak wytłumaczy swój nietypowy ubiór. I tak zapowiadało się na to, że będzie miała mnóstwo trudności z wyjaśnieniem, dlaczego przez co najmniej szesnaście godzin nie odwiedziła rodziców, ciotki i brata, poddanych kwarantannie.

Za progiem Liść usłyszała Pierwszą Damę, która powiedziała coś do doktora Scamandrosa, a potem przystąpiła do wygłaszania mowy. Przemawiała jak polityk, uczestniczący w telewizyjnej debacie, świadomy stosowanej przez oponenta taktyki gry na zwłokę.

— Lordzie Arthurze, ufam, że możemy teraz procedować zgodnie z twoim życzeniem, opierając się na harmonogramie ułożonym według hierarchii ważności.

— Oczywiście — potwierdził Arthur ze znużeniem, lecz nie potrafił przestać myśleć o Duchożerze, Bezskórym Chłopcu, który zajął jego miejsce. Co ten stwór zamierzał uczynić? Rodzice Arthura nie mieli o niczym pojęcia. W obliczu nieznanej istoty byli bezbronni, podobnie jak jego siostry i bracia. Stwór mógł przejąć kontrolę nad ich umysłami, a potem... Nawet jeśli uda się zgładzić Duchożera i Arthur będzie mógł powrócić, niewykluczone że jego rodzina przestanie istnieć.

Nagle odniósł wrażenie, że przed chwilą usłyszał bardzo istotną informację. Pierwsza Dama właśnie coś powiedziała. Coś niesłychanie ważnego.

— Co takiego? — spytał. — Co powiedziałaś?

— Lordzie Arthurze, powiedziałam, że obecnie podejrzewamy, iż złe rządy Potomnych Dni nie są dziełem przypadku. Ktoś lub coś wpłynęło na Potomne Dni, ewentualnie skłoniło je do takiego a nie innego zachowania, przy czym ostatecznym celem jest całkowite i nieodwracalne zniszczenie Domu, a wraz z nim całości stworzenia.

— Co takiego?! — Arthur zerwał się na równe nogi, a wszyscy skierowali na niego wzrok. Usiadł powoli i głęboko odetchnął, aby uspokoić kołatanie serca.

— Ależ lordzie Arthurze, czy naprawdę muszę się powtarzać? Jeśli Potomne Dni otrzymają przyzwolenie na kontynuowanie dotychczasowego postępowania, wówczas zajdzie poważne niebezpieczeństwo, że cały Dom legnie w gruzach.

— Jesteś pewna? — spytał chłopiec nerwowo. — Fakt, Pan Poniedziałek naprawdę był niebywale leniwy, Ponury Wtorek chciał dużo rzeczy robić i mieć na własność, a Środa... nie potrafiła się pohamować i była straszliwym prosiakiem. To jednak nie oznacza, że zamierzali zniszczyć Dom.

— Cokolwiek by mówić, Wykonawcy narazili Dom na niebezpieczeństwo — oznajmiła Pierwsza Dama sztywno. — Lenistwo Pana Poniedziałka sprawiło, że Niższy Dom nie mógł należycie transportować ani magazynować materiałów archiwalnych, więc nawet teraz nie sposób sprawdzić, jaki los spotkał licznych Rezydentów, części Domu, ważne obiekty, miliony, jeśli nie tryliony wrażliwych śmiertelników, a nawet całe światy w Poślednich Królestwach. Doszło także do znaczącej ingerencji w sprawy tych ostatnich, w większości za pośrednictwem Niższego Domu. Kwestia Ponurego Wtorka jest jeszcze gorsza, gdyż w swej zachłanności wydobył tyle Nicości, że Odległym Rubieżom Domu zagroziło zalanie. Gdyby Odległe Rubieże pochłonęła Nicość, wówczas reszta Domu najprawdopodobniej również przestałaby istnieć. Utopiona Środa przestała powstrzymywać Morze Graniczne przed wystąpieniem z brzegów, przez co objęło ono swoim zasięgiem wiele miejsc, do których nie powinno docierać. W efekcie wszyscy, którzy są w stanie przepłynąć Pas Burz, mogą pokonać drogę do Domu. Morze styka się z rejonami występowania Nicości, a to dodatkowo osłabia strukturę Domu.

Umilkła, aby wypić łyk krwistoczerwonego wina.

— Wszystko to razem wskazuje, że Wykonawcy, świadomie lub nie, stanowią element planu zburzenia Domu i zanurzenia go w Nicości wraz ze wszystkim, co stworzyła Architektka.

— Z całym wszechświatem? — spytał Arthur.

— Z absolutnie całym wszechświatem — potwierdziła Pierwsza Dama. — Tyle że na razie nie wiemy jeszcze, kto stoi za tym spiskiem ani też co spiskowcy zamierzają osiągnąć. Najbardziej oczywistymi podejrzanymi są Lord Niedziela i Dostojna Sobota… ale przecież nie staraliby się doprowadzić do własnej zguby. Niewykluczone jednak, że znaleźli sposób na zniszczenie tylko części Domu. To niesłychanie zagadkowa sprawa. Jestem zaledwie trzema częściami Woli i brakuje mi dostatecznej wiedzy. Zresztą to bez znaczenia, bo nasza strategia pozostanie niezmienna, bez względu na to, czy będziemy musieli stawić czoło Wykonawcom, czy też innej stojącej za nimi potędze.

— Na czym polega „nasza strategia"? — zainteresował się Arthur.

— Postąpimy tak, jak to robiłeś wcześniej — zapowiedziała Pierwsza Dama. — Odbierzesz Czwarty Klucz Księciu Czwartkowi, Piąty Pani Piątek, Szósty Dostojnej Sobocie, a Siódmy Lordowi Niedzieli.

— I już? — osłupiał Arthur. — I ty to nazywasz strategią?

— Czego się można spodziewać po żabo-rybo-niedźwiedziu? — spytała Suzy spod stołu, na tyle cicho, żeby tylko Arthur ją usłyszał.

— To ogólna strategia — wyjaśniła Pierwsza Dama ozięble. — Rzecz jasna, jest ona obudowana detalami. Jedną z pierwszych rzeczy, które należy uczynić, jest odtworzenie linii brzegowej Morza Granicznego, nim dojdzie do następnych problemów. Arthurze, powinieneś się tym zająć w pierwszej kolejności, i to osobiście, jako że postanowiłeś zachować Trzeci Klucz.

— Co mam zrobić?

— Środowa Jutrzenka naliczyła trzydzieści siedem tysięcy czterysta sześćdziesiąt dwa miejsca, w których Morze Graniczne naruszyło obszar Poślednich Królestw lub Nicości. W każdym wypadku musisz użyć mocy Klucza w celu oddalenia Morza do jego naturalnego basenu. Na szczęście nie musisz odwiedzać każdego z tych miejsc, gdyż potęga Klucza dociera do nich z Portu Środy.

— Ale to oznacza, że będę musiał użyć Klucza ponad trzydzieści siedem tysięcy razy — zauważył Arthur i zerknął na pierścień w kształcie krokodyla, który nosił na palcu. Nic nie wskazywało na to, aby coś się zmieniło po użyciu *Atlasu*. Chłopiec podniósł dłoń blisko oczu i dopiero wtedy zauważył, że złota barwa przesunęła się o szerokość włosa i dotykała teraz skraju czwartego segmentu. — Niewiele brakuje, abym został Rezydentem. Jeśli do tego dojdzie, nigdy nie wrócę w swoje strony.

— To sentymentalne przywiązanie do śmiertelności oraz do świata, z którego pochodzisz, jest twoją poważną słabością, Arthurze — westchnęła Pierwsza Dama. Mówiąc te słowa, pochyliła się, a chłopiec poczuł, jak przyciąga wzrokiem jego spojrzenie. Jej oczy pojaśniały, pojawiła się w nich złocista poświata. Choć nie miała skrzydeł u ramion, Arthur wyczuł, jak unoszą się za plecami Woli, dodając jej majestatu. Nawiedziła go nieodparta chęć, by złożyć pokłon tej pięknej i potężnej istocie.

— Morze Graniczne musi powrócić do swych pierwotnych rozmiarów i tylko Trzeci Klucz może do tego doprowadzić.

Arthur usiłował unieść brodę, byle tylko nie pokłonić się Woli. Nietrudno byłoby mu dać za wygraną, zgodzić się na wszystko, czego żądała. Rezygnacja z walki oznaczałaby jednak koniec istnienia chłopca zwanego Arthurem Penhaligonem. Stałby się inną istotą, już nie człowiekiem.

Tak łatwo byłoby to zrobić... Arthur otworzył usta i zamknął je ponownie, gdy coś ostrego ukłuło go w kolano. Chwilowy ból pomógł mu przerwać kontakt wzrokowy z Pierwszą Damą. Pośpiesznie wbił spojrzenie w blat stołu.

— Muszę to przemyśleć — oświadczył. Nawet te słowa kosztowały go mnóstwo wysiłku, ale odniósł sukces. Pierwsza Dama odchyliła się na krześle, a niemal widzialna aura skrzydeł zauważalnie przygasła. Twarz Damy nie wydawała się już nieznośnie piękna.

Arthur upił łyk soku pomarańczowego i zerknął pod stół. Suzy właśnie wbijała inną wielką igłę w podszewkę palta, by tkwiła tam wraz z sześcioma innymi.

Chłopiec odetchnął głęboko i kontynuował:

— Jakie masz plany wobec mnie, kiedy już zajmę się sprawą Morza Granicznego?

— Książę Czwartek ma Czwarty Klucz — przypomniała Pierwsza Dama. — Jako dowódca Chwalebnej Armii Architektki ten niezwykle potężny, kapryśny i niespotykanie gwałtowny Rezydent jest skrajnie niebezpieczny i dlatego bezpośrednia konfrontacja z nim byłaby nieroztropna. Naszym zdaniem najlepiej będzie, jeśli wykorzystamy agentów do zlokalizowania miejsca uwięzienia Czwartej Części Woli. Gdy znajdziemy i uwolnimy Czwartą Część, wówczas rozważymy następny krok. Tymczasem, ze względu na niebezpieczeństwo ataku skrytobójców, powinieneś udać się do Portu Środy i za pomocą Trzeciego Klucza przystąpić do pracy nad korygowaniem kształtu Morza Granicznego.

— Hm… — mruknął Arthur. Ze zmarszczonym czołem sączył sok i usiłował zadecydować, co zrobić. Wiedział na pewno, że jeśli pragnie jeszcze kiedyś powrócić do normalności, musi unikać korzystania z Kluczy. Bez wątpienia należało jak najszybciej użyć Trzeciego Klucza, aby zrobić porządek z Morzem Granicznym. Tym jednak mogła się zająć Pierwsza Dama.

Arthur pomyślał z goryczą, że wobec tego on ukryje się tutaj, na miejscu. Czuł się bezradny i schwytany w pułapkę, lecz jednocześnie nie przychodziło mu do głowy nic innego, co mógłby uczynić.

— Jeśli będę tak intensywnie używał Trzeciego Klucza, wówczas zostanę Rezydentem, i tyle — oznajmił w końcu. — Rozumiem jednak, że Morze Graniczne musi wrócić do dawnych kształtów. Dlatego postanowiłem przekazać ci Trzeci Klucz.

— Świetnie — pochwaliła go Pierwsza Dama. Uśmiechnęła się usatysfakcjonowana i zaczęła stukać dłonią w Harmonogram. Potem nagle przestała, jakby wstrząśnięta nieoczekiwanym wspomnieniem. — Zaraz, przecież jesteś Prawowitym Dziedzicem. Nie powinieneś pozostawać słabym śmiertelnikiem. Najlepiej dla ciebie będzie, jeśli zachowasz wszystkie trzy Klucze. Będziesz je często stosował, a wówczas szybko przemienisz się w Rezydenta.

Arthura ogarnęła irytacja.

— Przecież powtarzałem ci setki razy: wiem, że nie mogę teraz wrócić do domu, ale przynajmniej mam jeszcze szansę... niewielką szansę, że pewnego dnia, jeśli nie przemienię się w Rezydenta... Och, mniejsza z tym.

Chłopiec dotknął plecami oparcia krzesła i ze złością trzasnął dłonią w stół. Ten gest nie wypadł jednak specjalnie dramatycznie, gdyż Arthur lekko się zachłysnął własną śliną. Sięgnął po szklankę z sokiem i wypił duszkiem całą jej zawartość. Już miał oderwać naczynie od ust, gdy coś twardego wtoczyło mu się prosto do gardła i niemal go zadławiło.

Arthur wypluł przedmiot na stół. W zetknięciu z metalowym blatem przedmiot zadźwięczał jak dzwonek, zatoczył kilka coraz mniejszych kółek, zadrżał i znieruchomiał. Była to srebrna moneta, dwa razy większa od dwudziestopięciocentówki.

— Co u licha... — sapnął Arthur. — W moim napoju była moneta!

— Nie — wymamrotała Pierwsza Dama i upuściła złoty ołówek. W jej dłoni pojawił się szylkretowy wachlarz, którym zaczęła się gwałtownie wachlować. — Przecież się nie kwalifikujesz...

— O czym ty mówisz? — Arthur wziął do ręki monetę i przyjrzał się jej uważnie. Z jednej strony widniał na niej wizerunek głowy rycerza z podniesioną przyłbicą i strusimi piórami opadającymi na bok. Litery na brzegu z początku wydawały się Arthurowi niezrozumiałymi znaczkami, lecz gdy przyjrzał się im uważniej, zmieniły się w napis: „Książę Czwartek, Obrońca Domu". Po drugiej stronie widniała rękojeść wielkiego, starego miecza, opleciona cielskiem węża. Być może wąż był rękojeścią — Arthur nie potrafił tego stwierdzić. Słowa wokół rysunku również zalśniły i przybrały zrozumiałą formę, układając się w napis: „Jeden szyling".

— To zwykła moneta — oświadczył Arthur i rozejrzał się po twarzach zebranych. Wszyscy patrzyli na niego uważnie. Wyglądali na zaniepokojonych. — Mylę się?

— To szyling Księcia Czwartka — wyjaśniła Pierwsza Dama. — Użyto podstępu, aby ci go wręczyć. To sztuczka stara jak świat. Chodzi o to, żeby ktoś przyjął coś, czego nie chce lub o czym nie wie.

— Mogłabyś mówić jaśniej?

— To znaczy, że zostałeś powołany do wojska — zakomunikowała mu Pierwsza Dama. — Trafiłeś do Chwalebnej Armii Architektki. Spodziewam się, że dokumenty dotrą lada moment.

— Powołany? Do wojska? Ale przecież…

— W zasadzie piastujesz stanowisko w Domu — rozważała Pierwsza Dama. — To daje Księciu Czwartkowi prawo do powołania cię do wojska. Gdy przyjdzie stosowny moment, każdy Rezydent ma obowiązek odbyć stuletnią służbę wojskową…

— Stuletnią! Nie mogę przez cały wiek tam służyć!

— Pytanie brzmi, czy jest to celowa zagrywka Księcia Czwartka, mająca na celu podporządkowanie cię jego rozkazom, czy też przypadek. Jeśli w grę wchodzi to drugie, to będziesz bezpieczny, a gdy dowiemy się, gdzie szukać Czwartej Części Woli, wówczas z jej pomocą…

— Bezpieczny? Przecież pójdę w kamasze! A jeśli każą mi wyruszyć na wojnę? A jeśli Książę Czwartek po prostu mnie zabije?!

Pierwsza Dama pokręciła głową.

— Nie może tak po prostu cię zabić. W stosunku do rekrutów musi przestrzegać wprowadzonych przez siebie przepisów. Zapewne wyjątkowo uprzykrzy ci życie, ale przecież każdego rekruta spotykają nieprzyjemności.

— No to super. A co ze skrytobójcami, którzy pozbyli się Pana Poniedziałka oraz Ponurego Wtorka? Jeśli i mnie zabiją?

— Hm. Wstąpienie do wojska może się okazać dla ciebie korzystne. Żaden skrytobójca ze Średniego ani Wyższego Domu nie ośmieli się ciebie zaatakować, gdy będziesz w gronie towarzyszy w Wielkim Labiryncie, a Rezydenci z Niezrównanych Ogrodów z pewnością dadzą ci czas na ucieczkę lub wymyślenie innego rozwiązania. Będziesz pozostawał na uboczu, raczej nic ci nie zagrozi, a my zajmiemy się wszelkimi sprawami.

— Pierwsza Damo, proszę o wybaczenie, lecz jest coś, co Książę Czwartek może zrobić, jeśli wie, że Arthur jest w gronie rekrutów, i zapewne się do tego posunie — wtrącił Poniedziałkowy Południk. — Odbywałem służbę dawno temu, lecz wszystko doskonale pamiętam. Przez pierwszy rok szkolenia Arthur zapewne będzie bezpieczny. Później jednak może zostać skierowany do służby w oddziałach Graniczników lub do Fortu Górskiego, gdzie bezustannie toczą się walki z Niconiami. Jako śmiertelnik, podczas bitwy Arthur będzie w znacznie większym niebezpieczeństwie niż którykolwiek z Rezydentów.

— A jeśli po prostu się nie stawię? — zapytał chłopiec i od razu uznał to za najlepsze rozwiązanie. — Co mi zrobią? Muszą istnieć jakieś korzyści z bycia Mistrzem Niższego Domu, Księciem Morza Granicznego i tak dalej. Rozumiecie, Książę Czwartek nie mógłby powołać Pana Poniedziałka czy Ponurego Wtorka albo Pani Środy, no nie?

— Owszem, mógłby — zapewnił go Poniedziałkowy Południk. — Jeśli jeszcze nie odbyli służby.

— Ale ja odmawiam… — zaczął Arthur, lecz nie skończył, gdyż ktoś głośno zapukał do drzwi. Sierżant Komisarz wetknął głowę do środka i odchrząknął.

— Najmocniej przepraszam, jaśnie pani — zwrócił się do Pierwszej Damy. — Lordzie Arthurze, przyszedł sierżant rekrutacyjny. Twierdzi, że to sprawa urzędowa i ma odpowiednie dokumenty. Nie jest uzbrojony. Co powinniśmy zrobić?

— Nie mamy wyboru — odparła Pierwsza Dama. — Książę Czwartek ma prawo tak postąpić. Zwlekaj kilka minut, a potem go wpuść. Arthurze, najlepiej będzie, jeśli od razu przekażesz mi Trzeci Klucz.

— Tak po prostu mnie wydasz? — nie dowierzał Arthur.

— Nie mamy wyboru — powtórzyła. W Harmonogramie przewróciło się kilka stron, Dama zaznaczyła coś ołówkiem. Ta czynność jeszcze bardziej zirytowała Arthura. Nie widział tego, lecz domyślał się, że chodzi o punkt narady, głoszący mniej więcej: „Zapewnić Arthurowi bezpieczeństwo i usunąć go z drogi".

— Zachowam Trzeci Klucz — powiedział głośno. — Pewnie okaże się potrzebny.

— Jeśli go zatrzymasz, wówczas zapewne będziesz musiał przekazać go Księciu Czwartkowi — zauważył Poniedziałkowy Południk. — Rekrutom nie wolno przechowywać przedmiotów osobistych. W wojsku dostaniesz wszystko, czego ci trzeba.

Arthur wbił wzrok w Południka. Nie wierzył własnym uszom. Wszyscy godzili się z faktem, że na sto lat wyruszał na służbę w Armii Domu.

— Nigdzie nie pójdę — zapowiedział i wzniósł Trzeci Klucz niczym broń. Wyczuwając nastrój właściciela, trójząb wyciągnął się i zaostrzył, dzięki czemu już po chwili był długości Arthura, a jego zęby wyglądały jak przedramiona chłopca. — Każdy, kto spróbuje mnie zmusić, gorzko tego pożałuje.

— Podwójnie — dodał głos spod stołu.

ROZDZIAŁ PIĄTY

ordzie Arthurze, obawiam się, że to na nic — odezwała się Pierwsza Dama. Przez cały czas w irytujący sposób uaktualniała Harmonogram i nawet nie podniosła wzroku na chłopca. — Klucze są suwerenem jedynie na własnej ziemi, choć ich moc jest zunifikowana w Poślednich Królestwach.

— Co to znaczy? — spytał Arthur.

— Trzeci Klucz ma pełną moc wyłącznie na obszarze Morza Granicznego, Drugi Klucz na Odległych Rubieżach, a trzeci w Niższym Domu — wytłumaczył mu doktor Scamandros. — Wszystkie funkcjonują w Poślednich Królestwach, gdzie mają taką samą moc. Wyjątkiem jest tylko Siódmy Klucz, który, o ile wiem, ma właściwości dominujące....

— Czas ucieka, lordzie Arthurze — przypomniała chłopcu Pierwsza Dama i z głośnym trzaskiem zamknęła Harmonogram. — Jeśli zamierzasz przekazać Trzeci Klucz w moje ręce, musisz zrobić to teraz.

— Ale ja nie chcę iść do wojska — jęknął Arthur. Złość go opuszczała, czuł wyłącznie smutek i pustkę. Jego jedyny sprzymierzeniec nadal ukrywał się pod stołem. — Zwłaszcza na sto lat! Musi istnieć jakiś sposób, żeby mnie z tego wyciągnąć.

— Jeśli uda ci się znaleźć Czwartą Część Woli i przejąć Czwarty Klucz, wówczas będziesz mógł zająć miejsce Księcia Czwartka na stanowisku dowódcy i w ten sposób się wyzwolić — odezwał się Poniedziałkowy Południk.

— Rzecz jasna, będziemy we własnym zakresie kontynuowali poszukiwania Czwartej Części Woli — dodała Pierwsza Dama. — Gdy ją znajdziemy, pośpieszymy ci z pomocą.

— Arthur, idę z tobą. — Suzy wygramoliła się spod stołu, usiadła na krześle Liść i wypiła resztkę jej soku pomarańczowego. — Na pewno nie będzie tak źle.

— To wykluczone — oświadczyła Pierwsza Dama. — Masz tutaj obowiązki, jesteś Poniedziałkową Przedpołudnicą.

— Nigdy się nie zdarza, by ktoś szedł do wojska na ochotnika — poparł ją Poniedziałkowy Południk. — Wszyscy idą z poboru. Oprócz Rezydentów pierwotnie stworzonych do służby w Armii, oczywiście. Nawet nie mam pewności, czy służba ochotnicza jest dopuszczalna.

— Tak sobie myślę, że jak Arthur chce, żebym z nim poszła, to muszę, bo to moja praca — powiedziała Suzy. — Zdaje mi się, że już byłam kiedyś w wojsku. Lata temu pewnie mnie powołano i odsłużyłam swoje, ale nie pamiętam, bo mi zrobili pranie między uszami. Może sobie przypomnę. Zresztą, mogę pomóc odnaleźć Czwartą Część Woli.

— Dziękuję, Suzy! — wykrzyknął chłopiec. Poczuł się o wiele lepiej. Propozycja Suzy sprawiła mu wielką radość. — Naprawdę chciałbym mieć cię przy sobie. Zawsze poprawiasz mi humor, nie mówiąc już o pomocy... Tak myślę... że skoro muszę iść, to nie ma na co czekać.

Wstał, sięgnął po Trzeci Klucz i podszedł do Pierwszej Damy, która zsunęła się z krzesła i ukłoniła. Kiedy się wyprostowała, Arthura zdumiał jej wzrost. Jako że zawierała w sobie trzy części Woli, stała się znacznie wyższa niż wcześniej. Liczyła teraz grubo ponad dwa metry, niewykluczone, że sięgała prawie dwóch i pół. Z bliska widział drobne słowa pełzające po jej skórze i ubraniu. Dostrzegał tysiące maleńkich, stylizowanych liter, które pozostawały w bezustannym ruchu, zmieniając kolor podczas przekształcania się ze skóry w ubranie i z powrotem. Co chwila Arthur rozpoznawał wyraz lub zbitkę słowną, na przykład: „Wola jest Słowem, a Słowo jest…". Obserwacja Pierwszej Damy przypominała nieco studiowanie banknotu, na którym z bliskiej odległości widzi się wyłącznie drobne, drukowane detale, składające się na rysunki.

— Lordzie Arthurze, czy pamiętasz słowa, którymi musisz się posłużyć, aby nominować mnie na Strażniczkę Trzeciego Klucza?

— Nie — odparł. — Zacznij mówić, a ja będę po tobie powtarzał.

— Zgoda. Ja, Arthur, Książę Morza Granicznego, Odległych Rubieży, Mistrz Niższego Domu, Strażnik Pierwszego, Drugiego i Trzeciego Klucza do Królestwa, przyznaję swej wiernej służącej, połączonej Pierwszej, Drugiej i Trzeciej Części Wielkiej Woli Architektki całą swą moc…

Arthur machinalnie powtarzał słowa, myślami błądząc gdzie indziej. Bał się tego, co zamierza uczynić Bezskóry Chłopiec, niepokoił się również, że Liść naraża się na niebezpieczeństwo bez szansy powodzenia. Ogarniał go strach przed tym, co mogło się z nim stać. Ostatecznie był jeszcze chłopcem. Nie powinien zostawać poborowym w żadnej armii, a co dopiero w wojsku złożonym z nieśmiertelnych Rezydentów, nieporównanie bardziej wytrzymałych i silniejszych od niego.

Pierwsza Dama przyjęła trójząb, a Arthur znienacka uświadomił sobie, że jej rękawiczki to w rzeczywistości rękawice Drugiego Klucza, przekształcone w damskie. Za paskiem miała zatknięty miecz ze wskazówek zegara, będący Pierwszym Kluczem. Broń w dużej mierze pozostawała ukryta pod trenem długiej sukni, spływającym po jej ubiorze niczym peleryna.

— Dziękuję ci, Arthurze — powiedziała obdarowana. — Najlepiej będzie, jeśli wezmę także *Atlas*.

— Chyba na niewiele mi się zda bez Klucza — zauważył Arthur. Wyciągnął z ukrycia małą, zieloną książkę i nieśpiesznie przekazał ją Powiernicy. Odnosił wrażenie, że traci wszystko, co mogłoby mu pomóc.

— Wybornie! Niezwłocznie przystąpię do prac związanych z Morzem Granicznym — zadeklarowała Pierwsza Dama. — Ponadto, powtarzam, nie będziemy szczędzić wysiłków przy poszukiwaniu Czwartej Części we własnym zakresie. Zostaniesz informowany na bieżąco o naszych postępach.

— W szkole dla rekrutów pocztę dostarcza się tylko dwa razy w roku — zauważył Poniedziałkowy Południk. — Poborowi nie mają prawa korzystać z telegrafu ani z telefonu.

— Znajdziemy odpowiedni sposób komunikacji — zapewniła Pierwsza Dama. — A teraz powinniśmy już wpuścić do środka oficera rekrutacyjnego. Arthurze, powodzenia.

— Nadal mi się to nie podoba — mruknął chłopiec. — Chcę, żebyś znalazła jakiś sposób na uwolnienie mnie z wojska.

— Wedle rozkazu, lordzie Arthurze — zapewniła go Dama. Pochyliła głowę, ale się nie ukłoniła. Chłopiec znowu nie mógł oprzeć się wrażeniu, że Wola chętnie uwięziłaby go w Domu na wieki i pozwoliła, by Bezskóry Chłopiec zajmował jego miejsce... W takiej sytuacji Arthur nie miałby wyboru. Po przejściu do cywila musiałby zostać Rezydentem.

— Wrócę — zapowiedział porywczo. — Jako człowiek, nie Rezydent. Skoro muszę osobiście znaleźć Czwartą Część Woli i odebrać Czwarty Klucz Księciu Czwartkowi, tak uczynię. Oczekuję, że wszyscy tu obecni udzielą Liść wszelkiego możliwego wsparcia na każdy dostępny im sposób, zwłaszcza jeśli... kiedy wróci z kieszenią.

— Och, lordzie Arthurze — odezwał się doktor Scamandros nerwowo i zerknął na Pierwszą Damę. — „Oczekuję" to takie... jak by to ująć... niestosowne słowo...

— Oto i oficer rekrutacyjny — przerwała mu Pierwsza Dama. — Panie poruczniku, witamy w Pokoju Dziennym Poniedziałka.

Oficer stanął na baczność tuż za progiem i energicznie zasalutował. Zdaniem Arthura wydawał się żywcem przeniesiony z książki historycznej. Miał na sobie szkarłatną tunikę z białymi wyłogami i białymi naszywkami, zapinaną na mnóstwo złotych guzików. Nosił czarne spodnie z szerokim, złotym lampasem na każdej nogawce, a na nogach miał czarne buty z ostrogami. Dzięki gigantycznej, futrzanej czapie z niebieskimi i białymi piórami wydawał się co najmniej trzydzieści centymetrów wyższy. Na jego szyi wisiała brązowa tabliczka w kształcie rogalika, wielkości dłoni. Widniały na niej wygrawerowane misterne ornamenty oraz cyfry.

Przybysz rozejrzał się i zauważył Pierwszą Damę, niewątpliwie najwyższą i najważniejszą Rezydentkę w pokoju.

— Proszę o wybaczenie, jaśnie pani — odezwał się. — Nazywam się Crosshaw, jestem oficerem rekrutacyjnym. Mam nakaz powołania do służby wojskowej niejakiego Arthura Penhaligona, tyle że chyba wkradł się błąd, bo w wezwaniu jest on określony numerem... hm... szóstym w hierarchii ważności Domu. Pomyślałem, że może brakuje większej liczby zer... Gdyby w gronie personelu Pana Poniedziałka znajdował się ktoś o nazwisku Arthur Penhaligon, mógłbym zweryfikować ten dokument...

— Błąd nie został popełniony — odparła Pierwsza Dama i wyniosłym ruchem dłoni wskazała Arthura. — Osoba, o której mowa, to lord Arthur Penhaligon, Mistrz Niższego Domu i Odległych Rubieży, Książę Morza Granicznego, szósty w hierarchii ważności Domu. Ja jestem Pierwszą Damą, Częściami Pierwszą, Drugą i Trzecią Woli Architektki.

Crosshaw głośno przełknął ślinę, otworzył usta, zamknął je ponownie, a potem spojrzał na dokumenty, które ściskał w dłoni. Ich widok najwyraźniej go pokrzepił, bo spojrzał prosto na Arthura, podszedł do niego i zatrzymał się, trzaskając obcasami.

— Proszę o wybaczenie... ehm... lordzie Arthurze. Aż do wczoraj stacjonowałem w odległej placówce, w Wielkim Labiryncie. Gdy przejmowałem nowe obowiązki, nie miałem pojęcia, że doszło do zmian... hm...w gronie Wykonawców. Otóż... Rzecz w tym, że... Sam nie wiem, jak to ująć... O ile mi wiadomo, skoro imię waszej lordowskiej mości widnieje na wezwaniu rekrutacyjnym, to znaczy, że doszło już do rekrutacji. Muszę to przekazać waszej lordowskiej mości.

Podał chłopcu wielki, kwadratowy arkusz pergaminu, gęsto zapisany drobnymi literami. Pośrodku widniało wyraźnie imię i nazwisko Arthura.

— A jeśli nie przyjmę wezwania? — zapytał Arthur.

— Nie jestem pewien, co się wówczas stanie — odparł Crosshaw. — Jeśli wasza lordowska mość przyjmie dokument, wówczas będę mu towarzyszył w drodze windą do Wielkiego Labiryntu, gdzie znajduje się Obóz Rekrutów. Jeśli wasza lordowska mość nie przyjmie wezwania, to podejrzewam, iż moc ukryta w dokumencie i tak przetransportuje go na miejsce, tyle że... w mniej przyjemnych okolicznościach.

— Czy mogę rzucić okiem na wezwanie? — spytał doktor Scamandros. Podszedł bliżej i stanął przy Arthurze. Założył na czoło — nie na oczy — okulary o kryształowych soczewkach i popatrzył na dokument. — Ach, tak... Wszystko jasne. To nadzwyczaj interesujące. Arthurze, jeśli nie pójdziesz z własnej woli, zostaniesz zamieniony w coś w rodzaju paczki, owiniętej brązowym papierem i przewiązanej sznurkiem, nadającej się do wyekspediowania pocztą Domu... Biorąc pod uwagę problemy, z którymi nadal boryka się Niższy Dom, nie byłby to... hm... skuteczny środek transportu.

— Dobrze, przyjmuję wezwanie — westchnął Arthur. Sięgnął po dokument i krzyknął przerażony, bo papier owinął się wokół jego dłoni i ruchem robaczkowym zaczął pochłaniać mu rękę, niczym upiorny ślimak, pożerający ludzkie mięso, tyle że bezboleśnie.

— Bez obaw! — zawołał Crosshaw. — Papier przekształca się w mundur poborowego!

Arthur odwrócił głowę i spróbował się odprężyć. Papier przemieszczał się po nim, szeleszcząc i falując. Gdy chłopiec w końcu opuścił wzrok, jego ubranie zdążyło się już zmienić w prostą, niebieską tunikę z czarnymi guzikami, niebieskie bryczesy i czarne buty za kostkę. Do tego pojawił się biały, płócienny pas z mosiężną sprzączką, a przy nim biała ładownica i pusta pętelka, zwana żabką, na bagnet przy biodrze.

Dokument nie przeistoczył się jednak całkowicie. Arthur drgnął, gdy wezwanie wypełzło spod tuniki i wdrapało mu się na kark. Potem weszło na głowę chłopca i przeobraziło w niebieski toczek z ciasnym i niewygodnym paskiem pod brodę, który znalazł się pod jego ustami.

— Doskonale, rekrucie — pochwalił Crosshaw. Przestał się już denerwować, a Arthur momentalnie poczuł się niższy i mniej znaczący. — Za mną.

Porucznik zasalutował Pierwszej Damie, a potem obrócił się na pięcie i ruszył ku drzwiom.

— Zaraz! — powstrzymała go Suzy. — Ja też idę!

Crosshaw odwrócił się zdumiony.

— Nie bardzo rozumiem.

— Zgłaszam się na ochotnika — wyjaśniła dziewczyna. — Chcę się zaciągnąć razem z Arthurem.

— Ochotnicy nam niepotrzebni — burknął Crosshaw. — Nigdy nie wiadomo, kto się trafi.

— Wydaje mi się, że kiedyś służyłam. Pewnie jestem w Rezerwie albo czymś takim.

— Rezerwistów też nie powołujemy — sapnął Crosshaw. — Zwłaszcza nie dzieci Szczurołapa, którym wyprano między uszami wszystko, co wiedziały.

— Gdzieś tutaj mam taką kartkę — wymamrotała Suzy, pochłonięta przetrząsaniem kieszeni.

— Przykro mi, nic w tej sprawie nie da się zrobić — oznajmił Crosshaw stanowczo. — W drogę, poborowy Penhaligon. Wyprostuj się nieco bardziej. Co tam u ciebie z nogą?

— Krabi pancerz — wyjaśnił Arthur. W przeciwieństwie do reszty jego ubrania, pancerz pozostał niezmieniony, a nowe, niebieskie bryczesy ukształtowały się pod jego powierzchnią. — Na złamaną nogę.

— Zgodnie z moim zaleceniem — dodał doktor. — Doktor, major Scamandros, do usług. Wojskowy zaklinacz, w stanie spoczynku. Służbę wojskową odbyłem przed trzema tysiącami lat, zanim przystąpiłem do zaawansowanych studiów w Wyższym Domu.

— Doskonale, panie doktorze — odparł Crosshaw i znowu energicznie zasalutował. — Jeśli to niezbędne i tak zalecił lekarz, może zostać.

— Arthur jest śmiertelnikiem — oświadczył Scamandros. Wyciągnął mały notatnik i pośpiesznie coś w nim nabazgrał pawim piórem, z którego sączył się srebrny atrament. — Ze względów medycznych potrzebny mu krabi pancerz oraz pierścień na palcu. Powinien być traktowany w specjalny sposób.

Crosshaw przyjął kartkę, złożył ją i wsunął za mankiet.

— I tak pójdę — zapowiedziała Suzy.

— Nie ma dla ciebie miejsca w windzie — warknął Crosshaw. — Skoro jesteś rezerwistką, to chyba nic nie stoi na przeszkodzie, abyś złożyła na ręce Księcia Czwartka podanie o ponowne wcielenie do Armii. Osobiście nie radzę, ale nie będę cię powstrzymywał. W drogę, poborowy Penhaligon! Lewą, szybki marsz!

Crosshaw ruszył lewą nogą i, hałaśliwie trzaskając obcasami o marmurową posadzkę, skierował się do drzwi.

Arthur poszedł za nim. Robił co w jego mocy, aby naśladować sposób maszerowania porucznika i nie zmylić przy tym kroku.

Nagle poczuł się niewiarygodnie samotny, porzucony przez wszystkich i kompletnie nieświadomy tego, co przyniesie przyszłość.

Czy naprawdę miał służyć w wojsku przez sto lat?

ROZDZIAŁ SZÓSTY

zy odzież jest dostatecznie satysfakcjonująca, pani? — spytał Kichol, kiedy Liść wyszła zza głównego regału z książkami pośrodku biblioteki, gdzie się przebrała. — Tak myślę — odparła. Opuściła wzrok na podkoszulek z nadrukiem zespołu, o którym nigdy nie słyszała. Na podstawie rysunków z mitycznymi stworzeniami doszła do wniosku, że chodzi o przełom lat 60. i 70. Do tego wybrała dżinsy, których nie uszyto jednak z denimu, choć wyglądały prawie zwyczajnie. Łata na tylnej kieszeni bardzo rzucała się w oczy, a widniał na niej imponujący hologram, przedstawiający zwierzę, które z całą pewnością nie występowało na Ziemi.

— Jeśli pani sobie tego życzy, możemy zerknąć na cel wyprawy, zanim wyruszymy w drogę — oznajmił Kichol. Podszedł do regału bibliotecznego i pociągnął za linę zwisającą z jednego końca. Gdzieś nad głową Liść zabrzęczał dzwonek i cała ściana zapełniona półkami wtoczyła się w głąb i odsunęła na bok, ukazując siedmioboczny, wyłożony boazerią z ciemnego orzecha pokój. Na środku pomieszczenia były wysokie, staromodne zegary, ustawione w koło, cyferblatami do środka.

— Co to za hałas? — zdziwiła się Liść. Słyszała osobliwe, ciche mruczenie, lecz z żadnego zegara nie dobiegało tykanie.

— Wahadła zegarów — wyjaśnił Kichol. — Tak bije serce Czasu. Oto Siedem Cyferblatów, pani.

— Chciałabym najpierw popatrzeć — powiedziała dziewczyna. — Możesz mi pokazać, gdzie jest Bezskóry Chłopiec?

— Mogę spróbować — zapewnił ją kamerdyner. Z uśmiechem postukał się długim palcem w nos. Dawniej, gdy Kichol służył u Poniedziałka, taki gest budziłby obrzydzenie, gdyż wówczas służący miał brudne ręce o zapuszczonych paznokciach, a jego nos pokrywały wrzody. Teraz dłonie Kichola były czyste i wypielęgnowane, a nos, choć haczykowaty, wyglądał zdrowo. Nawet długie, siwe włosy, które rosły z tyłu głowy, dobrze się prezentowały, przewiązane granatową kokardą, pasującą do długiego fraka. — Zechce pani trzymać się poza kołem wyznaczonym przez zegary?

Kamerdyner odetchnął głęboko, szybko wszedł między zegary i zaczął przestawiać wskazówki na najbliższej tarczy. Gdy skończył, pobiegł do następnego, potem kolejnego i na każdym cyferblacie ustawiał odpowiednią godzinę. Nastawiwszy siódmy zegar, pośpiesznie opuścił koło.

— Lada moment coś ujrzymy — oświadczył. — Potem nieznacznie poprawię położenie wskazówek i odeślę panią tam, skąd pani przybyła. Obawiam się, że nie zdołam skierować pani wcześniej niż do dziesiątej dwadzieścia jeden w czwartek po środzie, w którą opuściła pani swój świat. Ach... Zaczyna się...

Z podłogi wyłoniła się powoli wirująca trąba powietrzna, która stopniowo traciła na impecie i coraz bardziej się rozszerzała. W kilka sekund całkowicie wypełniła koło między zegarami. Liść patrzyła, jak dziwaczny obłok połyskuje srebrzyście, tak jasno, że dziewczyna musiała odwrócić wzrok.

Po chwili srebrny blask przygasł, a chmura stała się przejrzysta. Liść zorientowała się, że patrzy z góry na szpitalny pokój, zupełnie jakby była muchą na suficie. Pomieszczenie wyglądało całkiem zwyczajnie. W łóżku wypoczywał Arthur, a raczej, jak poprawiła się w myślach Liść, Bezskóry Chłopiec. Stwór do złudzenia przypominał Arthura. Dziewczyna zadrżała, uświadomiwszy sobie, że gdyby nie znała prawdy o tej istocie, z pewnością wzięłaby ją za przyjaciela.

Następną rzeczą, którą ujrzała, był zegar na ścianie. Wskazywał dwadzieścia pięć po dziesiątej. Liść odetchnęła z ulgą. Gdyby tylko był czwartek...

Nagle drzwi się otworzyły i do środka wszedł lekarz. Liść drgnęła, gdyż nie spodziewała się, że cokolwiek usłyszy. Skrzypnięcie uchylanych drzwi i odgłos kroków doktora były jednak tak donośne, jakby naprawdę obserwowała całą scenę z sufitu.

— Witaj, Arthurze — odezwał się lekarz. — Pamiętasz mnie? Nazywam się Naihan, jestem lekarzem. Chciałbym rzucić okiem na twoją nogę.

— Bardzo proszę — odparł Bezskóry Chłopiec. Liść ponownie przeszył dreszcz. Głos Niconia był nieodróżnialny od głosu Arthura.

Lekarz z uśmiechem odchylił kołdrę, aby popatrzeć na wysokiej jakości formę na nodze Bezskórego. Jednak już po paru sekundach wyprostował się i ze zdumieniem podrapał po głowie.

— To jest... Nic nie rozumiem... Forma najwyraźniej zrosła się z nogą... Nie, wykluczone. Dzwonię po doktora Ardena.

— Coś się stało z formą? — zapytał Bezskóry, a następnie usiadł i wstał z łóżka, gdy doktor Naihan sięgnął po słuchawkę telefonu na stoliku.

— Arthurze, nie wolno ci wstawać! — krzyknął lekarz. — Tylko zatelefonuję...

Zanim zdołał cokolwiek dodać, Bezskóry Chłopiec uderzył go w tył głowy z taką siłą, że Naihan rąbnął plecami w zawory tlenowe na ścianie, osunął się i znieruchomiał na podłodze.

Bezskóry zarechotał i dziwnie przypominało to śmiech Arthura połączony z obcym, nieludzkim odgłosem. Stwór pochylił się i przycisnął palec do szyi lekarza, najwyraźniej sprawdzając, czy jego ofiara jeszcze żyje. Potem jedną ręką podniósł zwłoki i bez trudu wrzucił je do szafy. Arthur nie byłby w stanie uczynić nic podobnego

Monstrum podeszło do drzwi, uchyliło je i przez chwilę wyglądało na zewnątrz, nim wyszło na korytarz. Drzwi powoli zamknęły się za Niconiem, a ciche szczęknięcie zamka sprawiło, że po grzbiecie Liść przebiegły ciarki.

Wcześniej nawet nie podejrzewała, jak paskudnie się poczuje, widząc potwora o wyglądzie Arthura. Potwora, zabijającego ludzi z taką łatwością i spokojem.

— Pora, aby powróciła pani do siebie — odezwał się Kichol, a przestraszona Liść podskoczyła. Obraz szpitala zniknął, w pomieszczeniu pozostały jedynie boazeria, posadzka oraz mruczące zegary.

Kamerdyner wstąpił do kręgu i sprawnie przestawił wskazówki na trzech cyferblatach.

— Proszę do środka, zanim zegary wybiją godzinę! — zawołał.

Wyskoczył z koła, a Liść weszła do środka. W następnej sekundzie wszystkie zegary zaczęły jednocześnie bić i dzwonić, a pokój wokół dziewczyny zalśnił i zamigotał. Zakręciło się jej w głowie, otoczyła ją mgła, wszystko było zamazane. Ogarnęła ją fala nudności, ściany, podłoga i sufit stopniowo pokryły się białą poświatą. Wkrótce nie widziała nic poza bielą.

Była bliska wymiotów i jednocześnie chciała wrzeszczeć. Nagle światło z jednej strony przygasło. Dostrzegła korytarz otoczony jaskrawą bielą, lecz łagodnie oświetlony w środku.

Liść chwiejnie podążyła nim, niepewnie trzymając się za brzuch. Była zupełnie zdezorientowana, białe światło agresywnie atakowało ją od tyłu i z boków. Nie słyszała własnych kroków ani oddechu. Panowała idealna cisza.

Potem, zupełnie nagle, dźwięk powrócił. Usłyszała jakby ryk wiatru w uszach, który szybko przycichł i zaraz umilkł. Moment później znikło białe światło. Liść nadal mało widziała, lecz zrobiła kilka kroków naprzód i upadła na twardą podłogę, przewracając się na plecy. Jej skołowany umysł dopiero po chwili pojął, że białe światło emitują jarzeniówki na jasnoniebieskim suficie.

Liść usiadła i powiodła wzrokiem dookoła. Znajdowała się na szpitalnym korytarzu. Rozpoznała to połączenie kolorów: bladoniebieskiego z niezdrowym brązem. Korytarz był pusty, ale wzdłuż ścian dostrzegła mnóstwo drzwi.

Nad jednymi z nich, na końcu przejścia, wisiał zegar. Zgodnie z jego wskazówkami było dziesięć po dwunastej. Liść się zmartwiła, bo kiedy niczym mucha na suficie obserwowała Bezskórego Chłopca, było dopiero dwadzieścia pięć po dziesiątej. Jeśli nie minął czwartek, oznaczało to, że straciła nieco ponad półtorej godziny, niemniej...

Wstała, otarła usta wierzchem dłoni i otworzyła najbliższe drzwi. We wszystkich pomieszczeniach, które

sprawdziła, znajdowały się takie czy inne magazyny. Najwyraźniej trafiła do niższej części szpitala, dostępnej wyłącznie dla personelu. Oznaczało to, że przede wszystkim
musiała się stąd wydostać, zanim złapie ją ochrona. Liść
nie miała ochoty wyjaśniać, co tu robi ani jak się tu dostała.

Kilka minut później wyszła z windy. Za jej plecami
piszczał zainstalowany przy drzwiach alarm. Znalazła się
przy recepcji, na piętrze zajmowanym przez osoby objęte kwarantanną. Wszystko wyglądało jednak inaczej niż
wtedy, gdy je opuszczała. Wówczas wszędzie kłębiły się
tłumy ludzi, którzy przyszli odwiedzić odizolowanych
krewnych, przetrzymywanych na wszelki wypadek —
ostatecznie mogło się zdarzyć, że Senny Pomór nie znikł
z kretesem. Teraz poczekalnia świeciła pustkami, wszystkie krzesła przykryto arkuszami plastikowej folii, a w powietrzu unosił się wyraźny odór niedawno rozpylonego
środka dezynfekującego. Liść zaniepokoiło jednak co innego: zamiast dwóch zwykłych ochroniarzy, dyżurujących
przy recepcji, ujrzała czterech strażników, sześciu poli-
cjantów w pełnych kombinezonach ratownictwa biologicznego oraz paru żołnierzy w podobnych, tyle że w masku-
jących barwach.

Zanim zdążyła cofnąć się do windy, wszyscy ją spo-
strzegli.

— Ani kroku dalej! — zagrzmiał jeden z ochroniarzy. —
Ten poziom jest objęty kwarantanną. Jak się tu dostałaś?

— Tak tylko weszłam do windy — wybąkała Liść, uda-
jąc młodszą i znacznie głupszą niż w rzeczywistości.

— Na parterze powinna być zablokowana — warknął
strażnik. — Wracaj na pierwszy poziom.

— Ale nic nie złapię, co? — spytała Liść.

— Jedź na dół! — rozkazał jej ochroniarz.

Liść weszła z powrotem do windy i nacisnęła przycisk. Najwyraźniej coś się zmieniło w czasie, który spędziła poza swoim światem. Fakt, że całe piętro objęte kwarantanną było teraz zamknięte na cztery spusty, nie wróżył nic dobrego. Ale przecież Senny Pomór minął...

Drzwi windy otworzyły się na parterze. Liść wyszła w sam środek pandemonium. Wszędzie byli ludzie, którzy zapełniali hol, korytarze oraz poczekalnie. Większość zgromadzonych osób wyglądała na pracowników szpitala, nie na gości. Liść przyjrzała się im pobieżnie i nie dostrzegła żadnych pacjentów.

Zaczęła się przeciskać przez tłum, przez cały czas intensywnie myśląc o tym, co powinna zrobić. Przede wszystkim należało ustalić, jaki jest dzień i co się dzieje. Potem musiała znaleźć sposób na dostanie się do magazynu bielizny, gdzie Bezskóry Chłopiec zapewne ukrył kieszeń Arthura. Następnie powinna wydostać się ze szpitala i znaleźć ucieleśnienie Domu, które, jak twierdził Arthur, kiedyś pojawiło się w pobliżu jego domu i zajęło kilka ulic...

Już teraz widziała, że dotarcie do kryjówki Duchożera nie będzie proste. Główne wejście było zamknięte i oklejone czarno-żółtą taśmą, informującą o niebezpieczeństwie skażenia biologicznego. Okna zasłonięto plakatami z wyraźnym napisem „Prawo Creightona", zgodnie z którym przedstawiciele władzy ustalają obszar objęty kwarantanną i w razie potrzeby mogą użyć broni, aby nikt nie opuścił wyznaczonej strefy.

Za oknami, na szpitalnym parkingu, stało kilka opancerzonych pojazdów oraz mnóstwo żołnierzy w kombinezonach ratownictwa biologicznego. Wśród nich kręciły się osoby w pomarańczowych strojach z jaskrawożółtymi literami FBA na plecach. Był to skrót od angielskiej nazwy: „Federalne Władze Kontroli Biologicznej".

Liść rozejrzała się, aby sprawdzić, czy w pobliżu nie ma nikogo znajomego. Nie dostrzegła jednak żadnej znanej sobie twarzy, dopóki nie zauważyła jednego z pielęgniarzy, z którym rozmawiała, kiedy Ed i reszta jej rodziny trafili do szpitala. Siedział oparty plecami o ścianę i wyraźnie zmęczony sączył kawę z kubka. Dwaj koledzy pielęgniarza drzemali po jego bokach, z pochylonymi do przodu głowami. Niedopita kawa i nadjedzone kanapki leżały obok nich, na podłodze.

Dziewczyna przecisnęła się przez tłum i stanęła przed pielęgniarzem.

— Cześć — powiedziała. Nie pamiętała jego imienia, a identyfikator na koszuli mężczyzny był odwrócony.

Pielęgniarz podniósł głowę, lecz jego wzrok przez moment nie mógł odzyskać ostrości. Potarł twarz dłonią i się uśmiechnął.

— Och, cześć. Utkwiłaś tu, kiedy objęto nas kwarantanną?

— Tak. Zasnęłam w poczekalni... O, tam... I przed chwilą się obudziłam. Nie wiem, co się stało. Czy to Senny Pomór powrócił?

— Nie, tym razem chodzi o coś innego — wyjaśnił. Wyprostował się odrobinę, dzięki czemu Liść w końcu zobaczyła, że ma do czynienia ze starszym pielęgniarzem Adamem Jamale. — Może to drobiazg, ale wiesz, jak to jest. Nikt nie chce ryzykować.

— Co się stało?

— Żebym to ja wiedział — Jamale pokręcił głową. — Wszystko rozegrało się przed godziną. Usłyszałem pogłoski, że stwierdzono oznaki ataku bronią biologiczną na jedną osobę z personelu.

— Tak, to prawda — przytaknął drugi pielęgniarz i ziewnął. — Chodzi o samą doktor Penhaligon, i to w sumie wydaje się logiczne. No bo przecież jeśli ktoś chciał zaatakować, to najpierw uderzył w tego, kto jest najlepszy. Dobrze mówię?

— Ale kto to zrobił? — spytała Liść, przejęta losem matki Arthura. — I jaki to rodzaj broni biologicznej?

— Może terroryści — zasugerował drugi pielęgniarz. — Na razie nie znamy żadnych szczegółów. Wiadomo tylko tyle, że doktor Penhaligon dostrzegła u siebie jakieś objawy i natychmiast o nich poinformowała. Zamknięto ją w izolatce na Poziomie Dwudziestym.

— Oby tylko uporała się z tym, co ją dopadło — westchnął Jamale. — Wiecie, że to ona wymyśliła połowę środków, których używamy do zwalczania wirusów? Kiedyś opracowała rapidolizynę, a niedawno to urządzenie PAG do głębokiego skanowania DNA, które otrzymaliśmy w ubiegłym miesiącu.

— Poważnie? Nie miałem pojęcia, że rapidolizyna to jej dzieło. Nie wspomniała o tym podczas szkolenia o przeciwdziałaniu wirusom, które przechodziliśmy na początku...

Liść się wyłączyła. To, co mama Arthura uznała za dowód ataku biologicznego, musiało być szarymi zarodnikami pleśni od Bezskórego Chłopca. Ponieważ roślina została magicznie wytworzona na bazie czegoś pozaziemskiego, należało wątpić, by ziemska medycyna zdołała się z nią uporać. Może jednak naukowcy mogliby spowolnić rozwój pleśni.

— Zaraz, zupełnie o czymś zapomniałam!— wykrzyknęła. — Jaki dziś dzień?

— Czwartek — odparł Jamale. — Może powinnaś się jeszcze przespać.

— Nie po tym, jak widziałam własną rodzinę chorą na Senny Pomór — odparła. — Spanie nie wydaje mi się już tak atrakcyjne jak dawniej. Na mnie pora. Dzięki!

— Nie ma za co — zapewnił ją Jamale. — Trzymaj się.

— Spróbuję. — Liść pomachała pielęgniarzom i ponownie zaczęła przedzierać się przez tłum. Cały czas intensywnie myślała. Co robi Bezskóry Chłopiec? Czy ma jakiś inny cel, poza zastąpieniem Arthura? Kwarantanna z pewnością utrudnia mu zakażanie ludzi pleśnią czytającą myśli, niemniej był Niconiem. Nikt i nic na Ziemi nie mogło go powstrzymać przed uczynieniem tego, co zamierzał zrobić.

Nikt poza nią. Musiała jak najszybciej odnaleźć kieszeń Arthura, wymyślić sposób na wydostanie się z terenu objętego kwarantanną wokół szpitala i odszukać Dom.

Zmieniła kierunek i pobiegła do bufetu. Z *Atlasu* dowiedziała się, że Bezskóry Chłopiec zapewne urządził sobie legowisko w magazynie bielizny. Bez wątpienia istniało jakieś połączenie między bufetem i magazynem ręczników oraz obrusów. Może używano do tego celu specjalnego zsypu? Wystarczyło, aby Liść go zlokalizowała i ustaliła, dokąd prowadzi.

Lawirowała między ludźmi, a gdy znalazła się blisko wejścia do bufetu, nagle ujrzała znajomą twarz.

Twarz Arthura.

Bezskóry Chłopiec znajdował się tuż przed nią, kuśtykał o kuli. Przedzierając się przez tłum, chętnie wspierał się na wyciągniętych ku niemu pomocnych dłoniach. Często potykał się i prawie upadał, w ostatniej chwili łapiąc za najbliższe ramię lub łokieć, aby odzyskać równowagę.

Każdego, kto podał mu rękę lub pozwolił wesprzeć się na sobie, Bezskóry obdarowywał uśmiechem i wyszeptanym: „Dziękuję".

ROZDZIAŁ SIÓDMY

Porucznik Crosshaw nie rozmawiał z Arthurem w windzie, a przynajmniej nie po tym, gdy objaśnił chłopcu, jak należy prawidłowo stawać na baczność. Zajmowali bardzo wąską, wojskową kabinę, niewiele większą niż budka telefoniczna. Na podłodze, mniej więcej pół metra od drzwi, namalowano czerwoną kreskę. Arthur musiał stać na baczność, dotykając linii czubkami butów.

Niespecjalnie się zdziwił, że winda znajduje się za jednymi z drzwi na korytarzu przy dużej sali zebrań. Miał świadomość, że są one rozmieszczone dosłownie wszędzie i prowadzą do najrozmaitszych miejsc w Domu. Niektóre przeznaczono do konkretnego użytku lub dla określonych pasażerów. Arthur wyobrażał sobie, że ich system przypomina labirynt podziemnych kanałów oraz rur, przewody energetyczne lub kolej pod ulicami nowoczesnego miasta. Szyby wind, podobnie jak tunele metra, musiały się krzyżować, niekiedy łączyć, czasami rozdzielać. Z pewnością istniał plan lub przewodnik po wszystkich sieciach wind Domu. W *Atlasie* bez wątpienia znajdował się taki opis...

Arthur musiał przerwać te rozważania, kiedy wraz z Crosshawem dotarł do miejsca przeznaczenia. W przeciwieństwie do wind, którymi dotąd podróżował chłopiec, w tej kabinie nie było operatora ani dzwonka. Pojazd wyposażono jednak w rożek sygnalizacyjny, który przenikliwie zatrąbił, a potem drzwi się otworzyły.

Za progiem windy rozpościerała się smagana wiatrem równina, porośnięta bardzo niską trawą o intensywnie brązowym kolorze. Wiał gorący wiatr. Arthur ujrzał słońce, a przynajmniej jego sztuczny odpowiednik, jaśniejący wysoko na niebie w niektórych częściach Domu. Mniej więcej kilometr dalej, na drugim krańcu równiny, chłopiec zauważył starannie rozplanowane, uporządkowane miasteczko, złożone z dwudziestu lub trzydziestu domów oraz innych dużych budynków. Za miasteczkiem, gdy się spojrzało w kierunku, który powinien być zachodem, była tropikalna dżungla, co wprawiło Arthura w pewne zdumienie. Od północy ciągnął się obszar poszarpanych, granitowych wzgórz, ponurych i żółtych. Na wschodzie wznosił się wysoki grzbiet górski, porośnięty lasem zimnolubnych jodeł i sosen, tu i ówdzie przyprószonych śniegiem.

— Dziesięć kroków naprzód, szybki marsz! — wrzasnął porucznik Crosshaw.

Zdumiony rozkazem, Arthur ruszył przed siebie i natychmiast się pomylił w liczeniu kroków. Zrobił jeden czy dwa? Gdy tak szedł przed siebie, jego niepokój narastał. Liczył nadal i zastanawiał się, co będzie, jeśli popełnił błąd.

— Już było dziesięć kroków! Nie umiesz liczyć, poborowy?! — ryknął obcy, bardzo nieprzyjemny głos za jego plecami. Choć chłopcu się zdawało, że dobrnął zaledwie do dziewięciu, przystanął i chciał się odwrócić, lecz powstrzymał go następny wrzask.

— Twarz przed siebie! — Arthur miał wrażenie, że ktoś krzyczy mu prosto do lewego ucha. — Nie ruszaj się!

— Sierżancie Trzon, gdybym mógł zamienić słowo... — przerwał mu Crosshaw ostrożnie. Arthur usłyszał, że za jego plecami ktoś bierze głęboki oddech i przygotował się na następną, nieuchronną eksplozję ryku.

— Tak jest, panie poruczniku! — wrzasnął głos, który zapewne należał do sierżanta Trzona. Chłopiec nie ośmielił się odwrócić ani poruszyć, choć miał ogromną ochotę podrapać się po nosie, bo ku jego lewemu nozdrzu spłynęła kropla potu. Panował upał.

Porucznik Crosshaw i sierżant Trzon przez pół minuty rozmawiali cicho za plecami Arthura, który nie słyszał ich słów. Szept Trzona okazał się jednak donośniejszy od zwykłego głosu, więc do chłopca dotarła część dialogu.

— Co takiego?

— Nie dam pół złamanego wąsa Szczura w Wyproście za to, kim on jest.

— Fatalne dla morale, panie poruczniku. Wykluczone. Czy to wszystko?

— Przyjmuję dostawę poborowego Penhaligona, panie poruczniku. Wraz z zaleceniami medycznymi.

Arthur usłyszał kroki, potem szum windy i szelest zamykanych drzwi. Nadal jednak nie ośmielił się poruszyć, choć swędzenie stawało się nieznośne.

— Poborowy, spocznij! — szczeknął Trzon.

Arthur się odprężył, lecz nadal się nie odważył podrapać po nosie. Kołatały mu się po głowie słowa jego znacznie starszego brata Erazmuza, majora w wojsku, który mówił o tym, jak w filmach fałszuje się prawdę o Armii. Jedna z podstawowych spraw to różnica pomiędzy komendą „spocznij" a faktycznym ogłoszeniem odpoczynku. Niestety, Arthur niezbyt dobrze pamiętał, na czym polega rozbieżność, dlatego na wszelki wypadek stał nieruchomo.

— Stopy w takiej odległości od siebie, dłonie za plecami, kciuki skrzyżowane, głowa prosto, oczy przed siebie! — wykrzyczał Trzon. Nagle marszowym krokiem obszedł chłopca i zatrzymał się tuż przed nim, również w pozycji „spocznij". — Powiedz: „Tak jest, panie sierżancie!".

— Tak jest, panie sierżancie! — wrzasnął Arthur najgłośniej, jak potrafił. Również od Erazmuza wiedział, że w wojsku nie należy mówić, tylko idiotycznie ryczeć.

— Dobrze! — odwrzasnął Trzon. Stanął na baczność i pochylił się ku Arthurowi. Nie był najwyższym widzianym przez niego Rezydentem — z całą pewnością nie miał dwóch metrów wzrostu — ale miał najszersze bary, jakie chłopiec kiedykolwiek widział. Bardziej imponującymi ramionami mogli się poszczycić wyłącznie Szkaradzieje Ponurego Wtorka. Jego twarz nie była przystojna, co należało uznać za normalne u Rezydentów, lecz kiedyś mogła być niebrzydka. Teraz widniała na niej paskudna blizna po poparzeniu Nicością, ciągnąca się od lewego ucha do brody. Jeśli kiedyś miał jakieś włosy, to starannie je zgolił.

Podobnie jak oficer, Trzon ubrany był w szkarłatną tunikę, lecz na każdym rękawie widniały trzy szerokie, złote paski. Ponadto z lewej piersi zwisały trzy medale, odlane w ciemnoszarym brązie, z podwiązanymi wielobarwnymi wstążkami. Jeden z nich miał pięć paseczków na wstążce, a inny całe mnóstwo drobnych, srebrnych gwiazdek, ułożonych w taki sposób, że były miejsca na kolejne.

— Porucznik Crosshaw powiada, że z ciebie szczególny przypadek! — ryknął Trzon. — Nie lubię szczególnych przypadków! Szczególne przypadki to kiepscy żołnierze! Szczególne przypadki nie pomagają innym poborowym zostać dobrymi żołnierzami! I dlatego nie będziesz szczególnym przypadkiem! Zrozumiano!

— Takie mam wrażenie...

— Zamknij się! Nikt cię o nic nie pytał!

Sierżant Trzon nagle się odchylił, poskrobał po głowie i rozejrzał. Arthurowi zabrakło śmiałości, by podążyć za jego spojrzeniem, lecz to, co sierżant zobaczył lub czego nie zobaczył, poprawiło mu humor.

— Możesz się odprężyć — oświadczył łaskawie. — Przez dwie minuty będę rozmawiał z tobą jak Rezydent z dzieckiem Szczurołapa, nie jak sierżant z poborowym. Ale pamiętaj: nigdy mi nie przypomnisz o tej rozmowie i nigdy nie powiesz o niej nikomu innemu. Zrozumiałeś?

— Tak jest, panie sierżancie — potwierdził Arthur ostrożnie.

Sierżant Trzon sięgnął do ładownicy u pasa i wyjął z niej płaską puszkę, a z niej cygaretkę. Nie zapalił jej jednak, tylko odgryzł koniuszek i zaczął żuć. Wyciągnął ku Arthurowi wilgotny koniec, lecz chłopiec pokręcił głową i skorzystał z okazji, aby pośpiesznie podrapać się po nosie.

— Tak to tak, Penhaligon — westchnął sierżant. — Nie powinno cię tu być. To jakieś rozgrywki polityczne, dobrze mówię?

Arthur skinął głową.

— Nienawidzę polityki! — wyznał Trzon. Dla podkreślenia swoich słów wypluł obrzydliwego gluta przeżutego tytoniu. — Powiem ci, co zamierzam. Rzecz nie jest specjalnie legalna, więc odmowa nie wchodzi w grę. Zmienię ci imię i nazwisko tylko na czas pobytu tutaj. W ten sposób będziesz mógł poradzić sobie ze szkoleniem, inni poborowi się nie rozproszą i unikniemy kłopotów. Zmianę odnotujemy tylko w miejscowym archiwum, nie będzie na stałe. Skończysz naukę pod własnym nazwiskiem. Jeśli dociągniesz.

— Zgoda — przytaknął Arthur. Skoro musiał tutaj być, to rozsądek nakazywał mu zmienić nazwisko. — Chciałem powiedzieć: tak jest, panie sierżancie.

— Jak cię nazwiemy? — Trzon odgryzł następny kawałek cygaretki i w zamyśleniu międlił go w ustach. Arthur próbował nie oddychać. Fetor przeżuwanego tytoniu budził odrazę, był gorszy, niż chłopiec sobie wyobrażał. Jeśli oczywiście sierżant żuł prawdziwy tytoń, a nie jakiś jego bliski odpowiednik z innego świata w Poślednich Królestwach.

— A może Ruhtra? — zaproponował Trzon. — To Arthur od tyłu.

— Roottra... hm... może raczej coś, co lepiej brzmi... A przynajmniej nie jest takie oczywiste — podsunął chłopiec i spojrzał na horyzont, mrużąc oczy przed ostrym słońcem, silnie kontrastującym z intensywną zielenią dżungli na zachodzie. — A może Ray? Ray... mmm... Zielony? Mógłbym być Napełniaczem Kałamarzy z Niższego Domu.

Trzon skinął głową i ponownie splunął. Odłożył do puszki na wpół spożytą cygaretkę i ukrył pojemnik w ładownicy. Potem wyjął tabliczkę, pięciokrotnie większą od ładownicy, oraz ołówek zza ucha, choć wcześniej tam go nie miał, i szybko naniósł poprawki na dokumentach przypiętych do tabliczki.

— Schowaj pierścień — poradził Arthurowi, nie przerywając pisania. — Krabi pancerz da się wytłumaczyć uszkodzeniem ciała dziecka Szczurołapa, ale żaden poborowy nie ma przedmiotów osobistych.

Arthur okrężnym ruchem ściągnął pierścień i wsunął go do własnej ładownicy. Wydawała się ona tej samej wielkości, co ładownica sierżanta, niemniej ta ostatnia była najwyraźniej transwymiarowa.

— Poborowy Ray Zielony, tej rozmowy nigdy nie odbyliśmy — mruknął Trzon. Przynajmniej raz powiedział coś cicho. Jednocześnie wpychał tabliczkę z powrotem do ładownicy. Zarówno ona, jak i papiery dziwacznie się zwinęły, znikając w środku.

— Racja, panie sierżancie — przyznał Arthur.

— Baaa... czność! — wrzasnął Trzon. Nagła komenda i jej donośne brzmienie sprawiły, że Arthur podskoczył. Gdy opadł, cały drżał, stojąc na baczność.

— Poborowy! Widzisz tamte budynki? To Fort Przemiana, gdzie przyjmujemy Rezydentów i robimy z nich żołnierzy. Pomaszerujemy tam, a ty się przyłożysz i sprawisz, żebym był z ciebie dumny! Plecy proste! Pięści zaciśnięte, kciuki w dół, lewa, szybki marsz!

Arthur maszerował do budynków. Trzon podążał za nim w odległości kilku kroków z lewej strony, wykrzykując rozkazy, korygujące postawę, krok, wymachy ramion i tempo chłopca. W przerwach między jedną taką uwagą a drugą sierżant głośno użalał się nad sobą, pytając, co złego zrobił, że przydzielono mu taki chorowity okaz, nawet jak na dzieci Szczurołapa.

Po dotarciu na miejsce Arthur zastanawiał się, czy kiedykolwiek opanuje sztukę prawidłowego marszu, przynajmniej zgodnie z normami obowiązującymi w Domu. Ponadto nie rozumiał, gdzie się wszyscy podziali. Z położenia nieco zamglonego, lecz niesłychanie gorącego słońca na horyzoncie wnioskował, że jest późne popołudnie. Spodziewał się więc ujrzeć nieopodal mnóstwo rekrutów oraz personel szkolący, zajmujący się... żołnierskimi sprawami.

— Stój! — wrzasnął sierżant Trzon, gdy Arthur minął pierwszy rząd budynków i już miał wejść na dużą połać ubitej ziemi, otoczonej pomalowanymi na biało skałami. Najwyraźniej tak wyglądał plac defilad. — Gdy wydam rozkaz: „Poborowy, rozejść się", elegancko obrócisz się na lewej nodze, uniesiesz prawą i hałaśliwie postawisz ją obok lewej. Na dokładnie jedną sekundę staniesz na baczność, a potem energicznie pomaszerujesz do Koszar Bloku A, które widzisz przed sobą, chyba że jesteś nie tylko głupi, ale też ślepy, do jasnej ciasnej! Zgłosisz się tam do raportu do kaprala Siekieraka. Poborowy! Czeeekaj! Odejść!

Arthur obrócił się oczywiście na lewej nodze, potem dosunął do niej prawą i ruszył naprzód, dość niezdarnie, choć starał się iść sprężyście. Bezpośrednio przed nim wznosił się tylko jeden budynek, dlatego podążył prosto tam. Była to długa, parterowa konstrukcja z drewna, bielona wapnem i wsparta na balach o ponadmetrowej wysokości. Schody, którymi wdrapał się na górę, prowadziły do drzwi z czerwoną tabliczką, na której widniał napis, namalowany czarną farbą przy użyciu szablonu: KOSZARY BLOK A, DRUGI PLUTON POBOROWYCH, KAPRAL SIEKIERAK.

Arthur pchnął drzwi, otwierając je na oścież, i wszedł do środka.

Pomieszczenie okazało się większe, niż sugerował to rozmiar budynku, lecz Arthur już prawie nie dostrzegał tego rodzaju anomalii. Takie zjawisko było w Domu na porządku dziennym. Pokój przypominał boisko do piłki nożnej, a sufit znajdował się na wysokości siedmiu metrów. Dwadzieścia dużych latarni burzowych pod belkami stropowymi zapewniało oświetlenie. W każdej ścianie były okna, lecz wszystkie zasłonięte okiennicami.

W świetle oszklonych lamp Arthur spostrzegł, że jeden bok wielkiego pomieszczenia jest całkowicie zastawiony pryczami oraz dużymi szafami z drewna, podobnymi do tych, którymi kapitan Kotapoducha dysponował na pokładzie „Mola". W sumie musiało tam być ze sto łóżek, każde w komplecie z szafą.

Po drugiej stronie sali było więcej miejsca, gdyż wstawiono tam około trzydziestu rusztowań, w rzędach po trzy. Każde z nich liczyło niecałe trzy metry wysokości, dziesięć metrów długości i było obwieszone najrozmaitszymi rodzajami broni i zbrojami. Arthur doszedł do wniosku, że sprzęt jest bardzo stary, a niektóre przedmioty prezentują się wyjątkowo dziwnie. Rusztowanie stojące najbliżej chłopca dźwigało zestaw prostych mieczów i zakrzywionych szabli, kolekcję małych, okrągłych tarcz, dużych tarcz w kształcie latawca, niebieskich płaszczy wojskowych, sporych, nieporęcznych pistoletów, a także kotwiczek i lin. Na następnej konstrukcji powieszono od pięćdziesięciu do sześćdziesięciu muszkietów, a nad nimi dziwne, wysokie kapelusze z rozciągniętego, białego jedwabiu.

Arthur z początku uznał, że w sali nikogo nie ma, lecz gdy zrobił kilka kroków, ujrzał na drugim końcu grupę Rezydentów w niebieskich mundurach rekrutów. Gdy się do nich zbliżył, zauważył instruktora w szkarłatnym uniformie, demonstrującego jakiś rodzaj broni. Chłopiec dostrzegł dwa złote paski na jego rękawie i wywnioskował, że to kapral Siekierak.

Rezydenci wyglądali całkiem zwyczajnie. W grupie znajdowali się mężczyźni i kobiety, w równych proporcjach, wszyscy niesłychanie urodziwi, lecz żaden nie przekraczał dwóch metrów wzrostu. Innymi słowy, w cywilu zapewne nie piastowali liczących się funkcji. Żaden z nich nie odwrócił się ku nadchodzącemu Arthurowi.

Wyjątkiem okazał się kapral Siekierak, który podniósł wzrok na chłopca. Również liczył ze dwa metry wzrostu i był potężnie zbudowany. Podobnie jak sierżant Trzon, miał oblicze zniekształcone bliznami po zetknięciu z Nicością. W jego wypadku doszło do rozpuszczenia niektórych fragmentów, dlatego musiał nosić wyrzeźbione w drewnie ucho oraz srebrny nos. I jedno, i drugie wyglądało na przyklejone — Arthur nie zauważył żadnych mocowań przy atrapach.

— Spóźniłeś się, poborowy! — warknął Siekierak. — We własnym zakresie nadrobisz zaległości.

— Tak jest, panie kapralu! — krzyknął Arthur. Postąpił kilka kroków w lewo i stanął w półkolu. Idąc na koniec rzędu poborowych, dostrzegł bardzo niskiego Rezydenta, częściowo ukrytego za rusztowaniem na broń, ustawionym naprzeciwko. Właściwie nie był to nawet Rezydent, tylko dziecko Szczurołapa, chłopiec. Wydawał się mniej więcej równy wiekiem Arthurowi, choć zapewne przeżył setki, jeśli nie tysiące lat w Domu. Miał krótkie, czarne włosy, bardzo śniadą cerę i sprawiał przyjazne wrażenie. Na jego ustach błąkał się życzliwy uśmiech. Dyskretnie mrugnął do Arthura, lecz poza tym w żaden sposób nie zdradził, że interesuje go cokolwiek poza demonstracją broni przez kaprala. Jeśli faktycznie była to broń.

Arthur zajął swoje miejsce i skierował spojrzenie na przedmiot. Kapral ściskał drewniany uchwyt przy dużej, prostokątnej bryle żelaza. Na powierzchni metalu widniały regularnie rozmieszczone otwory, przez które buchnęła para, gdy kapral opuścił przedmiot na stół.

— Oto żelazko — wytłumaczył kapral i przyprasował nim biały kołnierz. — Żelazko jest zawsze gorące i spali wam ubranie, jeśli pozostawicie je spodem do dołu. Zademonstruję prawidłową procedurę prasowania kołnierzy przy pułkowych mundurach numer dwa. Patrzcie uważnie!

Rezydenci zgodnie się pochylili, gdy kapral starannie przesuwał żelazko po kołnierzu, od prawej do lewej. Czynność tę powtórzył sześciokrotnie. Następnie postawił je na boku, odwrócił kołnierz i powtórzył operację.

— Do wszystkich dotarło?

Zebrani pokiwali głowami, z wyjątkiem jednego Rezydenta, który podniósł rękę. Był najprzystojniejszy w grupie, miał delikatne rysy i jasnoniebieskie oczy. Niestety, jego wzrok wydawał się pusty.

— Panie kapralu, czy może pan powtórzyć to jeszcze raz?

Arthur zachwiał się lekko i stłumił westchnienie. Zapowiadała się długa lekcja prasowania.

ROZDZIAŁ ÓSMY

jże, przecież to syn Emily! Powinien być odizolowany na Poziomie Dwudziestym! — krzyczał jeden z lekarzy, jednocześnie wskazując Bezskórego Chłopca, który go zignorował i zniknął za drzwiami bufetu. Liść się zawahała, po czym pobiegła za Niconiem. Za jej plecami lekarz ponownie krzyknął, szpitalna ochrona zaczęła się przeciskać przez tłum. Znajdowali się jednak po przeciwnej stronie głównego holu i przedarcie się między ludźmi musiało im zająć kilka minut. Lady bufetowe były pozamykane, lecz w pomieszczeniu zgromadziło się mnóstwo osób, które siedziały gdzie popadnie. Niektórzy położyli głowy na stołach. Niemal wszyscy byli pracownikami szpitala. Liść uświadomiła sobie, że kwarantannę z pewnością wprowadzono w momencie zmiany roboczej. Z tego powodu cały kończący pracę personel został zatrzymany i ludzie usiłowali teraz odpocząć tam, gdzie znaleźli miejsce.

Bezskóry Chłopiec znajdował się już na drugim końcu bufetu. Nie korzystał z kuli i maszerował tak prędko, że żaden człowiek ze złamaną i unieruchomioną nogą nie byłby w stanie dotrzymać mu kroku. Po drodze bezustannie poklepywał przechodzących po ramionach i plecach.

Liść domyślała się, że przy każdym dotknięciu rozsiewał zarodniki pleśni. W kilka godzin mógł przejąć władzę nad umysłami setek pracowników medycznych. Wkrótce miał szansę kontrolować istną armię ludzi o wypranych umysłach.

Bezskóry Chłopiec skręcił w lewo za ladami i pchnął drzwi. Nie oglądał się za siebie, lecz Liść na wszelki wypadek przesunęła się w bok, aby zniknąć w tłumie. Gdy drzwi za Niconiem się zamknęły, biegiem pokonała pozostały dystans, otworzyła je i wyszła z bufetu.

Choć słyszała oddalający się stukot kroków stwora, nadal się obawiała, że będzie na nią czyhał z wyciągniętą ręką, aby uderzyć tak, jak uderzył lekarza, albo po prostu zainfekować ją pleśnią. Nic się jednak takiego nie stało. Tylko dziwnie zniekształcone drzwi na końcu korytarza wskazywały na to, w którą stronę oddalił się Nicoń.

Liść ujrzała, że drzwi były nie tyle wykrzywione, ile częściowo wyrwane i wygięte. Po jednej ich stronie znajdował się nienaruszony elektroniczny zamek. Bezskóry wyrwał zawiasy ze ścian i odgiął grubą blachę. Dzięki temu nie doszło do uruchomienia alarmu, a w szpitalnym centrum bezpieczeństwa wszystko wydawało się w porządku. Był to doskonały sposób na uniknięcie problemów z ochroną.

Liść zrozumiała, że Bezskóry Chłopiec zapewne miał już dostęp do myśli części personelu szpitala. Inaczej nie wiedziałby, że należy zachować ostrożność. Przebywał na Ziemi co najmniej od dziewiętnastej pięć poprzedniego wieczoru, więc z pewnością zdążył rozsiać zarodniki na wielu ludzi.

Nieco dalej znajdowały się następne powyginane drzwi, i jeszcze dwoje innych na schodach przeciwpożarowych. Liść ostrożnie skradała się za Bezskórym, nasłuchując jego kroków. Zatrzymała się dopiero przy rozerwanych drzwiach, prowadzących na Dolny Poziom Trzeci i czujnie powiodła wzrokiem dookoła.

Bezskóry Chłopiec był na korytarzu i zmierzał, w przekonaniu Liść, do magazynu bielizny. Zgodnie ze wskazaniami *Atlasu* właśnie tam powinno znajdować się legowisko stwora.

Nicoń znieruchomiał i nagle odwrócił się ku schodom. Liść zamarła, mając nadzieję, że potwór jej nie dostrzegł.

Przez chwilę była przekonana, że jest bezpieczna. Potem Bezskóry zasyczał — Arthurowi nigdy nie udałoby się wydobyć z siebie takiego dźwięku — obrócił się na pięcie i pognał prosto ku dziewczynie.

Liść bez zastanowienia rzuciła się na dół po schodach przeciwpożarowych, tylko dlatego, że wspinanie się po nich byłoby powolniejsze. Pokonała może cztery lub pięć stopni, kiedy pojęła swój błąd. Tutaj wszystkie drzwi musiały być zamknięte na zamek. Nie miała żadnej drogi ucieczki.

Wpadła w pułapkę, za kilka sekund Bezskóry dopadnie ją na schodach. Ogarnięta paniką spróbowała biec jeszcze szybciej, zaryzykowała, świadoma, że jeszcze nigdy nie pokonywała tylu stopni naraz… i upadła.

Poleciała głową naprzód, mocno nią uderzyła i zsunęła się na półpiętro.

Bezskóry przystanął pięć stopni nad dziewczyną i popatrzył na nią. Uciekinierka leżała nieruchomo, spod jej włosów sączyła się krew. Klatka piersiowa Liść unosiła się jednak i opadała. Nicoń się zawahał. Powoli podszedł do niej, wyciągnął rękę i potarł grzbiet dłoni Liść. Usatysfakcjonowany, wrócił na górę, aby ponownie się połączyć z magicznym skrawkiem materiału, który był źródłem jego tożsamości.

Liść ocknęła się, cała obolała. Potwornie łupało ją w głowie, czuła ból w lewym boku, od żeber do kostki. Przez chwilę nie miała pojęcia, co się zdarzyło i gdzie jest. Dopiero po kilku sekundach zorientowała się, że nie przebywa na pokładzie „Latającej Modliszki".

Zastanawiała się, czy spadła z takielunku, ale poczuła, że leży na betonie, a nie na pokładzie statku, i nie krzyczy na nią Rondel, tylko...

Przetoczyła się i bardzo ostrożnie usiadła. Grzmiący głos wypełniał całą klatkę schodową, gdyż na suficie każdego półpiętra zainstalowano alarmowe głośniki.

— ...sprawdzić oznaki użycia broni biologicznej, określanej mianem Szarej Pryszczycy. O zakażeniu świadczą wypryski na dłoniach, szyi, twarzy i innych odsłoniętych częściach ciała. Jeśli dostrzeżesz u siebie szare wypryski, unikaj kontaktu z innymi osobami. Niezwłocznie przejdź na Poziom Trzeci, gdzie otrzymasz stosowną pomoc medyczną. Jeśli miałeś takie wypryski, które po pewnym czasie znikły, natychmiast przejdź na Poziom Piąty w celu uzyskania stosownej pomocy medycznej. Jeżeli nie masz na ciele szarych wyprysków ani nie dostrzegłeś ich u siebie wcześniej, pozostań na miejscu. Unikaj kontaktu dotykowego z innymi osobami. Nie próbuj opuszczać szpitala. Zgodnie z prawem Creightona szpital został objęty czerwoną strefą zagrożenia biologicznego i każdy, kto podejmie próbę jego opuszczenia, będzie zastrzelony i potem spalony.

Zaległa cisza i rozległ się donośny, pulsujący dźwięk, po którym powtórzono komunikat.

Liść dotknęła najbardziej obolałego miejsca z tyłu głowy. Czaszkę miała nienaruszoną — tak przynajmniej sądziła — ale gdy popatrzyła na palce, ujrzała na nich częściowo zakrzepłą krew.

Obróciła dłoń, wciąż na nią patrząc i walcząc z mdłościami. Nagle znieruchomiała, ale nie na widok krwi, tylko fragmentu skóry. Skrawek był brązowy, podobnie jak każda inna część jej ciała, narażona na promieniowanie rozmaitych słońc podczas podróży „Latającą Modliszką". Pod nim ujrzała jednak trzy szare krostki.

Nagle wspomnienia ożyły. Bezskóry Chłopiec odwrócił się i rzucił za nią w pościg. Spadła ze schodów. Potem... kiedy jeszcze była nieprzytomna, Nicoń musiał zainfekować ją zarodnikami. Bezskóry wkrótce przeniknie jej umysł i każe jej robić to, co mu przyjdzie do głowy. Potwór wszystkiego się dowie. Przejmie nad nią całkowitą kontrolę.

Liść z trudem się podniosła i ruszyła po schodach na górę. Nie upadła tylko dlatego, że kurczowo zaciskała dłoń na poręczy. Ostrzegawczy komunikat przez cały czas roznosił się echem po klatce schodowej, co dodatkowo utrudniało dziewczynie myślenie.

Musiała znaleźć kieszeń i odszukać Dom. Doktor Scamandros powinien... mógł spróbować ją wyleczyć.

Mimo przenikliwego bólu wracała na Dolny Poziom Trzeci. Gdy dotarła na miejsce, głośniki nagle przestały powtarzać komunikat. Przez kilka minut Liść odpoczywała przy schodach, zbierając myśli i siły. Nie przychodził jej jednak do głowy żaden pomysł. Po prostu powinna iść do magazynu bielizny i odszukać tam kieszeń. Nie mogła liczyć na powodzenie misji, jeśli w środku znajdował się

Bezskóry. Gdyby jednak pomieszczenie okazało się puste i odnalazła tam poszukiwany przedmiot, wówczas...

Pokręciła głową i wzdrygnęła się, kiedy poczuła koszmarny ból w szyi. Nie wiedziała, co zrobi po odzyskaniu kieszeni, ale należało zacząć działać. Krok po kroku, powtarzała sobie. Krok po kroku.

Zrobiła ten pierwszy i powoli, przesuwając dłonią po ścianie, ruszyła korytarzem do magazynu na bieliznę. Wkrótce minęła drzwi, przed którymi zatrzymał się Bezskóry. Sądziła, że tam jest jego kryjówka, lecz nie zauważyła na nich żadnej tabliczki informacyjnej (tak charakterystycznej dla wszystkich pomieszczeń szpitalnych), więc szła dalej. Następne wejście prowadziło do magazynu artykułów piśmienniczych, a na kolejnym widniał napis: „Magazyn podzespołów elektronicznych". Liść zamierzała kontynuować poszukiwania, lecz nagle zastanowiło ją, dlaczego na pierwszych drzwiach zabrakło tabliczki. Czemu pominięto właśnie to pomieszczenie?

Odwróciła się i cofnęła. Po bliższych oględzinach dostrzegła ledwie widoczne ślady po kleju w miejscu, z którego oddarto napis. Dlaczego Bezskóry Chłopiec to uczynił? Po co zawracał sobie głowę?

Liść przyłożyła ucho do drzwi i niemal syknęła, po tym, jak źle oceniła odległość i jej szyję ponownie przeszył straszny ból. W tej samej chwili ogarnął ją strach — przyszło jej do głowy, że może ma pęknięty kręg lub inne poważne obrażenie. Poruszała jednak głową w miarę swobodnie i odnosiła wrażenie, że ból koncentruje się w mięśniach i biegnie bokiem szyi ku brodzie. Postanowiła nie zwracać na niego uwagi i dalej nasłuchiwała.

Dobiegły do niej jakieś dźwięki, lecz nie brzmiały jak odgłosy wydawane przez Bezskórego. Wydawało się, że jakaś kobieta coś szepcze, ale Liść nie usłyszała, by ktokolwiek odpowiadał. Najwyraźniej nieznajoma mówiła do siebie.

Dziewczyna obróciła gałkę i lekko uchyliła drzwi. Zajrzała do środka i zobaczyła zatrzęsienie półek, a na nich poskładane prześcieradła, poszwy i bieliznę. Stał tam wózek, o który opierała się tyłem pielęgniarka. W jej dłoni Liść zauważyła podłużny kawałek elastycznego plastiku — tabliczkę zdartą z drzwi.

— Tu nie wolno wchodzić — odezwała się.

— A dlaczego? — zapytała Liść. Nie poruszyła się ani po to, by szerzej otworzyć drzwi, ani by je zamknąć. Kobieta wyglądała dziwnie — zwisała na wózku, zupełnie jakby mięśnie jej rąk i nóg nie funkcjonowały z należytą koordynacją.

— Kazał mi nikogo nie wpuszczać — powiedziała pielęgniarka. — I szukać miecza. Nie mogłam go znaleźć. Mam tylko to.

Machnęła tabliczką.

— Chciałam… — zaczęła Liść, lecz tamta uniosła dłoń.

— Czekaj, on mi coś mówi…

Kobieta odchyliła głowę, a wówczas Liść dostrzegła jeszcze coś, co wyglądało zdecydowanie nienormalnie. W jej oczach białka przybrały jasnoszary kolor, tęczówki zaś i źrenice stały się kruczoczarne.

Liść nie czekała dłużej. Gwałtownie otworzyła drzwi, natarła na pielęgniarkę i mocno pchnęła ją na wózek, który rąbnął w jedną z półek, częściowo ją przewracając. Lawina ręczników w niebieskie paski spadła na kobietę.

Napadnięta usiłowała wygrzebać się spod sterty bielizny, lecz Liść momentalnie zarzuciła pielęgniarkę innymi przedmiotami, ściągniętymi z regałów. Ciskała w nią poduszkami, kocami — tym, co jej wpadło w ręce. Jednocześnie z desperacją rozglądała się na wszystkie strony. Jak mogła znaleźć mały skrawek materiału w pomieszczeniu pełnym najrozmaitszych tkanin?

Miała niewiele czasu, może tylko sekundy. Pielęgniarka była znacznie wyższa i silniejsza, a przy tym Liść doznała obrażeń. Ponieważ Bezskóry wiedział to, co wiedziała kobieta, i zapewne również widział oraz słyszał to, co ona, lada moment należało się spodziewać przybycia jego innych umysłowych niewolników. Mógł także zjawić się osobiście.

Okulary, pomyślała Liść. Mogę użyć okularów doktora Scamandrosa.

Dziewczyna zaczęła gorączkowo przetrząsać kieszenie. Przez jedną straszną chwilę myślała, że zgubiła etui. Na szczęście okazało się, że tylko nie mogła się połapać w rozmieszczeniu kieszeni w swoich nowych dżinsach. Futerał znajdował się w wąskiej kieszonce, niemal z tyłu uda, nieco ponad kolanem. Wyciągnęła pudełko, pośpiesznie je otworzyła i włożyła okulary.

Magazyn bielizny w jednej chwili ogromnie się zmienił. Popękane soczewki nie zniekształciły jednak obrazu, nie rozmazały go. Przeciwnie, w odczuciu Liść, były idealnie przejrzyste, lecz widziała teraz dziwaczne, rozpływające się barwy na przedmiotach, które dotąd postrzegała całkiem inaczej. Podejrzewała, że to magiczna aura lub coś podobnego.

Błyskawicznie powiodła wzrokiem po półkach i natychmiast dopięła swego. Większość kolorów, które nadano przedmiotom, była utrzymana w tonacji chłodnej zieleni lub w różnych odcieniach błękitu. Tylko jedna półka się wyróżniała — z jej wnętrza emanowała głęboka, agresywna czerwień.

Liść skoczyła do regału i zwaliła z niego stos poszew na poduszki. Tam, za tą pościelową ścianą, stało przezroczyste pudełko z plastiku, wielkości jej dłoni, niegdyś używane do przechowywania sterylnych bandaży. Teraz znajdował się w nim prostokąt białej tkaniny. Dzięki okularom Liść ujrzała nieprzeliczone rzędy literek, które pokrywały materiał, a każda płonęła wewnętrznym ogniem.

Dziewczyna chwyciła pudełko i cofnęła się ku wyjściu, po drodze przywalając pielęgniarkę, która wygrzebywała się z pułapki, następną stertą ręczników.

Liść minęła próg i znajdowała się już na korytarzu, gdy pracownica szpitala wrzasnęła. Było to osobliwe połączenie głosu kobiecego i chłopięcego. Cokolwiek wykrzyczała, czy też raczej Bezskóry Chłopiec za jej pośrednictwem, zanikło za zamykającymi się z hukiem drzwiami.

Choć Liść nie zrozumiała słów, ton był jednoznaczny. Bezskóry wiedział, że jest zakażona pleśnią. Prędzej czy później musiał przejąć kontrolę nad jej umysłem. Wtedy nie pozostanie jej nic innego, jak przynieść pudełko i kieszeń z powrotem.

Przecież nie miała dokąd uciec.

ROZDZIAŁ DZIEWIĄTY

Po lekcji prasowania kapral Siekierak zademonstrował, jak rozsmarowywać pewną odmianę białej glinki po pasie poborowego, by nie pobrudzić reszty munduru. Potem malował buty odrażającą, smolistą miksturą oraz usuwał jej nadmiar i wygładzał przed nałożeniem błyszczącego werniksu, który był najbardziej lepką substancją, jaką Arthur kiedykolwiek widział.

Gdy zakończyła się część pokazowa i poborowi przystąpili do ćwiczeń praktycznych, Arthur nawiązał cichą rozmowę z dzieckiem Szczurołapa, które przedstawiło się jako Fred Inicjał Numeryczny w Złocie. Piastowało funkcję złotnika manuskryptów ze Środkowego Domu i powołano je poprzedniego dnia.

Fred z optymizmem spoglądał w przyszłość, wręcz entuzjastycznie podchodził do służby w wojsku. Liczył na urozmaicenie, odskocznię od żmudnej pracy, polegającej na przylepianiu złotych płatków do liczb w ważnych dokumentach w Domu. Gdzieś słyszał — lub skądś zapamiętał, trudno stwierdzić, jak się tego dowiedział — że dzieci Szczurołapa zwykle trafiają na stanowiska werblistów lub innych muzyków, ewentualnie ordynansów przy starszych oficerach. Taka perspektywa bardzo mu odpowiadała.

Po ostatnich zajęciach, poświęconych przygotowywaniu mundurów dla poborowych, cała grupa została skierowana na obiad. Problem w tym, że na najbliższe pół roku nie przewidziano takiego posiłku, co wyjaśnił kapral Siekierak. Żywność uważano za przywilej i honor, należne wyłącznie za dobre zachowanie i wzorową służbę. Poborowi musieli dowieść, że zasłużyli na to wyróżnienie, a do tego czasu powinni wykorzystać przerwę obiadową na przygotowanie do wieczornych zajęć oraz szkolenia na następny dzień.

Arthur tęsknił za posiłkiem, choć podobnie jak wszyscy inni w Domu wiedział, że właściwie nie musi jeść. Wolną godzinę poświęcił na przeglądanie przyznanego mu ekwipunku oraz mundurów rozłożonych na jego łóżku i schowanych w szafce. Najprzydatniejsza okazała się gruba, bogato ilustrowana książka, *Poradnik poborowego*, zawierająca wiele rozdziałów, a wśród nich jeden, w którym wyliczono każdy element wyposażenia żołnierza, zilustrowano go i dodano krótką notatkę o tym, gdzie i jak należy korzystać z danej rzeczy. Mimo to Arthur musiał i tak wypytywać Freda o niektóre sprawy.

— Po co nam tyle różnych mundurów? — spytał.

Fred opuścił wzrok na podzieloną na segmenty zbroję oraz kilt, a także na szkarłatną tunikę, czarne spodnie, skórzany płaszcz i wzmocnione, skórzane spodnie, ciemnozielony kaftan i obcisłe spodnie, długą kolczugę, czepiec, a także zdumiewająco bogaty wybór butów, ochraniaczy na stawy, naramienników oraz skórzanych dodatków.

— W skład Armii wchodzą rozmaite jednostki, a w każdej z nich obowiązują inne mundury — wytłumaczył Arthurowi. — Musimy więc poznać wszystkie, bo możemy zostać skierowani do Legionu, Hordy lub Regimentu...

albo do któregoś z pozostałych oddziałów. Zapomniałem, jak się nazywają. Ta zbroja, złożona z podłużnych, wąskich elementów, które się na siebie nakładają i trzeba je przewiązywać rzemieniami, to strój Legionistów. Szkarłatne mundury nosi się w Regimencie, a Horda preferuje żelastwo do kolan. Oddziały posługują się też rozmaitymi rodzajami broni i wszystkie musimy poznać, Ray.

— Chyba lepiej poukładam je zgodnie z tym planem — westchnął Arthur. Położył na łóżku *Poradnik poborowego* i rozpostarł wielki niczym plakat diagram, na którym zaprezentowano prawidłowe rozmieszczenie dwustu dwudziestu sześciu przedmiotów. Ponosił osobistą odpowiedzialność za każdy z nich. — Choć właściwie nie widzę, by ktokolwiek porządkował swoje rzeczy.

— To są Rezydenci podstawowego stopnia — wyjaśnił Fred, którego łóżko i szafka mogły służyć za wzór wojskowego porządku. Powiedział te słowa tak, jakby wszystko wyjaśniały.

— Co masz na myśli? — spytał Arthur, gdyż w gruncie rzeczy niewiele mu to mówiło.

— Oni nic nie zrobią, jeśli się im nie każe. — Fred ze zdziwieniem spojrzał na swojego rozmówcę. — Czy w Niższym Domu Rezydenci podstawowego stopnia są inni? Ci tutaj pochodzą ze Środkowego. Większość z nich zajmuje się cięciem papieru, ale Florimel — o, tam jest — była Introligatorką Drugiej Klasy. Trzeba na nią uważać. Sądzi, że powinna być Poborowym Starszym Szeregowym, bo wśród nas ma najwyższy numer w hierarchii Domu. Pewnie wkrótce się przekona, że tutaj to bez znaczenia. My, rekruci, jesteśmy równi w Armii — znajdujemy się najniżej jak się da. Jedyne, co nam grozi, to awans. Tak sobie myślę, że kiedy moja służba dobiegnie końca, będę już generałem.

Fred lubił mówić. Arthur słuchał i jednocześnie pakował rzeczy. Okazało się to znacznie trudniejsze, niż mogłoby z rysunków. Chociaż Fred przebywał w Forcie Przemiana zaledwie dzień dłużej od Arthura, sporo się dowiedział o szkoleniu i personelu szkoleniowym — czy też o kadrze pedagogicznej, jak kazali na siebie mówić starsi rangą Rezydenci — a także o wielu innych rzeczach.

— Pierwszy tydzień jest w całości poświęcony temu, jak należycie wyglądać, maszerować i różnym tam — tłumaczył Fred. — Przynajmniej tak określono w planie. Spójrz tam.

Wskazał ręką drzwi. Znajdowały się jednak daleko, a światło lamp burzowych było tak słabe, że Arthur nie potrafił nic dostrzec.

— Na tablicy ogłoszeń, przy drzwiach — ciągnął Fred. — Chodź, przyjrzymy się. Brakuje nam pięciu minut do końca obiadu, a i tak będziemy musieli tam się znaleźć.

— Skąd wiesz? — spytał Arthur. Jego zegarek znikł, gdy mundur poborowego pochłonął mu rękę.

— Siekierak właśnie wyszedł tylnymi drzwiami. Będzie maszerował dookoła i znajdzie się od frontu, potem wejdzie i wrzaśnie na nas, abyśmy się ustawili w szeregu, jak to już zrobił wcześniej. To się nazywa „zapadanie". Nie pytaj mnie, dlaczego. Musisz mieć czapkę.

Arthur podniósł toczek i ponownie umieścił go na głowie, krzywiąc się, gdy pasek, tak jak zwykle, znalazł mu się pod ustami zamiast pod brodą, gdzie było jego miejsce. Wszyscy inni też tak nosili czapki. Zresztą, nic innego nie dałoby się zrobić, gdyż pasek był za krótki.

— Gotów? — Fred stanął na baczność obok Arthura. — Wszędzie musimy maszerować, bo inaczej zostaniemy skrzyczani.

— Przez kogo? — zdumiał się Arthur. Pozostała dwudziestka Rezydentów w plutonie leżała na łóżkach i gapiła się w sufit.

— Przez sierżantów, kaprali… Podoficerów, tak się ich nazywa — mówił Fred. — Pojawiają się znikąd. Lepiej nie ryzykować.

Arthur wzruszył ramionami, a gdy Fred odmaszerował, podążył za nim. Po pierwszych dwunastu krokach marszowych nabrał przekonania, że już pojął, o co chodzi, więc przestał się przejmować nogami i skupił na wymachiwaniu rękoma.

Zatrzymywanie się w prawidłowy sposób, z nadzwyczajną starannością opisane przez sierżanta Trzona, okazało się nieco trudniejsze.

— Ja wydam rozkaz, zgoda? — spytał Fred, gdy podchodzili do ściany z tablicą ogłoszeń. — Muszę krzyknąć: „Stój!" w chwili, gdy prawa stopa będzie opadała, będziemy robili jeden krok lewą, zaraz.. nie… oj. Stój!

Fred zbyt długo zwlekał i musieli śmiesznie dreptać w miejscu, aby nie zderzyć się ze ścianą. W rezultacie obaj przystanęli kompletnie nierównocześnie. Arthur odwrócił głowę, aby ponabijać się z Freda, lecz uśmiech na jego ustach momentalnie przeszedł w grymas. Z cienia wyłonił się sierżant Trzon.

— To kaprawe dreptanie nazywacie marszem?! — ryknął. W jego dłoni pojawił się drewniany kij z mosiężnym końcem, służący do wystukiwania tempa. Świsnął nim w powietrzu i wycelował w stronę łóżek Arthura i Freda. — Szybkim marszem z powrotem na prycze, jak przystało na żołnierzy, a nie jakieś rozmemłane łajzy od przekładania papierków!

Fred niezwłocznie zrobił w tył zwrot i jak strzała pomknął ku łóżkom. Nadal maszerował, ale znacznie szybciej. Arthur podążył za nim, wolniej, ale nagle sierżant Trzon zawył tak donośnie i tak blisko, jakby znajdował się w uchu chłopca.

— Szybkim marszem! Kiedy mówię szybkim, to znaczy szybkim! Dwa razy szybszym od zwykłego marszu, poborowy Zielony!

Arthur momentalnie przyśpieszył kroku, a sierżant Trzon odbiegł tyłem od niego w tempie, które zdaniem Arthura musiało być trzy, cztery, a nawet więcej razy szybsze od zwykłego biegu. Najwyraźniej tylko sierżanci mogli się poruszać z taką prędkością.

— Plecy proste, broda uniesiona, ręce wyżej! Nie tak wysoko!

Gdy Arthur znajdował się w połowie drogi powrotnej, Trzon się odwrócił, opuścił teren rozświetlony lampami burzowymi i znikł w ciemnościach. Zanim chłopiec zdołał zrobić jeszcze dwa kroki, sierżant pojawił się obok najbliższego łóżka i rąbnął kijem w podeszwy butów wypoczywającego Rezydenta. Jednocześnie wrzasnął coś, co brzmiało jak jedno słowo:

— WstawaćnainspekcjętydurnyzgniłyglucierozpapranejNicości!

Rezydent zerwał się tak niewiarygodnie szybko, że jego dodatkowe wyposażenie w całości wylądowało na podłodze. Można było odnieść wrażenie, że zadziałał jak pierwsza kostka domina, gdyż pozostali Rezydenci momentalnie zaczęli wyskakiwać z łóżek.

— Zbiórka w szeregu na tej linii, według wzrostu! — rozkazał sierżant Trzon. Machnął kijem i na podłodze zajaśniała biała kreska. — Nie pojawicie się na placu defilad Fortu Przemiana, póki się nie upewnię, że nie okryjecie mnie hańbą! Do tego czasu będziecie paradowali w budynku. Co wieczór, po kolacji, i co rano, na godzinę przed świtem, ubrani i wyposażeni zgodnie z zaleceniami szkoleniowymi, które znajdziecie przy południowych drzwiach. Baczność!

Arthur z najwyższym trudem zdążył dobiec na koniec linii i wyprężyć się na baczność. Fred był nieco wyższy od niego, więc stanął po prawej stronie chłopca. Obaj wbili wzrok w punkt przed sobą, podczas gdy Trzon maszerował wzdłuż szeregu, co chwila przystając, aby wyciągać Rezydentów i poprzestawiać ich. Gdy dotarł do Arthura, popatrzył na niego groźnie, a potem cofnął się przed pluton i odwrócił tak szybko, że chłopiec odniósł wrażenie, iż sierżant wisi na niewidzialnych drutach podczepionych do sufitu.

— Spocznij! — krzyknął Trzon.

Poruszyła się tylko połowa Rezydentów, pozostali nawet nie drgnęli. Z tych, którzy wykonali rozkaz, większość przesunęła niewłaściwą nogę, machnęła rękoma lub w inny sposób wzbudziła dezaprobatę sierżanta, który przystąpił do wyjaśniania podkomendnym, co zrobili źle i jak bardzo go tym rozczarowali.

Dwie godziny później, po setkach komend „Baczność!" i „Spocznij!", wyczerpany Arthur osunął się na podłogę. Choć jego noga w krabim pancerzu trzymała się całkiem nieźle, reszta ciała nie poradziła sobie z długotrwałym wysiłkiem. Trzon przymaszerował bliżej i popatrzył z góry na chłopca. Gdy Fred się pochylił, aby pomóc Arthurowi wstać, sierżant rozkazał mu dalej stać na baczność.

— Jesteś słabą trzciną, poborowy Zielony! — krzyknął Trzon. — Ze słabych trzcin plecie się słabe kosze! Ten pluton nie będzie słabym koszem!

Co takiego?, zdumiał się Arthur. Z zaciętą miną dźwignął się i spróbował wyprostować. Trzon, z zaczepnie wysuniętą szczęką, nie odrywał od niego uważnego spojrzenia. Po chwili zrobił w tył zwrot i zajął poprzednie miejsce przed ustawionym w szeregu plutonem.

— Pobudka jest godzinę przed świtem — obwieścił. — O tej porze będziecie defilowali w Polowych Mundurach Rekruckich Numer Dwa, chyba że zostanie przewidziana specjalna defilada. W takim wypadku obowiązują was Galowe Mundury Rekruckie Numer Jeden. Rozejść się!

Arthur odwrócił się w lewo, tupnął nogą i odmaszerował, podobnie jak Fred i osiem osób z plutonu. Pozostali odwracali się w prawo lub w tył, powpadali na sąsiadów i wylądowali na ziemi.

— Dobrze się czujesz? — zaniepokoił się Fred. — Nie sądziłem, że odrobina tupania może cię zwalić z nóg. W sumie nie jesteśmy już przecież zwykłymi śmiertelnikami.

— W tym rzecz — westchnął Arthur słabym głosem. — Trochę… trochę pozostaję pod wpływem magii. Dlatego teraz jestem bardziej śmiertelny niż większość dzieci Szczurołapa.

— Ja cię kręcę! — wykrzyknął Fred, niebywale zaintrygowany. — Jak to się stało?

— Nie wolno mi o tym mówić.

— Wiedziałem, że coś dziwnego dzieje się w Niższym Domu — mruknął Fred. — Przecież odcięto pocztę i tak dalej. Ale nigdy nam nie powiedziano, co się stało. Czy to wina Pana Poniedziałka?

— Pana Poniedziałka? — zdumiał się Arthur. — Więc nie słyszałeś...

— O czym nie słyszałem? — spytał Fred zaciekawiony. Najwyraźniej był spragniony nowin. — Szczerze mówiąc, nie słyszałem kompletnie nic, na pewno. Od dwóch lat nie dochodziła żadna poczta ani gazety. Całą winę ponosi Niższy Dom, tak przynajmniej twierdzi mój szef.

Arthur nie odpowiedział. Fred był przyzwoitym gościem i liczył na to, że się zaprzyjaźnią. Nie mógł jednak sobie pozwolić, by jego prawdziwa tożsamość wyszła na jaw. Dlatego na razie nie wolno mu było rozmawiać z kolegą o pewnych sprawach.

— O czym nie słyszałem? — powtórzył Fred uparcie.

— Nie mogę ci powiedzieć — odparł Arthur. — Wybacz. Na pewno się dowiesz... gdy uzyskam zgodę.

— Czyją zgodę?

— Posłuchaj, naprawdę nie wolno mi rozmawiać o pewnych sprawach. Chcę spać. Będziemy musieli wstać... sam nie wiem kiedy... wkrótce.

Arthur wsparł się na ramieniu Freda, gdy podłoga usunęła mu się spod stóp. Był zmordowany i dopiero po kilku sekundach wywnioskował, że ziemia się nie rusza. Chwiał się na nogach tak wyczerpany, że nie byłby w stanie stać bez ruchu.

— Lepiej najpierw sprawdźmy harmonogram — zaproponował Fred cierpliwie. — Nie podoba mi się określenie „specjalna defilada".

— Idź — zachęcił go Arthur. — Wątpię, by udało mi się przejść taki kawał drogi.

— Dasz radę — zapewnił go Fred. Zdjął z ramienia dłoń Arthura, chwycił go za ręce i obrócił. — Odrobina ćwiczeń rozciągających dobrze ci zrobi.

Arthur jęknął i spróbował się odwrócić w stronę łóżek, lecz Fred popędził go naprzód.

— Och, już dobrze — zgodził się Arthur i potrząsnął głową, aby otrzeźwieć. — Chodźmy. Lewą, naprzód! Szybki... marsz!

Tym razem, kiedy wydał komendę, udało im się zatrzymać jak należy. Rozejrzeli się nerwowo, czy przypadkiem nie zmaterializował się sierżant, a następnie przystąpili do studiowania harmonogramu, wywieszonego na tablicy.

Fred pierwszy zauważył, że ich nazwiska niespodziewanie pojawiły się na oddzielnej kartce papieru.

— O, nie — mruknął i postukał palcem w ogłoszenie. — Ale mamy pecha.

Arthur był tak słaby, że odczytanie wiadomości zajęło mu kilka sekund, a i tak nic z niej nie zrozumiał.

— „Poborowi R. Zielony i F. Złoty o godzinie szóstej rano zgłoszą się do Pracowników Łaziebnych w Niebieskim Budynku Administracyjnym". Co to ma znaczyć?

Fred popatrzył na niego oczyma szeroko rozwartymi z niedowierzania.

— Ray, mowa o Pracownikach Łaziebnych. Z Wyższego Domu.

Arthur nadal sprawiał wrażenie zdezorientowanego.

— Ray, oni się zajmują praniem między uszami! Przybyli wyprać nam mózgi! Jutro z rana!

ROZDZIAŁ DZIESIĄTY

Liść zawahała się na korytarzu, nie wiedząc, czy powinna wrócić do schodów przeciwpożarowych, czy dalej badać Dolny Poziom Trzeci. Nie miała czasu do namysłu, lecz przez spękane szkła okularów schody wydawały się złowróżbnie czerwone, dlatego postanowiła sprawdzić, co kryje piętro, na którym się znajdowała.

Kurczowo ściskając pudełko z cenną kieszenią, pokuśtykała przed siebie. Po chwili przecisnęła się między wahadłowymi drzwiami, które prowadziły do odleglejszych części szpitala.

Pielęgniarka mogła, lecz nie musiała, za nią iść. Gdyby jednak nie ruszyła w jej ślady, z pewnością uczynią to inni niewolnicy umysłowi Bezskórego Chłopca. Liść powinna znaleźć jakieś miejsce, w którym mogłaby się ukryć, wypocząć i pomyśleć, co robić. Zadanie okazało się jednak trudne, gdyż wszystkie drzwi na korytarzu były zamknięte na klucz.

Nie zważając na ból, przyśpieszyła kroku. Szanse na ucieczkę stawały się coraz bardziej nikłe. Korytarz przypominał schody przeciwpożarowe — gdyby Liść nie udało się znaleźć wyjścia, groziło jej utknięcie w ślepym zaułku.

W pewnym momencie odetchnęła z ulgą, gdyż dostrzegła w ścianie uchylone drzwi techniczne, otoczone poma-

rańczowymi pachołkami i znakiem UWAGA MOKRA POD-
ŁOGA. Kiedy jednak zajrzała do środka, zobaczyła tylko
maleńką wnękę, niewiele większą od szafy, z ogromną,
czerwoną rurą, która przebiegała pionowo i była oznaczo-
na napisem SP RURA WZNOŚNA, cokolwiek to znaczyło.

W końcu, gdy w polu widzenia zamajaczył koniec korytarza, Liść natrafiła na otwarty pokój. Wśliznęła się do
środka, zamknęła za sobą drzwi i nie rozglądając się, prze-
kręciła zamek. Trafiła do pralni, wielkiego, przestronnego
pomieszczenia, zdominowanego przez cztery ogromne
pralki przy bocznej ścianie oraz, naprzeciwko nich, cztery
równie gigantyczne suszarki. Wszystkie urządzenia były
wyłączone, choć w koszach na kółkach przed otworami do
bębnów znajdowało się pranie.

Stało tu także biurko z telefonem. Na jego widok Liść
wpadła na pewien pomysł. Nie wiedziała, co robić dalej,
ale mogła zadzwonić do kogoś bliskiego, na przykład do
brata, Eda. Właściwie nigdy nie rozstawał się z telefonem
komórkowym, a ponieważ odzyskiwał siły po Sennym Po-
morze, z pewnością był objęty kwarantanną i z nudów
pisał SMS-y do przyjaciół.

Liść podniosła słuchawkę i wystukała numer. Usłyszała sygnał, ale jej brat nie odbierał.

— No, dalej! — pośpieszyła go niecierpliwie. Nie mogła uwierzyć, że będzie zmuszona nagrywać się na pocztę
głosową.

— Słucham?

— Ed, to ja, Liść.

— Liść? Gdzie ty jesteś? Mama i tata odchodzą od
zmysłów!

— Jestem w szpitalu, na dole. Słuchaj, to dziwne, ale
byłam gdzie indziej... tak jakby na zupełnie innej plane-

cie... z Arthurem Penhaligonem. To skomplikowana sprawa, ale jego wróg tu jest i chce mnie dopaść, a ja muszę się stąd jakoś wydostać.

— Liść! Upadłaś na głowę, czy co?

— Właściwie tak... Nie! Wiem, że to brzmi osobliwie. Pamiętasz tych facetów o psich twarzach? Razem ich widzieliśmy.

— Tak...

— Oni są częścią tej sprawy. A ta nowa broń biologiczna, od której robią się szare krosty... To też ta sama historia. Och, a Arthur, który tu jest teraz, to nieprawdziwy Arthur. Nie sądzę, aby on... ten stwór... przedostał się do stref objętych ścisłą kwarantanną, ale jeśli do tego dojdzie, nie pozwól, żeby cię dotknął. Nie podawaj mu nawet ręki, nic w tym stylu.

— Liść, tobie kompletnie odbija! Co mam powiedzieć rodzicom? Uważają, że na pewno jesteś ranna po tej eksplozji wody i nikt cię jeszcze nie znalazł.

— Jakiej eksplozji wody?

— Na piątym piętrze. Jakaś wielka rura, mówili o niej „wznośna przeciwpożarowa", eksplodowała i zatopiła wiele pomieszczeń. W necie tylko o tym pisali, do czasu tej Szarej Pryszczycy.

— Morze Graniczne... — wyszeptała Liść. Ed z pewnością mówił o fali, która porwała ją, Arthura i łóżko, zabierając ich z Poślednego Królestwa.

— Co takiego?

— Mniejsza z tym — pośpiesznie zbagatelizowała sprawę. — Muszę znaleźć jakiś sposób na wydostanie się ze szpitala. Poza granice obszaru kwarantanny.

— Liść! Zastrzelą cię! Słuchaj... sam nie wiem... odpręż się. Jesteś koszmarnie spięta!

— Żebyś wiedział. Wymyślisz coś czy nie? Nie mam czasu.

— Czekaj, tata chce z tobą mówić...

— Liść?

Ojciec rodzeństwa wydawał się mocno przestraszony.

— Cześć, tato. Wiem, że to idiotyczne, ale mam problemy...

— Liść. Co za ulga cię słyszeć. Zostań tam, gdzie jesteś, nie rozłączaj się. Zawiadomię policję, przyjadą po ciebie...

— Tato, nie potrzebuję policji. To nie chodzi... Sprawa jest inna... Nie potrafię tego wytłumaczyć. Cześć, kocham cię!

Liść odłożyła słuchawkę, opadła na krzesło i dłońmi zakryła twarz. Zorientowała się, że nadal ma na oczach okulary. Przyszło jej do głowy, że na chwilę je zdejmie, bo nie potrafiła się skupić, ciągle widząc barwne aury. Po zastanowieniu zostawiła je jednak, gdyż pomagały jej dostrzegać możliwie pomocne rzeczy.

— Musi istnieć jakaś droga ucieczki — wyszeptała do siebie i pogrążyła się w rozmyślaniach.

Nie mogę wyjść żadnymi głównymi drzwiami ani też wyjściami dla personelu i niczym takim na parterze, myślała. Nie ma sensu iść wyżej, bo tamtędy nie opuszczę budynku, chyba że przyleci po mnie jakiś helikopter i zabierze z dachu, ale to absurd. Za to niżej... Niżej są parkingi, ale wjazdy do nich będą strzeżone. Wszystkie wejścia i wyjścia dla ludzi i samochodów są pilnowane.

Nagle zapiszczała klamka. Przestraszona Liść podskoczyła. Na korytarzu rozległy się męskie głosy. Dziewczyna zamarła, czekając, aż ktoś otworzy zamek lub wyłamie drzwi.

— Zamknięte — powiedział mężczyzna. — Sprawdź następne.

Liść nasłuchiwała uważnie. Usłyszała kroki, potem inny głos, ale nie zrozumiała ani słowa. Znowu odgłos kroków, coraz cichszy.

Rozpoczęto poszukiwania. Prawdopodobnie to zatrudnieni przez szpital ochroniarze, którzy dostrzegli ją przez kamery przemysłowe, lecz równie dobrze mogli szukać jej niewolnicy Bezskórego. Albo i jedni, i drudzy, uświadomiła sobie Liść.

Na parterze nie mogę wyjść na zewnątrz, pomyślała. Wchodzenie na górę nie ma sensu. Ale przecież muszą istnieć inne drogi ucieczki. Zsyp pralniczy...

Wstała i uważnie powiodła wzrokiem dookoła, lecz dostrzegła wyłącznie drzwi, którymi przyszła. Mimo to w jej głowie kołatała się pewna myśl... Nie potrafiła się jej pozbyć. Myśl, która pojawiła się podczas rozmowy z Edem...

Wznośna rura przeciwpożarowa, która eksplodowała. SP Rura Wznośna. Wielka i czerwona. Uwaga mokra podłoga. Może ta rura dokądś prowadziła...

Liść podeszła do wyjścia, przez moment nasłuchiwała, uchyliła drzwi i wymknęła się na korytarz. Nie dostrzegła nikogo. Błyskawicznie podbiegła do drzwi technicznych i weszła do środka, zamykając je za sobą.

Ledwie zaczęła oglądać rurę, gdy na korytarzu zadudniły kroki i jakiś mężczyzna zawołał:

— Jest w 3G104 — dwie minuty temu stamtąd dzwoniła!

Ponownie skupiła uwagę na rurze o średnicy zaledwie kilka centymetrów większej od jej ramion i przebiegającej przez sufit oraz podłogę. Z początku wyglądało na to, że nie da się wejść do środka rury, lecz gdy Liść ją obeszła, z tyłu ujrzała odkręcony panel inspekcyjny i osiem starannie ułożonych na podłodze śrub. Obok nich leżał długi klucz francuski oraz otwarte pudełko na drugie śniadanie. W środku ktoś zostawił na wpół zjedzoną kanapkę oraz jabłko. Najwyraźniej robotnicy musieli w pośpiechu opuszczać miejsce pracy, zapewne po to, by dołączyć do ludzi, czekających na górze.

Liść zajrzała do rury. Na stalowej wyściółce lśniły krople wilgoci, lecz nie dostrzegła stojącej wody. Popatrzyła w górę. Tam także poodkręcano panele inspekcyjne i teraz do środka wpadało trupiobiałe światło jarzeniówek.

W dole panowały ciemności. Rura była zablokowana. Gdy jednak oczy dziewczyny przystosowały się do mroku, przekonała się, że tkwiło tam wielkie pudło, osadzone na pierścieniu obrotowym, wyposażonym w małe kółka wokół krawędzi. Do pudła były przymocowane ramiona kontrolne, dotykające ścian rury. Urządzenie oklejono nalepkami ostrzegawczymi, lecz w słabym świetle Liść nie potrafiła ich odczytać.

Z pewnością było to jakieś zdalnie sterowane urządzenie do kontroli stanu technicznego rury. Automat wyposażono w silniki elektryczne, napędzające cztery największe koła. Pod maszyną zwisała plątanina rozmaitych przewodów.

— Tu jej nie ma! — krzyknął ktoś w głębi korytarza. — Sprawdź wszystkie pokoje.

Liść się zawahała, wsunęła za pasek pudełko z kieszenią i wcisnęła się do rury, opierając stopy na urządzeniu kontrolnym. Maszyna zakołysała się na pierścieniu obrotowym i zaczęła powoli osuwać się w mrok, zabierając ze sobą dziewczynę.

Zupełnie sama, zamknięta w ciasnej przestrzeni, Liść słyszała wyłącznie dudnienie własnego serca i cichy szmer kół robota inspekcyjnego. Czuła, że ściany rury stają się coraz bardziej wilgotne i wpadła w panikę.

A jeśli na dole jest woda, a ja zaraz się w niej zanurzę?

Liść przestała myśleć racjonalnie. Przerażona przycisnęła dłonie i plecy do metalu, usiłując powstrzymać opadanie. Wyściółka okazała się jednak zbyt śliska od wody, a robot cały czas opadał.

Nagle góra szybu rozświetliła się i Liść podniosła wzrok, ale ostre światło do niej nie docierało.

— Nic!

Głos strażnika odbił się echem od ścian rury, dobiegając z odległości około dwudziestu metrów. Liść usiłowała nabrać w płuca powietrza, aby wrzaskiem wezwać pomoc. Jej strach był silniejszy od pragnienia ucieczki.

Zamiast krzyku wydała jednak z siebie tylko stłumiony pomruk, gdy z boku ujrzała blade, czerwone światełko. W ostatnim momencie rzuciła się do otworu inspekcyjnego i kurczowo chwyciła jego krawędzi. Robot pojechał dalej, pozostawiając ją wiszącą nad przepaścią.

Zadyszana Liść usłyszała w dole plusk, a potem bulgotanie, które towarzyszyło zanurzaniu się urządzenia w głębokiej wodzie.

Dwie sekundy później wystraszona dziewczyna podciągnęła się i z ulgą wysunęła na podłogę wąskiego tunelu, pełnego rur, kabli i innych przewodów, niezbędnych do funkcjonowania dużego, nowoczesnego budynku. Przez kilka minut tylko leżała, zbierając siły. Potem usiadła i rozejrzała się uważnie.

Podobnie jak na wyższym poziomie, tutaj również robotnicy odkręcili panel inspekcyjny. Śruby umieścili w plastikowej torebce i przykleili taśmą do pokrywy.

Nie dało się dostrzec końca tunelu ani z lewej, ani z prawej strony. Widoczność była jednak ograniczona, gdyż jedyne światło zapewniały małe lampki w czerwonym kolorze, zainstalowane na suficie co kilkanaście metrów. W wąskiej przestrzeni znajdowało się tyle przewodów i kabli, że tylko drobnej budowy dorosła osoba miała szansę przecisnąć się między nimi.

Dla Liść miejsca było aż nadto. Na chybił trafił wybrała kierunek, sprawdziła, czy ma przy sobie pudełko z kieszenią i na czworakach ruszyła w drogę.

ROZDZIAŁ JEDENASTY

N ie dam sobie wyprać mózgu — oświadczył Arthur.
— Właściwie nie masz wyboru — odparł Fred ponuro. — Znajdą cię, nawet jeśli się ukryjesz. Lepiej za-
cznijmy się przygotowywać.

— Musi istnieć jakiś sposób, aby tego uniknąć — upierał się Arthur. — Poza tym, jak się zamierzasz przygotowywać?

— Trzeba spisać wszystko, co najważniejsze — wyjaśnił mu Fred. — Rozumiesz, imię, nazwisko, listę przyjaciół, ulubiony kolor. Czasami to wystarcza, aby odtworzyć
wspomnienia. Rzecz jasna, gdybyśmy mieli garść srebrnych monet i nieco soli...

— Zapomnimy nawet, jak się nazywamy? — Wyczerpany Arthur dopiero teraz zaczynał rozumieć, że pranie
mózgu może się okazać znacznie gorsze, niż zakładał.
Obawiał się, że wylecą mu z pamięci urywki wspomnień
związanych z życiem na Ziemi, jego rodziną, Potomnymi
Dniami, z Kluczami... Nigdy jednak nie sądził, że może
całkowicie zapomnieć, kim jest.

— Z pewnością miałeś pranie całkiem niedawno, skoro nawet tego nie pamiętasz — zauważył Fred. — Jeśli się
przyłożą do roboty, zapomnisz o sobie kompletnie wszyst-

ko. Poza tym nie obchodzi ich, czy mieli cię na warsztacie wczoraj, czy wcześniej, po prostu przerobią cię na nowo.

— O co chodzi z tymi srebrnymi monetami i solą?

— Srebrna moneta pod językiem ponoć zmniejsza skuteczność prania — wytłumaczył Fred. — Podobnie jak sól w nosie. Nie mamy jednak ani jednego, ani drugiego, więc lepiej bierzmy się do pisania. Mam nadzieję, że tym razem nie zapomnę, jak się czyta. W dodatku nasze szkolenie się spowolni. Nigdy nie zostanę generałem, jeśli co rusz będą mi prali mózg. Chodźmy.

Odmaszerował w stronę łóżek. Arthur poczłapał za nim, wyraźnie wolniej i myląc kroki. Nie pojawił się jednak żaden podoficer, aby go zrugać. Chłopak zakładał, że jest już środek nocy, a wyznaczony czas pobudki przypada za trzy, cztery godziny.

Pomimo znużenia, poszedł za przykładem Freda i sięgnął po służbowy notatnik oraz szkarłatny ołówek z nazwą plutonu wybitą złotą czcionką. O ile jednak Fred wziął się żwawo do pracy, o tyle Arthur zastanawiał się, co powinien zapisać. Gdyby przelał na papier prawdziwe informacje o swoim imieniu, nazwisku i innych ważnych rzeczach, które trafiłyby potem w niepowołane ręce…

Ostatecznie postanowił, że zacznie notatki od słów „Ray Zielony". Potem napisał: „Prawdziwe nazwisko?" i dalej: „AP". Następnie przypomniał sobie, jaki jest jego ulubiony kolor — „niebieski", zanotował imiona rodziców — „Bob i Emily" oraz imiona braci i sióstr: „Erazmuz, Staria, Patrick, Suzanne, Michaeli oraz Eric". Przez chwilę myślał i dodał: „Suzy TB", „Liść" oraz „Pan Poniedziałek, Ponury Wtorek i Utopiona Środa". Zadecydował, że jeśli te słowa nie przywołają w jego umyśle wspomnień, to będzie znaczyło, iż jest z nim naprawdę fatalnie.

Chciał napisać więcej, ale zrobiło mu się słabo. Papier zaczął falować przed oczyma… A może raczej Arthur miał zaburzenia wzroku… Po wyrazie „Utopiona", a przed „Środa" zasnął na kilka sekund i obudził się dopiero wtedy, gdy brodą dotknął klatki piersiowej. Wobec tego zamknął notatnik, wsunął ołówek do kieszonki przy notatniku i wyciągnął się na łóżku. Postanowił, że utnie sobie krótką drzemkę, może półgodzinną, a potem jeszcze coś napisze.

Jak mu się zdawało, zaledwie chwilę później poczuł gwałtowne szarpnięcie — to Fred urządził mu pobudkę. Oszołomiony Arthur opuścił nogi z łóżka i wstał. Wokół słyszał drażniące dźwięki trąbek, świeciła tylko połowa latarni burzowych. Fred wepchnął w dłonie Arthura ręcznik oraz skórzaną saszetkę.

— Szybciej! — ponaglił zaspanego kolegę. — Musimy się umyć i ogolić.

— Ale ja się nie golę…

— Właściwie nikt się nie goli. Tutaj, w Domu, prawie nie zarastamy. Ale musimy się starać, sam rozumiesz. Takie przepisy.

Arthur chwiejnie powlókł się za Fredem. Do jego na wpół uśpionej świadomości ledwie dotarło, że nie maszerują, tylko idą ku drzwiom, których wcześniej nie dostrzegł, znajdującym się po wschodniej stronie koszar.

Drzwi łagodnie jaśniały bladym, zielonkawym światłem. Gdy Arthur wkroczył w głąb wąskiego, mrocznego korytarza, niemal stracił równowagę. Podłoga pod jego stopami drżała i kołysała się niczym galareta. Wyciągnął przed siebie rękę, aby odzyskać równowagę i oprzeć się o ścianę korytarza, lecz ta nieoczekiwanie ustąpiła pod naciskiem jego palców.

— To jest dziwodroga! — zaprotestował.

— Zgadza się — przytaknął Fred. — Prowadzi do umywalni.

Choć Arthur nie zauważył, by mijali inne drzwi, po kilku krokach weszli do zdumiewająco przestronnego sanitariatu bez dachu. Niebo nad ich głowami było kryształowo przejrzyste i jaśniało osobliwymi konstelacjami gwiazd, które wydawały się aż nazbyt bliskie. Drżący sierp księżyca roztaczał bladozieloną poświatę. Arthur stanął jak wryty, oszołomiony nieoczekiwanym widokiem nocnego firmamentu oraz bezkresnych, ginących w oddali rzędów żołnierzy Armii Rezydentów. Wszyscy stali przed lustrami i umywalkami, ustawionymi w podobnie nieskończonych rzędach. Nad każdym lustrem palił się płomyk gazu, pełniący rolę lampki.

Większość Rezydentów była rozebrana do podkoszulków, lecz nawet w negliżu różnili się w zależności od jednostki. Spodnie od mundurów, kilty oraz legginsy wyglądały tak, jak wszystkie rodzaje uniformów znajdujących się w szafie Arthura. Chłopiec dostrzegł także kilka innych, których wcześniej nie widział.

— Dzielimy umywalnię z całą Armią — wyjaśnił mu Fred. — Chodź, znajdziemy swoje miejsce. Chyba będziesz musiał ochlapać twarz zimną wodą.

Ruszył na ukos, przenikając przez dwóch Legionistów i ich umywalki oraz lustra, zupełnie jakby nic nie znajdowało się na jego drodze, a wszelkie przeszkody były tylko niematerialnymi zjawami. Legioniści nie zwrócili uwagi na Freda, choć Arthur widział, że ze sobą rozmawiają. Nie usłyszał jednak ani jednego dźwięku.

— Zaczekaj! — zawołał. — Gdzie my jesteśmy? Jak to możliwe, że po prostu przez nich przechodzisz?

— Och, oni są dla nas nierealni, podobnie jak my dla nich — odparł Fred. — Wczoraj rano kapral Siekierak wszystko nam wyjaśnił. Musimy tylko odszukać nasze umywalki. Na pewno są niedaleko.

Wciąż szedł przed siebie. Arthur niechętnie ruszył za nim i wzdrygnął się, przenikając przez Legionistów. Fred, który cały czas go wyprzedzał, właśnie przeszedł przez dwóch Rezydentów Artylerzystów, odzianych w skórzane płaszcze. Na przeciwległej ścianie pomieszczenia rozciągał się rząd wolnych umywalek, a po obu ich stronach stało kilku Rezydentów Poborowych. Wszyscy oni skierowali wzrok na przybyłych chłopców, a Arthur usłyszał bulgot wody i brzęk brzytew, odkładanych na brzegi porcelanowych umywalek.

— Jak to jest zorganizowane? — spytał. — Czy oni wszyscy są tutaj, czy nie?

— Kapral nie wdawał się w takie szczegóły — oświadczył Fred i rozpiął skórzaną saszetkę, z której wyjął brzytwę, pędzel, mydło i miseczkę do robienia piany. — Napomknął coś o dziwodrogach, prowadzących do mnóstwa różnych umywalni, które współistnieją w tym samym miejscu w Domu, ale podlegają przesunięciu czasowemu. To podobno daje oszczędności na gorącej wodzie i takich tam.

Fred zabrał się do ubijania piany w miseczce. Arthur pokręcił głową i ochlapał twarz ciepłą wodą z umywalki, która momentalnie napełniła się ponownie, choć nie było widać żadnych kranów ani wylotów rur.

Fred nałożył pianę na twarz i przystąpił do golenia, mamrocząc pod nosem. Arthur zastanawiał się, czy jego kolega modli się o to, aby nie poderżnąć sobie gardła. Sam również sięgnął po brzytwę, niesłychanie ostrą. Dopiero wtedy zwrócił uwagę, że Fred przesuwa po szyi tępą stroną narzędzia i unika kontaktu z ostrzem.

— Co ty tam szepczesz? — zainteresował się Arthur.

— Powtarzam sobie, jak się nazywam — odpowiedział Fred i starannie zeskrobał pianę z brody. — I jaki jest mój ulubiony kolor.

— Och — mruknął Arthur. — Zapomniałem...

Wpatrywał się w lustro, w którym widział znajomą, choć nie budzącą w nim szczególnego entuzjazmu twarz. Trudno mu było uwierzyć, że wkrótce może nie poznać samego siebie.

— Lepiej się ogól, bo uznają cię za niezdyscyplinowanego — ostrzegł go Fred. — To znaczy, że dostaniesz karę.

— Chociaż mam idealnie gładką skórę? — Arthur przesunął dłonią po brodzie. — Jeszcze przez kilka lat nie grozi mi golenie.

— Zorientują się, że tego nie zrobiłeś — upierał się Fred. — Nie odpuszczą nam obowiązku golenia ani żadnego innego tylko z tego powodu, że jesteśmy skierowani na pranie między uszami.

— No dobra — burknął Arthur. — Niech ci będzie.

Włożył do miseczki nieco mydła i zaczął rozmazywać je pędzlem, tak jak to robił Fred. Następnie, przez cały czas naśladując kolegę, nałożył na twarz spienione mydło i pociągnął tępą stroną brzytwy. Czynność ta była całkowicie bezcelowa i sprowadzała się wyłącznie do nakładania mydła, a następnie ściągania go z policzków oraz brody. Skrobiąc, głaszcząc i spłukując, Arthur intensywnie rozmyślał o tym, co powinien zrobić.

— Nie wrócimy — zadecydował, gdy myli szyje oraz pachy. — Zostaniemy tutaj.

— Tutaj? — pisnął Fred. Perspektywa zaszycia się w umywalni najwyraźniej nim wstrząsnęła. — Ale nawet nie wiem, czy to miejsce będzie jeszcze istniało, gdy minie pora rannej toalety. Dziwodroga się zamyka...

— Jeśli zostaniemy przy umywalkach, to raczej nic nam nie grozi — oświadczył Arthur. — Skoro są dla nas realne, to na pewno gdzieś istnieją.

— Uznają nas za dezerterów — wymamrotał Fred. — Nie stawimy się na paradzie. Przyjdą po nas Łaziebni.

— Skoro dziwodroga pozostanie zamknięta do jutrzejszego rana, to nikomu nie uda się nas znaleźć, racja? — spytał Arthur. — Ile czasu pozostają tutaj Rezydenci?

— Zjawiają się, myją i wychodzą — wyjaśnił Fred. — Umywalnia jest dostępna tylko przez czas potrzebny na to, aby umyły się wszystkie tutejsze dzieci Szczurołapa.

— No to zaczekamy i wrócimy jutro rano — postanowił Arthur. — Poddamy się karze i wznowimy normalne szkolenie.

— Nie zrobicie tego — odezwała się poborowa, która stała obok i właśnie kończyła pakować przybory. Arthur z trudem rozpoznał w niej członkinię swojego plutonu. Miała na imię Florimel i to przed nią przestrzegał go Fred. — Zameldujecie się zgodnie z rozkazem.

— Właśnie że nie — postawił się Fred, nagle zapominając o przygnębieniu, które dręczyło go jeszcze przed chwilą. Najwyraźniej jako zachęty potrzebował zakazu, wydanego przez kogoś pokroju Florimel.

— Rozkazuję wam wracać do koszar!

— Znalazła się Ważna Mi Dama! — zakpił. — Taka sama z ciebie poborowa jak my. Zrobimy to, na co będziemy mieli ochotę, a ty trzymaj jadaczkę na kłódkę.

— Doniosę na was — uprzedziła ich Florimel i się wyprostowała.

— Nie zrobisz tego — oznajmił Arthur surowo. — Nikomu nie powiesz ani słowa.

Choć Florimel była wysoka, Arthur przez moment wydawał się jeszcze wyższy, a jego włosy nagle zafalowały, jakby owiała je fala powietrza, poruszonego łopotem niewidzialnych skrzydeł. W postawie i głosie Arthura przez krótką chwilę dało się wyczuć wyniosłość i dostojeństwo Pierwszej Damy. Zaraz potem Arthur znowu był tylko chłopcem, ale Florimel już się pokornie wycofała ze wzrokiem wbitym w ziemię.

— Tak jest, jaśnie panie — wymamrotała. — Jak pan sobie życzy.

Uniosła rękę, jakby chciała zasalutować, niezdarnie odwróciła się w prawo i odmaszerowała przez dwóch umundurowanych na zielono Graniczników, którzy również odchodzili, ale w przeciwnym kierunku.

— Jak ci się to udało? — spytał Fred, który z szeroko otwartymi ustami obserwował całe zajście. — Byłem pewien, że jesteśmy ugotowani. Ktoś taki jak ona...

Umilkł, gdy księżyc nad ich głowami nagle dał nura ku linii horyzontu. Jednocześnie ze wschodu nadciągnęła czerwonawa poświata. Arthur odwrócił się w tamtym kierunku. Nie dostrzegł słońca, ale światło było pierwszą oznaką świtu.

Na ten znak pozostali żołnierze pośpiesznie oddalili się we wszystkie strony, niewątpliwie znikając we własnych dziwodrogach, aby dotrzeć do wyznaczonych im miejsc w Wielkim Labiryncie. Po kilku minutach Arthur i Fred zostali zupełnie sami w ogromnym, pustym pomieszczeniu.

Dookoła widzieli tylko umywalki oraz lustra, w których odbijało się poranne światło.

— Mam nadzieję, że to dobry pomysł — mruknął Arthur.

— Ja też — dodał Fred i zadrżał.

Ponownie przeszył go dreszcz, kiedy część odleglejszych luster zaczęła się dematerializować, zupełnie jakby rozpuszczały je promienie słońca. Wycofał się do własnej umywalki. Arthur zorientował się, że on również nieświadomie szuka wsparcia w kontakcie z porcelanową muszlą.

Powoli, w miarę jak słońce wschodziło i przybierało postać wyraźnej tarczy ponad horyzontem, wyposażenie łaźni wokół chłopców znikało. Arthur i Fred przysunęli się do siebie tak blisko, że zetknęli się ramionami. Dookoła widzieli tylko światło słoneczne, choć ich umywalki pozostały materialne, a lustra jaśniały.

— Może wszystko będzie dobrze — szepnął Fred.

— Kto wie — dodał Arthur.

Nagle zapadły ciemności, tylko na krótką chwilę. Chłopcy gwałtownie zamrugali oczyma i przekonali się, że nadal stoją ramię w ramię, ale nie w sanitariacie i nie są skąpani w promieniach słonecznych.

Trafili z powrotem do koszar, oparci o szafę Arthura. Światło emitowała lampa burzowa nad ich głowami oraz pozostałe podobne latarnie. Tym razem wszystkie były zapalone.

W półmroku, w odległości ponad dwóch metrów, Arthur ujrzał trzy sylwetki. Miały gabaryty Rezydentów i ich kształty, lecz spowijały je obszerne szaty w kolorze żółtych stokrotek, z długimi, spiczasto zakończonymi kapturami.

Ich dłonie ukryte były w elastycznych rękawicach ze stalowej siatki, a twarze osłonięte maskami z kutego brązu.

Na jednej masce widniały uśmiechnięte usta. Na drugiej były one skrzywione, refleksyjnie ponure. Trzecia maska nosiła wyraz cierpienia i bólu.

W żaden sposób nie można było stwierdzić, czy za czarną pustką oczu i ust masek kryje się ktoś... albo coś.

— Ł... Ł... Łaziebni — wyjąkał szeptem Fred. — Fred Inicjał Numeryczny w Złocie, Pomocnik Złotnika Manuskryptów Szóstej Klasy, ulubiony kolor: zielony, herbata z mlekiem i jedną kostką cukru, ciastka maślane, ale bez kminku...

Łaziebni sunęli prosto ku chłopcom, ich szaty szeleściły na podłodze. Dwóch sięgnęło do szerokich rękawów i wydobyło dziwne korony z rzeźbionego, błękitnego lodu, całe w szpikulcach i odłamkach, które migotały i lśniły roztańczonym światłem. Trzeci wyciągnął długą, złocistą linę, która wiła się w jego dłoni niczym kobra, unosząca łeb, by splunąć jadem.

Lina nie wypluła jednak trucizny, tylko wystrzeliła w powietrze i otoczyła kostki Arthura, powalając go na ziemię, gdy rzucił się do ucieczki.

Chłopiec boleśnie rąbnął o podłogę, a złocista lina oplotła mu nogi i zacisnęła się wokół nich. Potem jej wolny koniec zaczepił się o jego lewy nadgarstek i zaczął odciągać mu dłoń za plecy. Arthur robił, co mógł, aby się bronić, i jednocześnie prawą ręką desperacko szukał srebrnego, krokodylego pierścienia. Nie był co prawda monetą, niemniej wykonano go ze srebra i Arthur zamierzał wsunąć go pod język.

Chłopiec już miał pierścień w garści i wkładał go do ust, gdy lina zapętliła się wokół jego prawego nadgarstka i gwałtownie pociągnęła go z powrotem. Arthur szarpnął głową, pochylił się, wepchnął palce do ust i wsunął pierścień pod język. Dopiero potem zorientował się, że w trakcie szamotaniny skaleczył się w wargę. Krew sączyła mu się po brodzie; złocista lina zmusiła go, by ukląkł, oplotła mu ręce za plecami i związała nogi w kostkach.

Arthur podniósł wzrok i ujrzał syczącą, połyskującą koronę, która osuwała się prosto na jego skronie.

Nazywam się Arthur Penhaligon, pomyślał zrozpaczony. Arthur Penhaligon, a moi rodzice to Bob i Emily. Jestem Mistrzem Niższego Domu, Odległych Rubieży, Morza Granicznego...

Korona zacisnęła się mocno na jego głowie. Zdesperowany Arthur poczuł, że w milczeniu zapada się w ciemnościach.

ROZDZIAŁ DWUNASTY

iść ustawiła się w możliwie wygodnej pozycji na końcu tunelu i pchnęła właz z wlotu studzienki. Potwornie ciężką pokrywę wykonano z żelbetonu, lecz dziewczyna uniosła ją na tyle wysoko, by dostrzec światło dnia. Gdy naprężyła się po raz drugi, udało się jej połowicznie odsunąć właz.

Popatrzyła w górę i ujrzała niebo oraz dachy kilku budynków. Zdziwiło ją, że nie słyszy żadnych odgłosów ruchu ulicznego, choć studzienka musiała się znajdować pośrodku jezdni, wedle obliczeń dziewczyny, w odległości ponad półtora kilometra od szpitala. Liść wdrapała się na trzecią drabinę, którą napotkała, pełznąc tunelem. Wcześniejsze ominęła z obawy, że znajdują się na obszarze objętym kwarantanną. Ponieważ nie miała pojęcia, dokąd biegnie tunel, trudno jej było określić, gdzie się znalazła. Musiała wyjść na powierzchnię, aby się o tym przekonać.

Licząc na to, że cisza świadczy o braku samochodów na drodze, Liść wystawiła głowę z otworu i pośpiesznie się rozejrzała. Jej przewidywania okazały się trafne: wlot studzienki znajdował się pośrodku miejskiej ulicy, po której bokach ciągnęły się sznury zaparkowanych samochodów, a za nimi stare szeregowce. W zasięgu wzroku nie było ani jednego jadącego pojazdu, ani jednego pieszego. Panowała nienaturalna cisza.

Liść odetchnęła głęboko i wydostała się na powierzchnię. Ta czynność kosztowała ją mnóstwo energii, więc dopiero po kilku sekundach dziewczynie udało się kucnąć, a potem wstać. Miała pewne pojęcie o tym, gdzie się znajduje, lecz na wszelki wypadek odwróciła się tam, gdzie spodziewała się ujrzeć szpital.

Rzeczywiście, budynek stał na swoim miejscu, lecz nie dlatego Liść wstrzymała oddech i nagle usiadła, jakby ktoś wymierzył jej cios pięścią w brzuch.

Gdy spoglądała przez szkła nietypowych okularów, widziała nie tylko trzy białe wieże gmachu szpitala z betonu i szkła, wznoszącego się w odległości ponad dwóch kilometrów. Jej oczom ukazał się jeszcze jeden budynek, zawieszony w powietrzu bezpośrednio ponad szpitalem. Wielka, dziwaczna budowla pełna była osobliwych wież i wieżyczek, domów i hal, przybudówek, podbudówek, nadbudówek i umocnień. Mały fragment gmaszyska spoczął na samym wierzchołku szpitala. Liść z trudem dostrzegła lśniącą bramę, którą uznała za Drzwi Frontowe.

Był to Dom. Nie objawił się w miejscu, w którym spodziewała się go ujrzeć, nieopodal domu Arthura, lecz zawisł nad szpitalem. Właśnie uciekła z jedynego miejsca, przez które miała szanse dotrzeć do Drzwi Frontowych.

Liść opuściła głowę i złapała się za włosy, gotowa wyrywać je garściami. Jak mogła założyć, że Dom pojawi się tam, gdzie wcześniej widział go Arthur? Najwyraźniej należało go szukać w miejscu, w którym ostatnio wyszedł przez Drzwi Frontowe jeden z Rezydentów lub Niconi. W tym wypadku, w szpitalu.

— Zejdź z ulicy, dziewczyno! Zastrzelą cię!

Liść podskoczyła, słysząc czyjś ostrzegawczy głos, i nerwowo rozejrzała się dookoła.

— Chodź tutaj! Chodź tu do mnie szybko! — pokrzykiwała starsza pani, która stała na progu jednego z szeregowców i machała do Liść, zachęcając ją, by weszła do środka.

Dziewczyna jęknęła, przetoczyła się, odsunęła od jezdni, wstała i powoli podeszła do drzwi kobiety.

— Szybciej! — zawołała nieznajoma i popatrzyła w górę ulicy. — Słyszę, że coś nadjeżdża.

Liść również usłyszała ten dźwięk: niski, donośny warkot bardzo dużych pojazdów, od którego trzęsła się ziemia. Przyśpieszyła kroku i wpadła do domu w chwili, gdy zza rogu na drugim końcu ulicy wytoczył się czołg. Lewą gąsienicę miał zablokowaną, druga ślizgała się po asfalcie, sprawnie obracając pojazd. Liść wyglądała przez okno w drzwiach, zdumiona tym, jak hałaśliwe są czołgi i jak nieprzyjemnie trzęsie się dom, gdy w pobliżu przemieszcza się taki śmiercionośny wehikuł.

Za pierwszym czołgiem przejechało jeszcze sześć. Nikt nie siedział na wieżyczkach i nie wyglądał przez włazy. Liść nigdy dotąd nie widziała prawdziwych czołgów. Były dwa razy większe niż lekkie pojazdy opancerzone, używane przez wojsko i FBA.

— To jak masz na imię?

Liść momentalnie się odwróciła. Kobieta była już bardzo leciwa i przygarbiona, lecz poruszała się całkiem zwinnie i sprawiała wrażenie zdumiewająco czujnej.

— Przepraszam — powiedziała dziewczyna. — Zagapiłam się. Dziękuję… Dziękuję za ostrzeżenie. Mam na imię Liść.

— A ja Sylvie — przedstawiła się starsza pani. — Wdałaś się w awanturę, co? Chodźmy do kuchni, doprowadzę cię do porządku.

— Nie, muszę... muszę...

Liść zawiesiła głos. Nie wiedziała, co powinna teraz zrobić. Wrócić do szpitala? Nie zważając na w pełni uzbrojone czołgi, zmierzające w tym samym kierunku?

— Najlepiej zrobi ci filiżanka herbatki miętowej, trochę wody do obmycia głowy i opatrunek — oceniła Sylvie stanowczo. — Chodź.

— Co tu się dzieje? — spytała Liść, posłusznie drepcząc za staruszką przez sień, do kuchni. — To były czołgi...

— Ktoś zaatakował szpital bronią biologiczną. — Sylvie zdjęła z lodówki domową apteczkę i wyciągnęła rękę, aby włączyć elektryczny czajnik. — Prawdę powiedziawszy, nie śledzę szczegółowo przebiegu wypadków. Podobno dzisiaj rano zarządzono następną kwarantannę miasta. Jeśli chcesz, przejdziemy do salonu i obejrzymy telewizję. Tylko usiądź przy oknie, żebym widziała, czy dobrze opatruję ci głowę.

— Dziękuję — powiedziała Liść z wdzięcznością. — Naprawdę chciałabym wiedzieć, co się dzieje. Wspomniała pani, że wznowiono kwarantannę w mieście?

— Jakieś dwie godziny temu, moja mała. Tędy.

— Mimo to wpuściła mnie pani do środka — zauważyła Liść, podążając za Sylvie do małego, ale przytulnego salonu. Na ścianie wisiał ekran telewizora. Staruszka strzeliła palcami i urządzenie się włączyło. Dźwięk był zbyt cichy, aby cokolwiek zrozumieć, lecz dziewczyna odczytała napis, przesuwający się na pasku w dolnej części ekranu. MIASTO OBJĘTE ŚCISŁĄ KWARANTANNĄ. WOJSKO I FBA IZOLUJĄ TEREN SZPITALA WSCHODNIEGO.

PIERWSZA PRÓBA PRZEŁAMANIA BLOKADY ZAPEWNE ZOSTAŁA SPROWOKOWANA UŻYCIEM PSYCHOTROPO-WEJ BRONI BIOLOGICZNEJ. NASTĘPNE PRÓBY WYDAJĄ SIĘ NIEUCHRONNE.

Oczom Liść ukazało się kilkanaście osób, wychodzących przez szpitalne drzwi. Nie poruszali się normalnie, lecz dziwacznie pociągali nogami i wymachiwali rękoma. Kamera pokazywała na przemian ludzi oraz żołnierzy i agentów FBA, którzy krzyczeli i dawali znaki dłońmi, a potem odbezpieczyli broń. Wieżyczki pojazdów opancerzonych zaczęły się obracać. Rozległy się wystrzały. Liść dopiero po chwili uświadomiła sobie, że słyszy ich huk — dźwięk dobiegał z oddali, zza okien, nie z telewizora.

Przekaz transmitowano na żywo.

— Tak, wiem, nie powinnam była cię wpuszczać — westchnęła Sylvie. Nie patrzyła na ekran. Uniosła włosy Liść i zajęła się oczyszczaniem skaleczenia na jej głowie. Używała do tego piekącego środka dezynfekującego. — Jestem już bardzo sędziwa i nie chcę patrzeć, jak ktoś strzela do młodej dziewczyny. Jeśli złapałaś jakąś paskudną chorobę i zarażę się nią od ciebie, to mam nadzieję, że szybko umrę, nie sprawiając nikomu zbyt dużo kłopotów.

— Nic nie złapałam — zaprzeczyła Liść pośpiesznie. Potem popatrzyła na swoje dłonie.

Tyle, że to kłamstwo, pomyślała. Coś złapałam. Ale pani nie zarazi się ode mnie. Tylko Bezskóry Chłopiec rozsiewa chorobę. Wkrótce jednak będzie wiedział to, co ja, a wtedy stanę się marionetką. Jak ci biedacy, których na pewno wysłał, ci, których trzeba było zabić, aby nic nie zagroziło kwarantannie.

W telewizji pokazywano właśnie dwóch wyposażonych w miotacze ognia agentów FBA, którzy wychodzili przed szereg. Liść odwróciła wzrok, gdy wystrzelili długie strumienie płomieni, celując w przed chwilą zastrzelonych ludzi.

— Nie wierć się — upomniała ją Sylvie. — Bardziej się potłukłaś niż pokaleczyłaś. Chyba powinnaś zrobić tomografię mózgu. Kiedy do tego doszło?

— Jakąś godzinę temu. Chyba. Może dwie godziny. Au!

— Posmarowałam ranę żelem znieczulającym — pośpieszyła z wyjaśnieniem starsza pani. — I przykleiłam plaster, aby nie zabrudzić rany. Moim zdaniem koniecznie powinnaś zrobić tomografię.

— Jest pani lekarzem? — spytała Liść. — Czy pielęgniarką?

— Jestem emerytką — wyznała. — Ale pracowałam jako farmaceutka. Siedź, nie wstawaj. Przyniosę miętowej herbatki.

Liść ponownie skierowała wzrok na telewizor. Właśnie przeprowadzano wywiad z wysokim rangą oficerem wojskowym. Generałem. Za nim widać było czołgi, które przed momentem przejechały ulicą. Teraz ustawiały się na wyznaczonych pozycjach, frontem do szpitala. Żołnierze, agenci i lżejsze pojazdy zajęły stanowiska pomiędzy czołgami. Liść podniosła dłoń, zaczekała, aż telewizor ustawi się w jej stronę, a potem uniosła palec. Pojawił się dźwięk i usłyszała słowa generała.

— Nie wiemy, co to takiego. Być może broń jest powiązana z enFurią, roznoszonym drogą wodną preparatem psychotropowym, który dwa lata temu narobił niezłego zamieszania w Europie. Środek niewątpliwie został rozwleczony po szpitalu, a jak widzieliśmy, niektórzy zainfekowani nie są już zdolni do racjonalnego myślenia i przez to stali się niebezpieczni. Nasze zadanie polega na powstrzymaniu epidemii. Osiągniemy ten cel, uciekając się do wszelkich niezbędnych metod.

— Czy pojawiły się nowe informacje od doktor Emily Penhaligon? — spytał niewidoczny dziennikarz.

— Doktor Penhaligon i jej zespół pracują nad rozmaitymi metodami spowolnienia skutków działania broni biologicznej. Sporządzają jej charakterystykę i przy użyciu komputerów weryfikują czynniki, mogące jej przeciwdziałać. Wraz z naszymi ludźmi oraz pracownikami FBA wewnątrz szpitala robimy co w naszej mocy, aby laboratoria oraz wyżej położone, izolowane oddziały pozostały niedostępne dla innych części szpitala, w których doszło do rozprzestrzenienia się infekcji.

— Panie generale, czy wiadomo, w jaki sposób użyto broni biologicznej i kto tego dokonał?

— Nie ulega wątpliwości, że mamy do czynienia z akcją o podłożu terrorystycznym — zapewniał wojskowy. — Chwilowo nie mogę powiedzieć nic więcej.

— Wśród komentatorów panuje opinia, że najprawdopodobniej chodzi o…

Telewizor ponownie umilkł. Liść odwróciła się i ujrzała, że Sylvie porusza palcami. Staruszka przed chwilą odstawiła dwie filiżanki z parującym napojem.

— Hałasy z telewizora mnie denerwują — wyjaśniła. — Wypij herbatkę, moja mała. Musimy porozmawiać.

— Dziękuję — odparła Liść. — Ale nie chcę…

— Och, wcale nie zamierzam cię wypytywać, co takiego robiłaś pod ziemią — przerwała jej Sylvie. — Myślę jednak, że należy zawiadomić twoich rodziców. Masz rodziców? Zatem powinnyśmy do nich zatelefonować i przekazać informację o tym, że jesteś tutaj i spędzisz ze mną czas pozostały do końca kwarantanny.

— Nie mogę. — Liść właśnie zdała sobie sprawę z tego, co powinna zrobić, a właściwie co być może należało uczynić, aby powrócić do Domu. — Muszę się dostać w jedno miejsce.

— Wykluczone — zaprotestowała Sylvie. — Nigdzie nie pójdziesz ani nie pojedziesz samochodem. To nie wchodzi w grę, nawet gdyby odbiło mi na tyle, by cię podwieźć. Osoby cywilne obowiązuje całkowity zakaz wychodzenia na ulicę i poruszania się pojazdami.

— Muszę dotrzeć do pewnego domu w Denister — oświadczyła Liść i wyjawiła Sylvie adres. — Jak najszybciej.

Postanowiła przedrzeć się do miejsca zamieszkania Arthura. Co prawda Dom wisiał nad szpitalem i zasadniczo pozostawał nieosiągalny, lecz Liść przypomniała sobie coś, o czym Arthur powiedział jej dawno temu, jeszcze podczas pobytu w sali szpitalnej. Dla wszystkich było to zaledwie wczoraj, ale Liść od tamtej pory spędziła kilka miesięcy na morzu. Pomimo znacznego upływu czasu wyraźnie pamiętała, jak Arthur mówił jej o swoim telefonie. Urządzenie spoczywało w aksamitnym pudełku i mogło być wykorzystywane do kontaktowania się z Rezydentami na terenie Domu.

— Wykluczone — orzekła Sylvie surowo.

— Ale to bardzo ważna sprawa — upierała się Liść.

— Czemu?

Liść milczała. Nie mogła wyjawić Sylvii prawdy. Starsza pani nie uwierzyłaby jej, więc sytuacja tylko by się dodatkowo skomplikowała.

Nagle dziewczyna pomyślała, że co prawda nie może nic powiedzieć, ale mogłaby pokazać coś staruszce.

— Czy z któregoś okna w pani domu widać szpital? — spytała.

— Tak, na piętrze — potwierdziła Sylvie. — Ale co to ma do rzeczy?

Liść na moment się zawahała. Jej nowa znajoma miała swoje lata, więc nagły wstrząs mógł ją zabić. Dziewczyna potrzebowała jednak wsparcia staruszki. Jej przyjaciel wierzył, że Liść odzyska kieszeń i dostarczy ją do Domu, bo tylko tam można ją było skutecznie zniszczyć. Nie tylko Arthur liczył na dziewczynę, wszyscy inni także. A jeśli Bezskóry Chłopiec nadal rozsiewałby swoją kontrolującą umysły pleśń? Nicoń zapewne był zdolny do popełniania jeszcze innych niegodziwości…

— Chciałabym, abyśmy poszły na górę. Musi pani popatrzeć na szpital przez te okulary. Ostrzegam, że widok może się okazać wstrząsający. Gdy już pani spojrzy, wszystko wyjaśnię.

Sylvie wydawała się zagniewana, lecz po chwili na jej twarzy pojawił się lekki uśmiech.

— Jesteś niebywale tajemnicza i z całą pewnością marnujesz mój czas — oznajmiła. — Cóż jednak mam do zmarnowania oprócz czasu? Pójdę przodem.

Znalazły się w sypialni Sylvie, schludnym, lecz całkiem bezosobowym pokoju. Starsza pani energicznie podeszła do okna i rozsunęła zasłony.

— Tam jest szpital — wyjaśniła. — A wraz z nim bojowe helikoptery, jak sądzę.

Liść spojrzała we wskazanym kierunku i zobaczyła, jak wokół budynków szpitala powoli zataczały koła trzy wojskowe śmigłowce, utrzymujące się na wysokości około dwustu metrów. Dziewczyna pośpiesznie ściągnęła z nosa okulary. Rozbolała ją głowa od widoku ciężkich maszyn, wbijających się w grube mury Domu i wylatujących w innym miejscu.

— Proszę rzucić okiem przez te szkła — zaproponowała emerytce. — Ale niech pani będzie gotowa na szok.

— Wątpię, bym cokolwiek zobaczyła — mruknęła Sylvie sceptycznie. — Są popękane!

— Niech pani popatrzy, a potem wszystko wyjaśnię. — Liść zmarszczyła czoło, gdy jej głowę ponownie przeszył gwałtowny ból. Dolegliwość różniła się od boleści, których doświadczała wcześniej. Odnosiła wrażenie, że wewnątrz jej czaszki narasta dziwne ciśnienie, jakby ból zatok, ale w innych miejscach.

Pleśń! Z pewnością już zdołała przeniknąć mi do mózgu!, pomyślała.

— Naprawdę nic nie widzę — poskarżyła się Sylvie. Założyła okulary, ale nie wyglądała przez okno.

— Okno! — upomniała ją Liść i niespodziewanie ogarnęły ją przygnębienie i niepewność.

A jeśli okulary doktora Scamandrosa działały tylko wtedy, gdy ona z nich korzystała?

ROZDZIAŁ TRZYNASTY

Porucznik Corbie opuścił lunetę i przetarł prawe oko, obolałe od długotrwałego spoglądania przez teleskop. Przez całe popołudnie wraz z oddziałem Graniczników obserwował i liczył kolumnę wroga, sunącą przez przełęcz w dole.

— Dodaj pięć tysięcy do rachunku — polecił sierżantowi, który prowadził statystykę w notatniku. — Jeszcze więcej zwykłych Niconi, uporządkowanych w oddziały po tysiąc.

— W dniu dzisiejszym to już będzie ponad dwadzieścia sześć tysięcy, panie poruczniku — podsumował sierżant. — I to na jednym kwadracie.

— O zachodzie słońca segment przemieści się na wschód i na północ — zauważył Corbie i poklepał *Efemerydę*, ukrytą w ładownicy u boku. — Następna porcja Niconi zejdzie nam z drogi.

— W Labiryncie musi ich już być z milion — mruknął sierżant cicho. — Co będzie, kiedy każdy segment będzie zapełniony Niconiami? Wówczas ich przesuwanie straci sens.

— To defetystyczna gadanina, sierżancie, i nie zamierzam jej tolerować — warknął Corbie. — Poza tym zostało jeszcze mnóstwo pustych segmentów, a inwazja Niconi jest bardzo skutecznie hamowana. Tektoniczna strategia jak zwykle sprawdza się bez zarzutu. Na dodatek słyszałem, że Drugi Batalion Regimentu Legionu wczoraj odniósł sukces w kolejnej bitwie.

Corbie nie wspomniał, że przedwczoraj XIX Kohorta Legionu niemal przegrała potyczkę. Choć siły Niconi były rozbijane każdego dnia o zmierzchu, kiedy następowało przemieszczenie kwadratów, na wielu z nich pozostawały potężne liczebnie jednostki wroga. Zdarzało się, że takie segmenty należało oczyszczać lub odbijać, gdyż zgodnie z planem miały się znaleźć blisko Kwatery Głównej lub innej stałej pozycji.

Już półtora miesiąca temu Corbie i jego podkomendni opuścili Fort Graniczny. Twierdza znalazła się w rękach Niconi. Choć pułkownik Nage poległ wraz z całą załogą garnizonu, udało mu się przez dwanaście godzin bronić sterowni, dzięki czemu bramy zostały zamknięte. Zdążyło jednak przedostać się przez nie od czterystu do pięciuset tysięcy Niconi. Potem, miesiąc później, w bliżej nieokreślonych okolicznościach bramy ponownie stanęły otworem dla dziesiątków tysięcy następnych Niconi.

Na szczęście, jak Corbie wyjaśnił sierżantowi, sprawdzona strategia tektoniczna i tym razem okazywała się skuteczna. Każdego dnia o zachodzie słońca segmenty się przemieszczały, dzięki czemu nieprzyjaciel nie potrafił skoncentrować sił, a Armia mogła stopniowo wybijać Niconi, zwyciężając w większości bitew.

Corbie słyszał jednak, że Księciu Czwartkowi to nie wystarczało. Nawet w najspokojniejszych czasach nie uchodził za zrównoważonego emocjonalnie, a teraz wpadał we wściekłość jeszcze częściej niż zwykle. Najwyraźniej stracił cierpliwość do swojej marszałek Jutrzenki i poważnie ją zranił po tym, jak częściowo zakwestionowała działania Armii w odpowiedzi na tę bezprecedensową inwazję oraz przede wszystkim sens drastycznej i bardzo późnej zmiany przebiegu kampanii.

W głębi duszy, oczywiście, Corbie przyznawał Jutrzence rację. Ogromnie go zdumiało, że plan został zmieniony zaledwie na kilka godzin przed przystąpieniem do jego realizacji. Major Pravuil również wydawał się osobliwym posłańcem. Łagodnie rzecz ujmując, Corbie miał w stosunku do niego mieszane uczucia. Porucznik uznał, że Pravuil zachowuje się jak ktoś, kto ma specjalną misję do wykonania i wcale nie jest oficerem. Wszystko to razem cuchnęło polityką oraz ingerencją najwyższych kręgów.

Corbie nie cierpiał polityki.

— Wzmożona aktywność nieprzyjaciela w okolicach granicy kwadratu! — zawołał jeden z Graniczników. — Chyba nas namierzono. Oficer… Wysoko postawiony Nicoń, jak się zwał, tak się zwał… Prowadzi ku nam drużynę.

Corbie spojrzał w dół zbocza. Wraz z towarzyszami broni, innymi Granicznikami, ukrywał się wśród odłamków skalnych na szczycie wzgórza, lecz wystarczył nierozważny ruch, by zdradzić ich pozycję. Niconie mogli też dostrzec błysk światła odbijającego się w soczewce lunety.

Porucznik machinalnie skierował wzrok ku słońcu. Wisiało nisko nad horyzontem i zachodziło, lecz do zmierzchu brakowało jeszcze co najmniej pół godziny. Granica kwadratu, którą wyznaczała różnica w odcieniu ziemi, bez trudu wychwytywana przez jego wprawne oko, przebiegała sto metrów niżej. Gdyby Niconie zaatakowali, musieliby ją pokonać jeszcze przed zmierzchem, kiedy segmenty się przesuwały. Corbie ocenił, że to jest możliwe.

Na razie jednak nie miał powodów do niepokoju. Jego oddział znajdował się w samym rogu tego samego kwadratu, tak że szybki bieg w jedną lub w drugą stronę wystarczyłby, aby dotrzeć do segmentu, który lada moment miał się przenieść w stosunkowo bezpieczne okolice.

— Ta kolumna jest jakaś dziwna — mruknął sierżant. — Wygląda na to, że Niconie coś transportują. Widzę cały łańcuch Nibykoni.

Corbie podniósł lunetę. Nibykonie uznawano za cenne zwierzęta pracujące. Były to kopie ziemskich koni, częściowo hodowane, częściowo produkowane w Studni przez Ponurego Wtorka. Jednak od czasu jego upadku nie napływały nowe ich dostawy, ku znacznej irytacji Umiarkowanie Czcigodnej Kompanii Artylerii oraz Hordy.

Tymczasem w dole Niconie kierowali ponad dwiema setkami Nibykoni zaprzężonych do gigantycznego, dwudziestokołowego wozu długości co najmniej dwudziestu metrów. Na wozie spoczywał...

Corbie opuścił teleskop, przetarł oko i popatrzył ponownie.

— Co to takiego? — spytał sierżant.

— Wygląda jak ogromny kolec — wyjaśnił mu Corbie. — Dwudziestometrowy kolec, wykonany z czegoś bardzo dziwnego. Jest ciemny i ani trochę nie odbija światła. To musi być jakaś forma...

— Nicości?

— Tak, tak mi się wydaje. Nicości skupionej przy użyciu magii. Tylko dlaczego wiozą ją do Labiryntu? Jaki to ma sens, skoro nie mają pojęcia, gdzie trafią...

Corbie umilkł, położył lunetę na kamieniu i pośpiesznie otworzył *Efemerydę*. Szybko wertował stronice książki, aż wreszcie natrafił na właściwą tabelę, na której bieżący dzień krzyżował się z numerem kwadratu, aktualnie zajmowanego przez Niconi z wozem zaprzężonym w Nibykonie.

— Dzisiejszej nocy ten segment przemieści się na sam środek Labiryntu — oznajmił porucznik. — Pole pięćset przez pięćset.

— Nie ma tam nic szczególnego — zauważył sierżant.

— Nic, o czym byśmy wiedzieli. W Kolegium Sztabowym słyszałem jednak wzmiankę o słynnym problemie, określanym jako „Pięćset przez Pięćset"... Niconie z pewnością orientują się, dokąd powędruje ten segment. Poza tym, skoro dostali się aż tutaj, to bez wątpienia znają rozkład przesunięć wszystkich segmentów.

— Przecież nie mogliby wziąć do rąk *Efemerydy*, bo książka natychmiast by wybuchła — zdziwił się sierżant. — Prawda?

— Dotąd nie podejrzewaliśmy, że potrafią się zorganizować — zauważył Corbie. — Tymczasem stworzyli regularne wojsko, dowodzone przez kogoś, kto zna się na rzeczy. Oto luneta. Proszę sprawdzić, czy nie przeoczyłem czegoś istotnego.

Wręczył przyrząd podkomendnemu, a z kieszeni przy kołczanie wyciągnął mały stojak z kości słoniowej oraz ołowianego żołnierzyka — pułkownika Regimentu, ubranego w szkarłaty, lśniącego złotem. Gdy Corbie postawił figurkę na stojaku, barwy pułkownika stały się bardziej wyraziste, a rysy ostrzejsze. Po chwili przed porucznikiem ożyła wersja prawdziwego dowódcy, który przebywał w Kwaterze Głównej.

— Panie pułkowniku!

— Witam, poruczniku Corbie. Następny nieoficjalny meldunek?

— Tak jest, panie pułkowniku. Zamierzam przedłożyć raport kapitanowi Feroukowi, lecz minie sporo czasu, zanim moje informacje przedostaną się oficjalnymi kanałami na pańskie ręce, więc uznałem, że lepiej będzie zameldować się bezpośrednio przed panem. Dzięki temu będzie pan mógł od ręki zawiadomić Księcia Czwartka...

Figurka pułkownika skrzywiła się, słysząc słowa porucznika, lecz skinęła głową, by Corbie mówił dalej.

— W kwadracie siedemdziesiąt dwa przez osiemset dziewięćdziesiąt dziewięć zaobserwowaliśmy dużą kolumnę sił Niconi, która eskortuje ogromny wóz, zaprzężony do ponad stu Nibykoni. Na pojeździe spoczywa dwudziestometrowej długości obiekt o średnicy trzech metrów, z jednej strony zakończony spiczastym czubem. Wydaje się, że jest on zbudowany z Nicości, choć jego forma jest spójna. Słowo „kolec" chyba najtrafniej opisuje kształt przedmiotu. Problem polega na tym, panie pułkowniku, że o zmierzchu segment przesunie się na pole pięćset przez pięćset, więc sądzę...

— Powiedziałeś: pole pięćset przez pięćset? — Pułkownik Repton nie krył niepokoju. — Czy opisałbyś ten kolec jako przedmiot w oczywisty sposób magiczny?

— Tak jest, panie pułkowniku!

Żołnierzyk wyraźnie zbladł.

— Muszę niezwłocznie powiadomić Księcia Czwartka! Proszę mi życzyć szczęścia, poruczniku Corbie!

Figurka zesztywniała i ponownie przybrała postać kawałka ołowiu.

— Lepiej sami sobie życzmy szczęścia — mruknął sierżant, oddając lunetę Corbiemu i podnosząc łuk. — Ruszyły ku nam jeszcze trzy inne drużyny. Atak jest nieunikniony.

ROZDZIAŁ CZTERNASTY

C hyba właśnie coś sobie przypomniałem — oznajmił
Fred. — To ma związek z moją dawną pracą. Pamiętam, że rozdzielałem płatki złota!
— Bardzo dobrze — ucieszył się jego przyjaciel, Ray
Zielony. — Ja nadal niewiele pamiętam. Coś mi się śniło,
a gdy się obudziłem, miałem to na końcu języka, ale potem otworzyłem oczy i wszystko zapomniałem.

— Wróci — pocieszył go Fred. — Zazwyczaj w końcu
wraca. W większości.

Ray zmarszczył czoło.

— Widzisz, nie mogę się pozbyć przekonania, że muszę jak najszybciej wszystko sobie przypomnieć. Chyba
jest coś naprawdę ważnego, co powinienem zrobić.

— Wróci — powtórzył Fred. — Zresztą z pewnością nie
chodzi o nic aż tak ważnego, jak ci się zdaje. Ostatecznie
będziemy tu tkwili do końca roku. Nie wspominając pozostałych dziewięćdziesięciu dziewięciu lat w wojsku.

— Chciałeś zostać generałem — powiedział Ray nagle. — Pamiętam, że kiedyś mi się z tego zwierzyłeś.

— Poważnie? — zdumiał się Fred. — Co ty powiesz.
Hm... To całkiem dobra myśl.

Mijało półtora miesiąca, od kiedy Rayowi i Fredowi
wyprano mózgi. Obaj obudzili się później tego samego

dnia, w swoich łóżkach, z przypiętymi do tunik kartkami papieru. Ktoś napisał na nich imiona chłopców i nic ponadto. Zaraz po przebudzeniu nie umieli nawet odczytać kartek, ale na szczęście zdolność czytania i pisania szybko powróciła, podobnie jak rozmaite inne umiejętności oraz ogólna wiedza.

Mało jednak pamiętali ze swojego dotychczasowego życia. Znaleźli własne notatniki, ale na niewiele im się zdały. Fred dowiedział się, jaki jest jego ulubiony kolor i jaką herbatę najchętniej pija, ale Ray uznał swoje zapiski za skrajnie enigmatyczne. Gdy się z nimi zapoznał, doszedł do wniosku, że Ray to nie jest jego prawdziwe imię, ale nie miał pojęcia, jak się faktycznie nazywał. Nie rozumiał też znaczenia imion Wykonawców.

Ray nie pamiętał ani jednego zdarzenia związanego z tym, że był Napełniaczem Kałamarzy. Z kolei Fred sporo sobie przypomniał o swoim życiu w cywilu, w Środkowym Domu. Ray był zagadką. Bardzo się starał, ale nie udawało mu się przywołać żadnych wspomnień. Czasami odnosił wrażenie, że na skraju jego świadomości balansuje istotny, lecz zapomniany fakt. Zawsze jednak, gdy usiłował go odtworzyć, ulatniał się i Ray odczuwał wówczas niemal fizyczny ból, nagły przypływ cierpienia po utraconym życiu.

Fred zapewniał Raya, że z biegiem czasu przynajmniej część jego wspomnień powróci. Marna to jednak była pociecha. Gdy członkowie plutonu zbierali się w rzadkich, wolnych chwilach, rozmowa niezmiennie zbaczała na tematy związane z poprzednim życiem poborowych i Ray siedział wówczas milczący, nieruchomy, ale bardzo skoncentrowany. Słuchał kolegów, w nadziei, że jakiś szczegół z cudzych wyznań uruchomi lawinę jego własnych wspomnień.

Przykrość związana z wsłuchiwaniem się w cudze reminiscencje malała jednak z każdym dniem, gdyż poborowym coraz bardziej ograniczano wolny czas. Z niezrozumiałych względów, wkrótce po wypraniu chłopcom mózgów dowództwo przyśpieszyło dwukrotnie standardową procedurę szkolenia. Z początku rekruci dysponowali sześcioma godzinami wolnego w nocy i dwiema godzinami w ciągu dnia. Ten czas skrócono do zaledwie pięciu godzin w nocy, a następnie czterech. Nawet tak minimalny wypoczynek niejednokrotnie przerywano ćwiczeniami.

Przysposobienie wojskowe stało się intensywne. Ray i Fred w umiarkowanym stopniu posiedli już umiejętność maszerowania samodzielnego, w plutonie i w większych oddziałach. Potrafili maszerować bez broni, a także poruszać się i wykonywać podstawowe elementy musztry, między innymi przy użyciu precyzyjnych halabard, muszkietów na proch z Nicości, wybuchających pik, łuków z włókien mięśniowych, krótkich mieczy obrotowych i małych tarcz, megawłóczni oraz piorunujących talwarów. Poznali siedemnaście odmian salutowania i trzydzieści osiem form okazywania szacunku w wojsku.

Umieli także robić użytek z broni, którą stosowali podczas musztry, a także konserwować ją bez narażania towarzyszy na niebezpieczeństwo. Ponadto potrafili zaprezentować się w podstawowych mundurach głównych formacji Armii, choć nie udało im się w pełni zadowolić sierżanta Trzona. Nauczyli się najpierw wykonywać rozkazy, a potem nad nimi zastanawiać.

Stawali się żołnierzami.

— Powinieneś był więcej zapamiętać — dziwił się Fred. — Przecież miałeś srebrny pierścień.

Ray wygrzebał pierścień z kieszeni i ponownie na niego popatrzył. Ocknął się z nim pod językiem i spytał Freda, co to może oznaczać. Fred nie pamiętał jednak, by kiedykolwiek widział tę ozdobę, a dopiero po tygodniu przypomniał sobie, że srebrna moneta pod językiem ma podobno chronić przed praniem między uszami.

— Nie cały jest ze srebra — zwrócił uwagę Ray. — Częściowo zmienił się w złoto. Moim zdaniem to o czymś świadczy... tyle że...

— ...nie pamiętam o czym — dokończył za przyjaciela Fred. Skierował wzrok na porośniętą mizerną roślinnością pustynię na zachodzie. — Prawie się zmierzcha. Może po zmroku Trzon da nam wolne.

— Wątpię — mruknął Ray. Wcale nie chciał dostawać wolnego. Odpoczynek oznaczał dla niego czas na wspomnienia. Wolał się zajmować czymś innym, aby nie zaprzątać sobie głowy myśleniem.

Pluton otrzymał zadanie uporządkowania okolicy. W ostatnim tygodniu kwadraty na południowym zachodzie, na zachodzie i na północnym zachodzie często się przemieszczały, a wiatr z zachodu przynosił na teren obozu różne pozostałości roślinne. Nieestetyczne liście gromadziły się pod budynkami i we wszelkiego typu zakamarkach, rozpraszając kadrę. Z tego powodu poborowych zwolniono z ćwiczeń i skierowano do prac porządkowych. Karą za pozostawienie choćby jednego liścia lub przyniesionej przez wiatr gałązki był dwudziestodwukilometrowy marsz jeszcze tej samej nocy (dobrej, gdy się dosiadało Nibykonia, ale koszmarnej podczas marszu), w pełnej zbroi Hordy z legionową bronią, w butach Granicznika (po dwudziestodwukilometrowym przemarszu w butach Hordy okulałby cały batalion poborowych).

— Co tam się dzieje na pustyni? — spytał Fred. — Czy to jedna z innych kompanii poborowych przeprowadza ćwiczebny atak?

Ray popatrzył w kierunku wskazywanym przez kolegę. Przez pustynię maszerował szereg istot, odległych o około półtora kilometra. Późnopopołudniowe słońce lśniło na grotach ich długich włóczni oraz hełmach. Światło odbijało się także od metalicznej nici sztandaru, powiewającego nad grupką czterech lub pięciu Rezydentów z lewej flanki, dosiadających Nibykoni.

— To nie poborowi — zauważył Ray. — Nigdy nie czytałem o takiej jednostce.

Aby nadrobić zaległości związane z lukami w pamięci na temat wcześniejszego życia, Ray od deski do deski przeczytał *Poradnik poborowego* i nauczył się na pamięć obszernych fragmentów książki.

— Może powinniśmy powiadomić sierżanta Trzona — zastanowił się i odwrócił, by pomaszerować do biura zwierzchnika, lecz momentalnie stanął na baczność. Trzon stał tuż obok, zapatrzony na pustynię. Podoficer wydawał się nieznacznie zadyszany; ten fakt zdumiał chłopców. Nigdy nie widzieli, by sierżant się zasapał.

— Gotowość bojowa! — wrzasnął Trzon tak donośnie, jak jeszcze nigdy dotąd, choć mieli już okazję słyszeć jego godne najwyższego uznania popisy wokalne, na przykład gdy niestarannie wypolerowali brązowe elementy swojego wyposażenia lub niewłaściwie wybielili pasy. — Wszyscy poborowi, mundury legionowe, obrotowe miecze, megawłócznie. Natychmiast! To nie ćwiczenia! Zostaliśmy zaatakowani!

— Kim oni są? — zastanawiał się na głos Fred, gdy wraz z Rayem gnał do koszar. Po drodze nie skarcił ich ani jeden podoficer. W przeciwną stronę płynął strumień kaprali i sierżantów, lecz dzisiaj żaden z nich nie zaprzątał sobie głowy drobnymi uchybieniami, takimi jak bieganie zamiast maszerowania. — Na pewno to nie są Niconie.

— Czemu nie? — spytał Ray, gdy wpadli do środka i popędzili do swoich szafek.

— Ci, których widzieliśmy, byli zorganizowani. Zdyscyplinowani. Nosili mundury, sztandary, taką samą broń i w ogóle — wyjaśnił Fred po chwili. — Pomóż mi to związać, dobrze?

Ray zawiązał skórzane rzemienie łączące segmenty zbroi i stanął nieruchomo, kiedy Fred odwzajemniał przysługę. Obaj przypasali sobie obrotowe miecze z ostrzami, które wirowały po przekręceniu rękojeści, zabrali prostokątne tarcze i sięgnęli po megawłócznie. Długie metalowe groty włóczni rozbłysły, gdy chłopcy podnosili broń. Spore fragmenty sufitu, a także mundury kompanii pojaśniały dzięki oświetleniu ich przez włócznie poborowych.

— Ray, co robimy? — spytała Florimel. Wraz z resztą plutonu właśnie kończyła przygotowania. Chociaż oficjalnie nie powołano kaprala poborowego, a sierżant Trzon i kapral Siekierak zgodnie oznajmili, że żaden z rekrutów nigdy nie będzie się nadawał do pełnienia tej funkcji, członkowie plutonu oczekiwali, że Ray wyjaśni im rozkazy i powie, co robić. Jeśli z jakiegoś powodu chłopak był nieosiągalny, traktowali Freda jak jego zastępcę.

Ray zastanawiał się, czy to ma coś wspólnego z jego przeszłością. Odnosił niejasne wrażenie, że zajmował niegdyś wysokie stanowisko. Takie wypadki, choć nietypowe jeśli chodzi o dziecko Szczurołapa w Domu, czasami się zdarzały.

— Zaatakowano nas — wytłumaczył jej. — Dlatego ustawimy się w szyku, wymaszerujemy, będziemy wykonywali rozkazy i wszystko dobrze się skończy. Czy wszyscy mnie zrozumieli? Theodoric! Gdzie twój obrotowy miecz? Przyniesiesz go i dołączysz do nas. Pozostali, do szeregu! Ruszamy z lewej, szybki marsz! Lewa… lewa… lewa, prawa, lewa!

Wymaszerowywali z koszar i napotkali zadyszanego kaprala Siekieraka. Nie miał na sobie kompletnego munduru Legionisty, gdyż przed chwilą wymienił kapelusz na hełm, nałożył kirys na szkarłatną tunikę, a zamiast obrotowego miecza ściskał w garści halabardę. Był jednak dosyć spokojny, bo od razu ruszył krok w krok z pierwszym szeregiem poborowych.

— Dobra robota, poborowy Zielony. Zbiórka na placu defilad. Poborowy Rannifer, marsz na wolne miejsce z lewej strony Plutonu Drugiego. Tworzymy formację zgodnie ze wzorem.

Rannifer był najwyższym Rezydentem, Florimel ustępowała mu zaledwie o włos. Z tego powodu wszyscy równali do niego, zawsze stał z prawej strony, podczas grupowania rekruci spoglądali na niego i konsekwentnie szedł w pierwszej linii, gdy maszerowano parami jak teraz. Problem w tym, że Rannifer łatwiej tracił orientację niż większość innych Rezydentów.

Tym razem Siekierak maszerował bardzo blisko Rannifera, aby mieć pewność, że nikt nie popełni żadnego błędu. Ray zwrócił uwagę, że kapral idzie szybciej niż zwykle, ale nie wyrywa do przodu. Chłopiec domyślił się, że dowódca chce sprawnie dotrzeć na miejsce i zarazem uniknąć wrażenia paniki oraz pośpiechu.

Pozostałe plutony poborowych również podążały na plac defilad. Niektóre jednostki były już sformowane, a ich sierżanci darli się co sił w płucach. Pojawili się nawet oficerowie, którzy nieopodal odbywali naradę. Ray machinalnie ocenił ich pióra na hełmach, gdyż wszyscy nosili mundury Legionistów. Doliczył się czterech poruczników, majora, a nawet pułkownika. Chłopak był pod wrażeniem. Widywał już poruczników, ale nigdy żołnierzy wyższych rangą.

— Właśnie coś sobie przypomniałem — szepnął Fred, gdy się zatrzymali pośrodku pierwszego szeregu. — O dzieciach Szczurołapa.

— Co takiego? — również szeptem spytał Ray. Nieprzyjaciel znajdował się w odległości zaledwie pół kilometra i zbliżał się miarowym krokiem. Dla utrzymania rytmu wielu wrogich żołnierzy waliło w wielkie, mosiężne bębny. Co dziesięć kroków ich niskiemu grzmotowi towarzyszył pomruk nacierających, który bardziej przypominał zwierzęce warknięcia niż ludzkie okrzyki.

Nieprzyjaciół było znacznie więcej, niż się zdawało Rayowi na początku. Z pewnością co najmniej wiele setek. Chłopak ich nie policzył — po prostu odniósł wrażenie, że Niconi bardzo szybko przybywa.

— Nie tak łatwo jak Rezydenci radzimy sobie z ranami — wyjaśnił Fred. — Jeśli ktoś obetnie nam głowy, to już po nas. Ręce i nogi pewnie też nam nie odrosną.

— Cisza w szeregach! — krzyknął sierżant Trzon. Przeszedł się powoli wzdłuż pierwszej linii, nawet nie patrząc na nacierającego wroga. — Wszystko odbędzie się tak jak podczas musztry! Nasz wróg to Niconie. Istoty niższe! Jesteśmy Armią Architektki! Architektka! Chcę słyszeć, jak mówicie to słowo! Architektka!

— Architektka! — huknęło sześciuset Rezydentów. Okrzyk zabrzmiał niebywale donośnie, potężnie i odważnie. Ray poczuł się odrobinę lepiej, pomimo słów Freda.

— Nie ustąpimy pola! — zawołał sierżant Trzon. — Architektka!

— Architektka! — zagrzmiała jednostka poborowych. Ray zauważył, że sierżant Trzon tak kieruje wznoszonymi okrzykami, by zagłuszyć paskudne warknięcia wroga. Dzięki temu rekruci prawie nie słyszeli także bębnów nieprzyjaciela.

— Pułkownik Huwiti przedstawi wam naszą taktykę! — wrzasnął sierżant Trzon. — Pamiętajcie, aby być blisko towarzyszy! Pamiętajcie o musztrze!

Pułkownik Huwiti stanął przed czterema szeregami poborowych, zajmujących na całej długości plac defilad. Swobodnie oddał honory sierżantowi Trzonowi, który odpowiedział nienagannym salutem. Żaden z Rezydentów zdawał się nie zwracać uwagi na jednolitą, czarną masę człekokształtnych Niconi w ciemnych, lakierowanych zbrojach, zaopatrzonych w krótkie włócznie z iskrzącymi grotami. Nieprzyjaciel szedł prosto na rekrutów i znajdował się już w odległości tylko trzysta metrów.

— Rzecz będzie bardzo prosta — oznajmił pułkownik spokojnym, lecz donośnym głosem. — Pierwszy szereg, jeśli łaska, zechce zblokować tarcze, nastawić megawłócznie i dobyć mieczów. Drugi szereg — przygotować do rzutu megawłócznie. Na rozkaz „rzut", ciśniecie nimi i przejdziecie do tyłu. Gdy drugi szereg znajdzie się z tyłu, trzeci przejdzie naprzód i na rozkaz „rzut" ciśnie włócznie, następnie się wycofa, ustępując miejsca czwartemu szeregowi, by ten również rzucił na komendę. Po przejściu na tył każdy szereg odwróci się przodem do pola bitwy i dobędzie mieczów. Słuchajcie rozkazów sierżantów i kaprali, a wszystko będzie dobrze.

— Tak jest, panie pułkowniku! — wrzasnął Trzon. Jego okrzyk brzmiał tak zachęcająco, że wszyscy jak jeden mąż powtórzyli ile pary w płucach:

— Tak jest, panie pułkowniku!

— Czuję się trochę mały — mruknął Fred, zblokowawszy tarczę z Rayem oraz Rezydentem po prawej, a także osadziwszy w ziemi tępy koniec megawłóczni.

— Ja też — wyznał Ray. Obaj mierzyli ze trzydzieści centymetrów mniej niż Rezydenci, zajmujący pozycje u ich boków. Nawet kiedy trzymali tarcze wysoko w górze, przy ich stanowisku szereg nagle się obniżał.

Słyszeli już dudnienie kroków wroga, ziemia drżała wyczuwalnie. Do ich uszu docierało także warczenie, które wydawali z siebie Niconie, a nawet szczęk ich broni, niebezpiecznie kojarzący się z odgłosem piorunujących talwarów, ochoczo używanych przez Hordę.

— Wy dwaj, dzieci Szczurołapa, natychmiast wycofać się do czwartego szeregu! — rozkazał ktoś z przodu.

Ray machinalnie posłuchał komendy, odblokował tarczę i zrobił w tył zwrot, aby się cofnąć, z Fredem u boku. Za jego plecami szereg się zamknął, a przed nim Rezydenci się rozstąpili.

Chłopcy właśnie mieli przejść między towarzyszami broni w trzecim szeregu, gdy wszyscy wrogowie jednocześnie ryknęli, dudnienie ich kroków stało się donośniejsze i szybsze, a bębny nagle zaczęły łomotać z dwa razy większą częstotliwością. Do ogólnego zgiełku dołączyło też trąbienie rogów. Trzon i inni sierżanci natychmiast krzyknęli: „Drugi szereg! Rzut!", choć nawet ich słynne z mocy głosy niemal zanikły w tumulcie.

Ray zorientował się, że nieprzyjaciel przypuszcza atak, a dwie sekundy później niemal wyczuł falę dźwiękową i uderzeniową, towarzyszącą kolizji pierwszego szeregu Niconi ze zblokowanymi tarczami jego towarzyszy. Wokoło zabrzmiały wrzaski, krzyki, przekleństwa, a także syk rozgrzanych do czerwoności włóczni oraz grzechot i zgrzyt obrotowych mieczów, tnących zbroje Niconi.

— Trzeci szereg, rzut! Czwarty szereg, naprzód!

Ray ledwie dotarł do czwartej linii. Gdy się odwrócił, w ostatniej chwili wraz z Fredem wklinowali się między żołnierzy i cały szereg ruszył naprzód. Wszyscy unieśli włócznie.

Wtedy stał się świadkiem nieopisanego pandemonium. Pierwsze szeregi Niconi oraz Rezydentów ścierały się w agresywnej potyczce, a Ray Zielony skupił się tylko i wyłącznie na chwili obecnej. Ani jeden fragment jego mózgu nie próbował przypomnieć sobie przeszłości. Ciało machinalnie wysłuchało rozkazu, z dłoni wyfrunęła mu megawłócznia i uderzyła w tylne szeregi agresora, lecz nagle w umyśle chłopaka pojawiło się nieoczekiwane wspomnienie. Rzucał czymś — białą piłką — a ktoś inny wołał do niego: „Brawo, Arthurze Penhaligonie".

To nazwisko z taką mocą przypomniało się chłopcu, że na chwilę stracił świadomość potwornego rejwachu bitwy.

— Nie nazywam się Ray Zielony! — krzyknął. — Jestem Arthur Penhaligon!

ROZDZIAŁ PIĘTNASTY

Sylvie wyjrzała przez okno. Liść ją obserwowała, szybko tracąc nadzieję, gdyż starsza pani nie zareagowała tak, jak się należało spodziewać. Po prostu stała nieruchomo i bawiła się lewym uchwytem okularów.

— Szalenie zajmujące — oznajmiła w końcu.

— Widziała pani? — spytała Liść. — Dom? Ponad szpitalem i wokół niego?

— Tak, widziałam, moja mała — potwierdziła Sylvie rzeczowo. — To jest prawdziwy budynek czy jakaś trójwymiarowa projekcja z okularów?

— Prawdziwy — podkreśliła Liść ponuro. — Najprawdziwszy. Te okulary nie mają nic wspólnego z nowoczesną techniką. Wykonał je pewien czarnoksiężnik.

Sylvie odsunęła okulary od oczu i z uwagą przyjrzała się drucianym oprawkom oraz popękanym soczewkom. Następnie ponownie wsunęła je na nos i znowu wyjrzała przez okno.

— Mam mało czasu — powiedziała Liść. — Co do tej choroby… Władze uważają, że to bioatak, ale tak naprawdę pojawiła się przez… taką istotę z Domu, Niconia. Tym… wirusem można się zarazić od jego dotyku. Już jestem zakażona, a kiedy choroba się rozwinie, Nicoń zobaczy to, co ja widzę, będzie wiedział to, co wiem, i przejmie kontrolę nad moim umysłem.

— Nawet z takiej odległości? — zdumiała się Sylvie. Nie przestawała wyglądać przez okno.

— Hm... tego nie wiem — odparła Liść. — Ale nie mogę ryzykować. Muszę dostać się do domu Arthura... Mojego kolegi. On ma telefon, z którego mogę zadzwonić do Rezydentów, czyli mieszkańców Domu. Przyszło mi do głowy, że wezwie pani policję... Chociaż nie, to zbyt niebezpieczne. Gdyby wezwała pani pogotowie, mogłabym porwać karetkę i kazać się zawieźć na miejsce.

— Jesteś poszukiwaczką przygód! — ucieszyła się Sylvie. Oderwała się od okna i zwróciła dziewczynie okulary. — Twój plan ma szansę powodzenia. Ale co dalej?

— Pomyślałam, że później będę się martwiła tym, co zrobię potem — przyznała Liść. — Poza tym nie jestem żadną poszukiwaczką. Przynajmniej nie z wyboru. Kiedyś byłam i dostałam za swoje. Nie interesują mnie już przygody, jeśli nie wiem, w co się pakuję.

— Gdybyś wiedziała, to nie byłyby już one przygodami — zauważyła Sylvie rozsądnie. — Przyznam, że nigdy nie byłam typem awanturnicy. Może jeszcze nie jest za późno, by to zmienić? Mam tutaj alarm medyczny. Chcesz, żebym go teraz uruchomiła? To usługa abonamentowa, nie ma nic wspólnego z państwową służbą zdrowia, więc ambulans przyjedzie szybko.

— Tak, niech pani wezwie pomoc — zgodziła się Liść i ruszyła na dół. — Czy mogę od pani pożyczyć nóż? I trochę soli?

— Bierz śmiało. — Sylvie wysunęła szufladę z szafki przy łóżku i wyciągnęła małe urządzenie elektroniczne. Uchyliła przezroczyste, fosforyzujące wieczko i nacisnęła czerwony guzik. Mechanizm zaczął piszczeć, a metaliczny głos oznajmił: „Proszę zachować spokój. Pomoc w drodze. Proszę zachować spokój. Pomoc w drodze". Następnie z głośniczka popłynęły dźwięki jednego z utworów Vivaldiego na lutnię i fagot.

Starsza pani wrzuciła gadżet z powrotem do szuflady i podreptała za Liść do kuchni. Na miejscu zobaczyła, że dziewczynka łyżkami wpycha sól do ust i popija sokiem pomarańczowym.

— Co ty wyprawiasz, na miłość boską?

Liść się rozkaszlała tak, jakby zaraz miała zwymiotować. Następnie otarła usta serwetką.

— Właściwie sama nie wiem — odparła. — Przyszło mi do głowy, że sól może uniemożliwić Niconiowi przejęcie nade mną kontroli. One nie cierpią soli… ani srebra.

— Mam srebrną bransoletkę — przypomniała sobie Sylvie. — Zaraz ci przyniosę.

— Dziękuję — wybełkotała Liść. Zrobiło się jej dramatycznie niedobrze, nigdy nie przypuszczała, że tak jej się zbierze na wymioty po raptem dwunastu łyżkach soli. Może pleśń również jej nie lubiła. Na wszelki wypadek pośpiesznie wypiła jeszcze trochę roztworu solnego i wciągnęła słoną wodę do nosa, jakby płukała zatoki. Uznała, że może tak będzie lepiej.

Gdy Sylvie powróciła nie tylko ze srebrną bransoletką, lecz także naszyjnikiem z drobnymi, srebrnymi żołędziami, za oknem rozległo się coraz donośniejsze wycie syreny, a potem hałas karetki, zatrzymującej się na ulicy.

— Wzięłam mechaniczną strzykawkę ze środkiem przeciwuczuleniowym — oznajmiła Sylvie i zademonstrowała dziewczynce automatyczne urządzenie, które ukrywała pod szalem. Nazwę preparatu na ampułce starannie zamazała czarnym flamastrem. — Powiem im, że nalałam tam czegoś paskudnego, na co zachorują, jeśli nie zrobią, co każę. Ale wcześniej przejdziemy do karetki. Najpierw jednak usiądę tutaj i powiemy sanitariuszom, że straciłam przytomność. Możesz udawać moją wnuczkę.

— Dziękuję — wymamrotała zaskoczona Liść. Nie spodziewała się po Sylvie takiego zaangażowania. — Tyle że tak naprawdę nie chcę im zrobić krzywdy…

— Wiem, wiem — zapewniła Sylvie dziewczynę. Odchyliła się na kuchennym krześle i zaczęła pomiaukiwać jak mały, chory kot. Te odgłosy brzmiały tak realistycznie, że Liść poważnie się zaniepokoiła, ale szybko dostrzegła porozumiewawcze mrugnięcie staruszki.

Otworzyła drzwi. Na progu stało dwóch sanitariuszy ubranych w pełne kombinezony zagrożenia biologicznego. Zza masek widać było tylko oczy mężczyzn.

— To moja babcia! — jęknęła Liść. — W kuchni!

Sanitariusze pośpiesznie ruszyli do środka. Jeden z nich po drodze zwrócił uwagę na zabandażowaną głowę dziewczyny.

— Co się stało? — spytał drugi.

— Straciła przytomność — wyjaśniła Liść. — To chyba serce.

— Och, och, och, och — mamrotała Sylvie.

— Lepiej zabierzmy ją do szpitala — oświadczył sanitariusz, gdy zdarł plastikową osłonę z urządzenia diagnostycznego i przyczepił je do nadgarstka staruszki. Drugi mężczyzna skinął głową i wyszedł. — Tak, tętno bardzo przyspieszone, ciśnienie w normie. Może to jakiś problem z sercem. Nic pani nie grozi. Mam na imię Ron i będę się panią zajmował. Proszę się odprężyć, zaraz przeniesiemy panią do karetki.

Żałosne jęki Sylvie przycichły, gdy sanitariusz poklepał ją po dłoni. Drugą trzymała ukrytą pod szalem, wraz z automatem do robienia zastrzyków.

— Czy ja też mogę jechać? — zapytała Liść.

— Rozumiesz, że ze względu na kwarantannę być może będziesz musiała pozostać w szpitalu, jeśli cię tam zabierzemy? Poza tym trzeba się poddać dezynfekcji.

— Nie ma sprawy — odparła. — Pod warunkiem że nie pojedziemy do Wschodniego.

— Wykluczone — odparł Ron. — Tam dzieje się coś poważnego. My pracujemy dla Prywatnego Szpitala Lark Valley. A teraz się cofnij. Proszę pani, teraz panią podniesiemy i położymy na noszach.

Drugi sanitariusz wrócił, popychając nosze na kółkach. Obaj sprawnie podnieśli staruszkę, umieścili ją na materacu i lekko przypięli pasami. Gdy to robili, aparat diagnostyczny zapiszczał.

— Tętno gwałtownie przyśpieszyło — wyjaśnił Ron. — Za kilka minut podłączymy panią do paru naszych magicznych urządzeń. Wszystko będzie dobrze.

Liść się martwiła, że gdy wyjdą na dwór, niektórym sąsiadom przyjdzie do głowy zadać pytanie, kim ona jest, ale nie miała się czego obawiać. Wszyscy zapewne się zastanawiali, czy Sylvie padła ofiarą nowej broni biologicznej.

Z pewnością nie pokrzepił ich na duchu widok drugiego sanitariusza. Wręczył Liść gogle oraz maskę na twarz, a potem obficie spryskał dziewczynę preparatem, który miał jaskrawoniebieski kolor, gdy wydostawał się z pojemnika, lecz po wyschnięciu robił się bezbarwny. Środek lekko zalatywał wilgotnym papierem gazetowym, ale na szczęście nie pozostawiał żadnego wyczuwalnego osadu.

Po zakończeniu zabiegu opryskiwania sanitariusz podszedł do przednich drzwi karetki i siadł za kierownicą. Liść wgramoliła się do pojazdu z tyłu. Tam właśnie Ron podłączał do komputera urządzenie, które wisiało nad noszami i było wyposażone w kilka zwisających rur, przewodów i czujników.

Liść zamknęła za sobą drzwi, po czym ambulans ruszył. Ponownie zabrzmiało wycie syreny. Gdy skręcili za róg, dziewczyna pochyliła się i rozpięła pasy wokół rąk Sylvie, korzystając z okazji, że sanitariusz po drugiej stronie noszy zajęty jest odkręcaniem zakrętki tubki żelu przewodzącego.

— Co pani...

— Nie ruszaj się! — wysyczała Sylvie. Dźwignęła się z materaca i mocno przycisnęła automatyczną strzykawkę do uda Rona, gdzie igła bez trudu mogła przebić kombinezon ochronny. — Mam tutaj dwieście pięćdziesiąt miligramów rapyroksu. Powiedz koledze, żeby nie używał radia i nie włączał alarmu.

Sanitariusz zdrętwiał, a następnie powoli obrócił głowę. Liść nie znała lekarstwa o nazwie rapyrox, ale mężczyzna z pewnością wiedział, w czym rzecz i się przestraszył.

— Jules, starsza pani przyciska mi do nogi strzykawkę z rapyroksem. Nic nie rób... Nie żartuję, nic nie rób.

— Co mówisz?

— Mam dwieście pięćdziesiąt miligramów rapyroksu i nie zawaham się go użyć! — zaskrzeczała Sylvie, a Liść przeraziła się niemal tak samo jak Ron. — Zawieziesz mnie w pewne miejsce. A ty trzymaj buzię na kłódkę, moja panno!

Liść skinęła głową, nagle niepewna, czy staruszka naprawdę udaje.

— Jak pani sobie życzy — zgodził się Jules. Liść dostrzegła w lusterku wstecznym jego oczy. Nerwowo spoglądał raz na drogę, raz na tył samochodu. — Dokąd chce pani jechać?

Sylvie podała adres domu odległego o dwa numery od miejsca zamieszkania Arthura. Słysząc to, Liść skierowała wzrok na starszą panią, a następnie powoli skinęła głową.

— Czytam dużo kryminałów — oznajmiła Sylvie, pozornie bez żadnego związku.

— Tak, tak, dobry kryminał to świetna rzecz — mruknął sanitariusz z tyłu. — Sam przeczytałem niejeden. A dlaczego chce pani jechać...

— Pozwoliłam gadać?! — krzyknęła Sylvie.

Przez resztę drogi milczeli. Jules za kierownicą bezustannie zerkał do lusterka, ale nie próbował nic robić. Ron zamknął oczy i starał się oddychać bardzo regularnie, spokojnie. Sylvie wpatrywała się w niego niczym jastrząb, jej oczy jaśniały blaskiem nietypowym dla osoby w tak podeszłym wieku.

Liść siedziała przygnębiona. Nadal pulsowało jej w głowie, lecz ból nie narastał. Nie widziała innego wyjścia, jak tylko zadzwonić do Pierwszej Damy i zdać się na jej pomoc. Najlepiej byłoby, gdyby zabrała kieszeń i przekazała ją Arthurowi, aby to on unicestwił Bezskórego Chłopca. Jego zniknięcie nie musiało jednak wcale pomóc ludziom zaatakowanym przez pleśń.

Liść wiedziała, że nawet jeśli Pierwsza Dama lub doktor Scamandros potrafią jakoś zwalczyć pleśń, to będzie z tym sporo zachodu. Liczyła tylko na to, iż sama nie zmieni się w zaślinionego żywego trupa z niewolniczej armii Bezskórego Chłopca.

— Jesteśmy prawie na miejscu — oznajmił Jules zza kierownicy. — Zaparkować?

— Tak — potwierdziła Sylvie. — A ty, dziewczynko, wyjrzyj przez okno. Sprawdź, czy nie mamy towarzystwa. Jeśli kogoś zobaczysz…

— Nic nie zrobiłem! — zaprotestował Jules. Ron odetchnął jeszcze głębiej i jeszcze spokojniej, ale nie otworzył oczu.

Liść wyjrzała przez przyciemnione szyby z tyłu karetki. Nie zauważyła na ulicy nikogo ani żadnych innych pojazdów. Widziała jednak numery domów. W odległości kilku drzwi od miejsca, w którym przystanęli, wznosił się dom Arthura.

— Nie ma nikogo.

— To dobrze — wyraziła zadowolenie Sylvie. — Dziewczynko, teraz idź, zerwij mi trochę kwiatów. Ja zaczekam tutaj.

— Ale ja nie… — Liść wczuła się w rolę.

— Powiedziałam: idź, zerwij mi trochę kwiatów! — rozkazała staruszka i zaniosła się szaleńczym chichotem.

— Jak pani sobie życzy — spotulniała Liść.

Wygramoliła się przez tylne drzwi, nie zauważając, że Ron usiłuje wymrugać oczyma sygnał SOS.

— Przestań! — warknęła Sylvie. — Dziewczynko, wracaj z kwiatami. Z niczym więcej! I zamknij drzwi!

Liść zatrzasnęła drzwi i pośpiesznie ruszyła do domu Arthura. Budynek był całkiem spory, lecz każdy przechodzień dobrze widział jego drzwi wejściowe po drugiej stronie trawnika. Liść nie skręciła ku nim. Szła dalej, aż dotarła do podjazdu. W odległości trzech metrów od bramy garażu uklękła i przycisnęła guzik na pilocie, który znajdował się pod kamieniem, dokładnie tam, gdzie opisał Arthur.

Pilot otworzył boczne drzwi garażu. Liść przeszła przez podjazd, spoglądając w górę na okna domu, lecz nie zauważyła nikogo.

Gdy trafiła do garażu, bez trudu przedostała się do zasadniczej części domu i wspięła po schodach. Wiedziała, że nad garażem są trzy piętra, a sypialnia Arthura znajduje się na samej górze.

Czuła się trochę dziwnie, włamując się do cudzego domu, a przy tym żerały ją nerwy. Co dziwne, mniej się denerwowała w karetce, choć uprowadzenie ambulansu i sterroryzowanie sanitariuszy było jedną z cięższych zbrodni. Każdy jej krok na schodach brzmiał głośniej, niż się spodziewała. Jej strach narastał, myślała, że lada moment napotka tatę Arthura lub jedną z jego sióstr albo braci.

Pewnie wszyscy są w szpitalu, pocieszała się. Może poszli do przyjaciół albo z wizytą. Strasznie cicho w tym domu. Jeszcze tylko jedno piętro…

W końcu przystanęła u szczytu schodów na samej górze. Na korytarz wychodziło troje drzwi do pokojów i jedne do łazienki. Sypialnia Arthura była pierwsza z lewej…

A może pierwsza z prawej?

Liść nagle zwątpiła we własną pamięć. Arthur chyba wspomniał o pierwszych z lewej?

Cicho uchyliła drzwi z lewej strony i zajrzała do środka. Następnie zamknęła je jak najciszej i się cofnęła.

W pokoju znajdowała się dziewczyna. Siedziała tyłem do wejścia, ze słuchawkami w uszach. Pewnie słuchała muzyki, może informacji, i jednocześnie świetlnym piórem wykonywała jakieś skomplikowane czynności na dużym, płaskim ekranie.

Liść przełknęła ślinę i równie cicho otworzyła drzwi z prawej strony. Tym razem na pewno trafiła do pokoju Arthura. Wszystko wyglądało tak, jak opisał, choć był tu większy porządek. Na półce stało czerwone, aksamitne pudełko.

Pośpiesznie do niego podeszła, zdjęła je z półki i położyła na łóżku, jednocześnie zdejmując pokrywkę. Wewnątrz ujrzała telefon, archaiczny, przypominający świecę zwieńczoną mikrofonem, z doczepionym na sznurze głośniczkiem. Liść wyjęła aparat i przysunęła go do ust. Potem usiadła na łóżku i przycisnęła głośniczek do ucha.

Choć telefon nie był w widoczny sposób do niczego podłączony, dziewczyna usłyszała charakterystyczne, niespotykane już trzaski starego typu telefonów i buczenie, szybko przerwane przez ludzki głos.

— Halo, centrala. Jaki numer?

— Chcę mówić z Pierwszą Damą — wyjaśniła Liść pośpiesznie. — Nie znam numeru.

— Kto mówi? — spytała telefonistka.

— Liść — odparła Liść. — Koleżanka Arthura, Liść.

— Proszę czekać.

Głos zanikł, trzaski się nasiliły. Liść nerwowo przytupywała i coraz mocniej zaciskała dłoń na mikrofonie.

— Pierwsza Dama jest niedostępna — wyjaśniła telefonistka po co najmniej minucie. — Czy mam przekazać wiadomość?

ROZDZIAŁ SZESNASTY

ledwie megawłócznia wyfrunęła z dłoni Arthura, gdy tłoczące się wokoło ciała poborowych poniosły go naprzód. Rezydenci jak najszybciej sunęli przed siebie, aby zastąpić poległych towarzyszy z pierwszego, chronionego tarczami szeregu. Panował nieopisany harmider, chłopiec był przerażony. Momentami tracił orientację, gdzie się toczy bitwa. Szeregi przemieszczały się i falowały, a on musiał wędrować wraz z nimi, aby uniknąć rozdeptania.

Machinalnie dobył obrotowego miecza i bez zastanowienia zamachnął się nim kilkakrotnie, aby zaatakować wyrosłego jak spod ziemi Niconia lub desperacko odtrącać nadlatujące znikąd włócznie z iskrzącymi grotami.

W pewnej chwili przez kilka sekund stał sam. W promieniu dwóch metrów wokół niego nie było zupełnie nikogo. Ciężko ranni poborowi jęczeli, a Niconie, sapiąc i warcząc, podrygiwali u jego stóp. Te ciche odgłosy zanikły, gdy towarzysze Arthura ponownie porwali go ze sobą, ale zdążyły na zawsze wbić mu się w pamięć. Tak brzmiała zgroza, otępienie, agonia.

Panował bezustanny hałas. Metal zgrzytał o metal. Broń uderzała o zbroje, wbijała się w ciała. Bębny cały czas grzmiały. Rezydenci i Niconie krzyczeli, wrzeszczeli, wyli. Iskry trzaskały, migotały i syczały. Dym, unoszący się z płonących megawłóczni, spowijał walczące strony. Wszędzie czuć było ohydny smród spalenizny.

Umysł Arthura zdawał się pulsować ze strachu i nadmiaru adrenaliny. Chłopiec zachowywał się niczym robot, poruszał się tak, jak go wyszkolono i jak mu rozkazano. Nie potrzeba było żadnej prawdziwej inteligencji, aby nim kierować. Arthur odnosił wrażenie, że jego świadomość zaszyła się w bunkrze i tylko oczy, uszy oraz nos rejestrują rozwój sytuacji. Postanowił później się skupić na tym, co teraz zapamiętywał dzięki zmysłom. Na razie nie mógł sobie poradzić z natłokiem informacji i wrażeń.

Szeregi walczących sunęły naprzód i wycofywały się przez czas, którego Arthur nie był w stanie zmierzyć. W każdej sekundzie towarzyszyły mu potworny strach i potrzeba działania, lecz te krótkie chwile potrafiły rozciągać się do tego stopnia, że słaniał się na nogach z wyczerpania, jakby biegł i walczył przez długie godziny.

Potem, jak w naturalnym cyklu przypływów i odpływów, Niconie zostali odepchnięci. Poborowi ruszyli za nimi, lecz powstrzymały ich wrzaskliwe rozkazy dowódców. Rekrutów skierowano na pozycje dziesięć metrów przed wcześniej zajmowaną pierwszą linią. Wykonali rozkaz, potykając się o poległych towarzyszy i martwych wrogów. Ten ruch naprzód został dodatkowo spowolniony przez jednostajny strumień ciężko rannych Rezydentów, którzy podążali na tyły. Wielu podtrzymywało się nawzajem, ale żaden sprawny poborowy nie opuścił szeregów.

Nagle odwrót Niconi zmienił się w regularną ucieczkę. Wszystkie stwory gnały ku granicy segmentu — chciały ją przekroczyć, nim słońce skryje się za horyzontem, a kwadrat przemieści w inne miejsce.

Z jednej strony Arthura stał Fred, z drugiej nieznany Rezydent. Chłopak jak otępiały wykonywał wykrzykiwane głośno rozkazy. Nadal nie docierało do niego to, co odbierał zmysłami. Przytłaczały go potworne szczegóły, począwszy od okropnego uczucia deptania po niebieskiej krwi Rezydentów i oleiście czarnej Niconi, a skończywszy na chrapliwych jękach stworów zbyt poturbowanych, aby uciekać.

Pewną pociechę czerpał z wpatrywania się wprost przed siebie i unikania myślenia o tym, co nie miało związku z wykonywaniem rozkazów. Zgodnie z pierwszą komendą powinni maszerować naprzód, więc brnęli, konsekwentnie spychając siły wroga ku granicy segmentu.

Grupy Niconi dwukrotnie odwracały się, by walczyć. Rozbrzmiewał wówczas rozkaz „do ataku", ale poborowi nie rzucali się do boju bezładną masą. Rekruci zasadniczo trzymali się swoich szeregów, szybkim marszem dążyli do starcia i wznosili krzepiące okrzyki.

Wyczerpujące i niebezpieczne szarże dodawały poborowym otuchy. Arthur zorientował się, że całą energię i uwagę musi skupić na tym, aby się nie przewrócić i nie dać stratować własnym towarzyszom. Nie był pewien, w którym jest teraz szeregu. Siły Rezydentów skracały pierwszą linię, przez co ich grupa coraz bardziej przypominała szeroką kolumnę, o której kształt dbali hałaśliwi sierżanci, powtarzający i nagłaśniający rozkazy pułkownika Huwitiego.

Wreszcie zapadł zmrok, uniemożliwiając kontynuowanie pościgu. Blask księżyca i blade światło gwiazd nie wystarczały, by skutecznie tropić małe grupy Niconi, a tylko takie pozostały. Wielu napastników zginęło lub odniosło rany i trafiło do niewoli, lecz znaczna ich liczba tuż przed zachodem słońca przekroczyła granicę segmentu. Uciekinierzy znikli w chwili jego przesunięcia. Pustynia w jednym momencie przeobraziła się w dwa i pół kilometra kwadratowego bujnej, łagodnie falującej trawy. Wysokie źdźbła pomogły ukryć się Niconiom, którzy przebyli granicę kilka minut za późno, aby przemieścić się wraz z segmentem.

Kilka plutonów poborowych wraz z dodatkowymi podoficerami oraz oficerami rozmieszczono na posterunkach, lecz reszta rekrutów odmaszerowała do Fortu Przemiana. Oddziały z początku próbowały śpiewać, lecz po dotarciu na pole bitwy wszyscy umilkli. Wśród nadal iskrzącej broni, na poczerniałej ziemi walały się trupy Rezydentów i Niconi. Jak okiem sięgnąć, wszędzie widniały plamy niebieskiej krwi, wymieszanej z czarną.

— Sądziłem, że Niconie rozpuszczają się po śmierci — wyszeptał Fred. Nawet przyciszony głos wydawał się nie na miejscu i brzmiał dziwnie donośnie na tle tupotu maszerujących rekrutów oraz sporadycznego terkotu broni lub pancerza. — I wracają do Nicości.

— Tak się właśnie dzieje — potwierdziła Rezydentka u boku Arthura. Chłopiec po raz pierwszy obrzucił ją uważnym spojrzeniem i zauważył, że nosi stopień kaprala, odpowiedzialnego za jeden z innych plutonów poborowych. Miała na imię Urmink.

— Więc o co chodzi z tymi Niconiami, pani kapral? — spytał Fred.

— To Niemalstwory — wyjaśniła Urmink. — Pierwotnie powstają z Nicości, lecz niewiele im brakuje do Rezydentów. Stworzone są z ciała i krwi specyficznego rodzaju. Ich organizmy są bardzo wytrzymałe. Znacznie bliżej im do Rezydentów niż do śmiertelników i ani trochę nie przypominają zwykłych Niconi.

Kapral mówiła swobodnym tonem, nie szczekliwym, do którego nawykli Arthur i Fred. Nie spodziewali się z jej strony takiej otwartości i nie chcieli wydać się natrętni, dlatego woleli zachować milczenie. Obu zdziwiło, że Rezydentka ponownie się odezwała, gdy kolumna zatoczyła koło, aby obejść najgorsze pozostałości po bitwie, znajdujące się pośrodku placu defilad.

— Czeka nas jeszcze mnóstwo walki z takimi jak ci tutaj — westchnęła kapral. — Ta kampania nie przypomina poprzednich. Wszyscy spisaliście się na medal, ale stoczyliśmy łatwą bitwę. Mieliśmy przewagę liczebną, a wróg przybył zmęczony.

Będziemy musieli jeszcze walczyć? — pomyślał Arthur. Poczuł, jak w jego brzuchu narasta przykry ciężar strachu, tak silnego, że nagle chłopcu zrobiło się niedobrze. Z trudem przezwyciężył mdłości. — Rzecz jasna, jesteśmy żołnierzami, ale to było koszmarne... Jak sobie damy radę następnym razem... Jak ja sobie poradzę następnym razem...?

Poborowi nie otrzymali pozwolenia na to, by się rozejść, gdy stanęli w tylnej części placu defilad. Każdemu plutonowi wyznaczono inne zadanie. Większość rekrutów skierowano do znoszenia poległych, odzyskiwania sprawnego sprzętu oraz sprzątania. Arthur i Fred stali na baczność w oczekiwaniu na rozkazy dla swojego plutonu. Po oddaleniu się kapral Urmink podjęli cichą rozmowę.

— Mieliśmy szczęście, że odwołano nas z pierwszej linii — mruknął Arthur.

— To prawda — przyznał Fred. — Ciekawe... Ciekawe, czy innym też się udało.

Przez moment milczeli, pogrążeni w myślach, podczas gdy otaczające ich plutony odwracały się i odmaszerowywały do wyznaczonych zadań. Na placu defilad pozostało zaledwie sześćdziesięciu, może siedemdziesięciu poborowych, lecz wokół Freda i Arthura zrobiło się zupełnie pusto, chyba że rekruci stali także za ich plecami.

W końcu rozpoznali głos sierżanta Trzona, który wzywał rekrutów z Drugiego Plutonu na zbiórkę przed ich koszarami.

— Co tam krzyczałeś, kiedy rozgorzała bitwa? — zainteresował się Fred, gdy maszerowali w stronę koszar.

— Swoje prawdziwe nazwisko — wyjaśnił Arthur. — Nazywam się... Chyba nie wolno mi go zdradzać, ale nie wiem czemu. Przypomniałem sobie, gdy wróg przypuścił natarcie. Zresztą nic więcej nie pamiętam, tylko imię i nazwisko.

— Czy to już wszyscy? — osłupiał Fred, kiedy dotarli na miejsce. Przed drzwiami stał bardzo krótki szereg. Brakowało połowy plutonu. Arthur dopiero po kilku sekundach uświadomił sobie, że jego towarzysze zapewne polegli lub są na tyle ciężko ranni, że wymagają opieki medycznej.

— To nie mogą być wszyscy — wyszeptał Fred, gdy podeszli bliżej. — Rezydentów nie da się tak łatwo uśmiercić...

— Zielony i Złoty, do szeregu! — rozkazał Trzon, ale nie wrzeszczał jak zwykle.

Arthur i Fred pośpiesznie dołączyli na koniec rzędu. Rannifer nie stał na jego początku. Jego miejsce zajmowała Florimel, teraz najwyższa.

— Walczyliście jak należy — pochwalił Trzon, ponownie niemal swobodnym tonem. — Tego od was oczekiwałem. Jako wyróżnienie otrzymaliśmy zadanie specjalne. Pułkownik Huwiti w nagrodę zadecydował, że dzisiaj wieczorem przeprowadzimy dodatkową dostawę poczty. Innymi słowy, nie będziecie musieli czekać jeszcze trzech miesięcy. A ponieważ walczyliście dzisiaj jako żołnierze, przysługuje wam także racja rumu. Niestety, wam nie, dzieci Szczurołapa. Przykro mi. Nie mam pojęcia dlaczego tak jest, ale rozkaz nie pozostawia cienia wątpliwości. Zostaliśmy wybrani do odebrania poczty i przyniesienia jej do stołówki. Ponieważ nadal grozi nam niebezpieczeństwo ataku ze strony Niconi, pozostawimy tarcze tutaj, lecz zatrzymamy obrotowe miecze. To nie oznacza, że nie musicie czyścić swojego osobistego sprzętu. Nie jesteście też zwolnieni z mycia. Teraz pobieżnie doprowadzimy się do porządku, a dokończymy później.

Toaleta zajęła kwadrans. Arthur z zadowoleniem pozbył się przynajmniej części widocznych śladów po bitwie, choć oczyma wyobraźni wciąż widział krew Niconi na ostrzu obrotowego miecza.

Trzon nie pozostawił podkomendnym czasu na rozmyślania. Gdy poborowi z grubsza usunęli najcięższe zanieczyszczenia, sierżant zawołał:

— Pluton, lewą, szybki marsz! W lewo zwrot! Lanven, tempo!

— Nie wspomniał, co się stało z resztą — wyszeptał Fred do Arthura. Mogli rozmawiać całkiem bezpiecznie, bo szli na samym końcu, a Trzon maszerował na początku.

Sierżant skierował pluton do budynku, którego wnętrza Arthur jeszcze nie widział. W Forcie Przemiana znajdowało się wiele domów, do których jeszcze nie miał okazji wejść. Dotąd nie odwiedził też stołówki. Nawet nie wiedział, że ona istnieje.

Na drzwiach tego budynku widniał wszechobecny czerwono-czarny znak z napisem: GARNIZONOWY URZĄD POCZTOWY. Podobnie jak koszary był większy w środku niż na zewnątrz. Sprawiał wrażenie całkowicie opustoszałego, znajdowała się tam jedynie długa, drewniana lada z dzwonkiem. Trzon zatrzymał pluton, podszedł do kontuaru i rąbnął dłonią w dzwonek.

Na rezultat nie trzeba było długo czekać. Spod lady wyskoczył Rezydent w ciemnozielonym mundurze, który Arthur rozpoznał jako uniform polowy Komisarzy.

— Zamknięte! — sapnął. Arthur nie posiadał się ze zdumienia, że zwykły Komisarz w randze kaprala ośmiela się odzywać takim tonem do sierżanta Trzona, zwłaszcza że kirys sierżanta był wgięty w kilku miejscach i pobrudzony krwią Niconi. — Wróćcie za trzy miesiące!

Trzon błyskawicznie wyciągnął rękę ponad ladą i chwycił Komisarza kaprala za najwyższy guzik tuniki, uniemożliwiając mu ponowne ukrycie się pod blatem.

— Oficerowie rozkazali wydać specjalną dostawę poczty, kapralu. Nie czytasz rozkazów?

— To co innego — mruknął zapytany. — Poczta dla całego batalionu poborowych?

— Zgadza się — potwierdził Trzon i puścił go. Odciągnięty guzik strzelił z taką siłą, że mało brakowało, a odpadłby od tuniki. — Dla całego batalionu.

— Robi się — zapowiedział kapral. Wyciągnął spod lady kartkę papieru, sięgnął po gęsie pióro oraz kałamarz i pośpiesznie coś napisał. Następnie odmaszerował na puste miejsce z tyłu i cisnął papier w powietrze.

Moment później rozległ się ogłuszający łoskot. Kapral odskoczył, gdy znikąd wypadło z hukiem dwanaście dwumetrowych płóciennych worów z pocztą.

— Oto przesyłki — wyjaśnił. — Gotowe do odebrania.

Następnie ponownie ukrył się za ladą.

— Bierzcie te worki! — zakomenderował Trzon. — Każdy po jednym. Zielony i Złoty, weźmiecie jeden na spółkę.

Sierżant podniósł dwa worki i bez wyraźnego trudu wsunął każdy pod pachę. Arthurowi i Fredowi trudno było nawet wspólnie wykonać rozkaz, lecz gdy odzyskali równowagę, ciężar okazał się zupełnie znośny.

— W szeregu zbiórka! — rozkazał Trzon. — Ustawcie się jak należy. Będziemy się trzymali z dala od placu defilad. Przejdziemy tyłem do stołówki.

Arthur wcale się nie zdziwił, gdy się okazało, że jeszcze nigdy nie widział stołówki. Ten budynek nie znajdował się na terenie Fortu Przemiana. Można było dostać się do niego jak do umywalni, przez dziwodrogę w zewnętrznej ścianie zbrojowni.

Obładowani workami z pocztą poborowi chwiejnym krokiem powędrowali dziwodrogą, z której wyszli prosto do pomieszczenia tak gigantycznego, że Arthur nie widział jego ścian. Sufit znajdował się na wysokości około dwudziestu metrów. Podobnie jak umywalnia, stołówka była zapełniona widmami tysięcy żołnierzy, w większości siedzących na ławach przy stołach na kozłach. Blaty były zastawione potrawami i napojami.

Stoły w stołówce były oznaczone: przy każdym widniał symbol stosownej jednostki.

„Batalion Poborowych z Fortu Przemiana" miał zająć miejsca w odległości około pięćdziesięciu stołów od wejścia do dziwodrogi. Podczas marszu przez salę Arthur zwrócił uwagę, że mnóstwo widmowych żołnierzy odniosło rany. Rzucały się w oczy liczne bandaże, kule, przepaski na oczach i całkiem świeże blizny. Przy większości stołów zdecydowanie wiele miejsc świeciło pustkami.

Arthur z ciężkim sercem pomyślał, że nie taki obraz przedstawiano w *Poradniku poborowego*. W książce wszystko wyglądało czysto, wręcz nieskazitelnie, a żołnierze na rysunkach pogodnie tryskali zdrowiem, dowodzili swojej sprawności i biło od nich zadowolenie.

Fred i Arthur padali z nóg, gdy w końcu dotarli na swoje miejsce i niemal zabrakło im siły, aby wciągnąć worek na stół.

— Rozwiążcie je — polecił Trzon. — Nie musimy wracać natychmiast. Równie dobrze możemy odebrać swoją pocztę, zanim zrobi się tłoczno.

Z rozwiązanych worków wysypano na stoły stosy przesyłek. Nagle jeden z listów wyfrunął z kaskady, wzbił się w powietrze i z impetem trafił poborową w hełm. Dziewczyna wyciągnęła rękę i chwyciła kopertę, jednocześnie krzycząc z zachwytem:

— Dostałam list!

Dziesięć sekund później owinięta w papier pakowy paczka odbiła się od zbroi Florimel i osunęła w jej dłonie. Zaraz potem pojawiła się koperta dla Freda i wkrótce obdarowani zostali wszyscy z wyjątkiem Arthura. Nawet sierżant Trzon otrzymał małą, różową kopertkę ozdobioną kwiatkami.

— Do mnie nic nie przyszło… — westchnął Arthur. Nie rozumiał, skąd u niego ta pewność, lecz nie miał żadnych wątpliwości.

Nie zdążył jednak skończyć zdania, gdy duża, beżowa koperta trzasnęła go prosto w twarz. Zachwiał się i opadł na ławę, odruchowo chwytając przesyłkę.

List zaadresowano do Arthura Penhaligona, co potwierdzałoby wiarygodność imienia i nazwiska, które sobie przypomniał.

Chłopak otworzył kopertę. List napisano po jej wewnętrznej stronie, więc musiał przełamać posklejane krawędzie i rozprostować kartkę, co nie było proste, bo papier okazał się zaskakująco ciężki. Pismo było odręczne, autor użył jasnosrebrzystego atramentu.

Drogi Arthurze,

jeden z Naszych agentów zawładnął Twoimi Rodzicami. Jeśli natychmiast nie przekażesz Kluczy w Nasze ręce i nie odstąpisz od wszelkich roszczeń do tytułu Prawowitego Dziedzica, rozkażemy rzeczonemu agentowi oczyścić ich umysły z wszelkiej wiedzy na Twój temat. Nasz wywiadowca podobnie postąpi z Twoimi braćmi i siostrami. Dzięki temu będzie tak, jakbyś się nigdy nie narodził. Twój dom nie przestanie istnieć, lecz dla Ciebie zabraknie w nim miejsca. Jak wiemy, życzysz sobie powrócić do śmiertelnego życia, zatem powinieneś uznać tę propozycję za dogodną ku temu okazję. Wystarczy, że złożysz podpis na wykropkowanej linii poniżej, a o wszystko zatroszczymy się w Twoim imieniu.

Sobota,
Najwyższa Rezydentka Wyższego Domu

Arthur odczytał list ponownie, lecz nie potrafił się połapać w jego treści. Był dzieckiem Szczurołapa. Nie znał rodziców, nie miał rodziny, bo wszyscy jego bliscy już od dawna nie żyli, umarli gdzieś w Poślednich Królestwach.

Ponadto, nie miał ochoty powracać do żadnego śmiertelnego życia.

— Dobra rzecz taki list — podsumował Fred i postukał palcem w kartkę papieru, którą trzymał w dłoni. — Od moich starych druhów z Siedemnastego Warsztatu Złotniczego. Od razu odżyło mnóstwo wspomnień. Ray, a kto do ciebie napisał?

— Sam nie wiem — odparł chłopiec. — Moim zdaniem to jakiś żart. Ale… mam wrażenie, że ten list obudził jakieś wspomnienia, których nie potrafię odtworzyć. To ma coś wspólnego z kluczami…

— Dobra, dość próżnowania! — krzyknął sierżant Trzon. — Przed nami jeszcze dużo roboty z porządkowaniem. Poza tym trzeba się przygotować do jutrzejszych zajęć.

Arthur wepchnął list do ładownicy i wstał. W tej samej chwili Trzon nieoczekiwanie wrzasnął:

— Baczność!

Następnie odwrócił się na pięcie i zasalutował oficerowi, którego Arthur dostrzegł już wcześniej, lecz uznał za widmo z innej jednostki.

— Dziękuję, panie sierżancie — powiedział wojskowy. Z bliska stało się oczywiste, że to jeden z poruczników, którzy przed bitwą rozmawiali z pułkownikiem Huwiti. Pióropusz na jego hełmie był wyraźnie zmierzwiony, pułkownik miał na ręce głęboką ranę. Niebieska krew zastygła w postaci brzydkiej kreski od ramienia do nadgarstka, otoczonej śladami po przypalaniu. Taka rana uniemożliwiałaby śmiertelnikowi normalne funkcjonowanie, lecz porucznik nie zwracał na nią specjalnej uwagi, a salutując Trzonowi, poruszył ręką tylko trochę sztywniej niż zwykle.

— Zabieram obu twoich chłopaków Szczurołapa — zapowiedział porucznik. — Tuż przed bitwą otrzymaliśmy stosowne rozkazy. Z samej góry. Wszystkie dzieci Szczurołapa mają się niezwłocznie zgłosić do Kwatery Głównej. Czy ci dwaj odbyli już lekcje nibykonnej jazdy?

Nie, jeszcze nie, pomyślał Arthur z ciężkim sercem.

ROZDZIAŁ SIEDEMNASTY

N ie! — wykrzyknęła Liść. — Nie mam żadnej wiadomości... Ale zaraz! Proszę się nie rozłączać! Chcę rozmawiać z Suzy Turkusowy Błękit.

— Łączę — zapowiedziała telefonistka.

W tym samym momencie Liść poczuła silne ukłucie bólu w środku głowy, za prawym okiem, a jej lewa dłoń zaczęła się chaotycznie wić na wszystkie strony. Uczucie było koszmarne, bo dziewczynie zdawało się, że ręka żyje własnym życiem. Liść wiedziała jednak, o czym to świadczy.

Pleśń zagnieździła się w jej mózgu i teraz sprawdzała swoje możliwości. Bezskóry Chłopiec być może już spoglądał oczyma nowej nosicielki, słyszał jej uszami i czuł to, co ona czuła.

— Halo, mówi Suzy.

— Suzy! Tutaj Liść. Mam kieszeń, ale pleśń... Pleśń Bezskórego Chłopca jest w mojej głowie! I nie potrafię wrócić do Domu!

— Zuch dziewczyna! — pochwaliła ją Suzy. Jej głos się oddalił, a Liść usłyszała przyciszone słowa: — Kichol, udało się! Zdobyła kieszeń! Nastawiaj cyferblaty.

— Potrzebuję pomocy — powiedziała Liść. — Wiem, że nie wolno ci...

Jej lewa dłoń miotała się niczym podduszona ryba, lecz na razie tylko jedna kończyna dziewczyny wydawała się zainfekowana. Ból za okiem się nie nasilał… ale też nie słabł.

— Kogo to obchodzi! — wykrzyknęła Suzy, odsuwając słuchawkę od ust i przysuwając ją ponownie. — Pędzę do ciebie. Kichol, szybciej!

Rozmowa nagle się urwała, w głośniczku ponownie zabrzmiało jednostajne buczenie. Liść wrzuciła aparat do pudełka, a prawą dłoń zacisnęła na lewej ręce, aby przypadkiem nie zrobić sobie krzywdy. Ręka nie była agresywna, czego dziewczyna się trochę obawiała. Nagle stwierdziła, że równie dziwaczne uczucie powoli narasta także w prawej nodze.

— Prędzej, Suzy — wyszeptała Liść. Miała pewne pojęcie o tym, jak się ratować, lecz najpierw musiała przekazać kieszeń. Pleśń rozrastała się błyskawicznie!

W pewnej chwili drzwi do pokoju Arthura się uchyliły i Liść wstrzymała oddech, bo do środka nie weszła Suzy, tylko nastoletnia dziewczyna. Mogła mieć siedemnaście albo osiemnaście lat. Najmłodsza siostra Arthura, Michaeli.

— Co tu robisz? — spytała Michaeli. — Kim jesteś?

— Koleżanką Arthura! — wyjaśniła Liść, lecz jej usta przestały normalnie funkcjonować. Wargi oraz język nagle częściowo zesztywniały, więc słowa dziewczyny zabrzmiały jak: „Kocheanko Achucha".

— Co takiego? — osłupiała Michaeli. Ściskała w dłoni telefon komórkowy, a jej kciuk dotykał klawisza, zapewne zaprogramowanego na szybkie łączenie z policją.

— Arthura! — wybuchnęła Liść. Starała się mówić wolno, aby Michaeli ją zrozumiała. — Jestem koleżanką Arthura!

— A co tu robisz? — powtórzyła Michaeli. Jak dotąd nie nacisnęła guzika. — I co ci się stało?

— Arthur mnie przysłał — wytłumaczyła Liść. — Mam Szarą Pryszczycę.

Michaeli cofnęła się wstrząśnięta i umknęła przez drzwi z takim pośpiechem, że wpadła na ścianę po drugiej stronie korytarza.

— Nie zarazisz się — zapewniła Liść dziewczynę, lecz jej słowa chyba nie zabrzmiały przekonująco, bo straciła kontrolę nad nogą i upadła na podłogę, gdzie zaczęła się wić, tocząc desperacką walkę z własnym ciałem.

Michaeli wrzasnęła, ale nie z powodu konwulsji Liść. Na korytarzu zmaterializowała się Suzy Turkusowy Błękit. U jej ramion rozpościerały się jasnożółte skrzydła, ich lotki stykały się z sufitem i ścianami. Była uzbrojona w pałkę Metalowego Komisarza, która na pierwszy rzut oka wyglądała jak drewniana maczuga, tyle że pełzały po niej niebieskie iskry.

— Co tu się dzieje?! — wrzasnęła Michaeli. Liść z zadowoleniem zauważyła, że upuściła telefon.

— Jestem koleżanką Arthura — pośpieszyła z wyjaśnieniem Suzy. Złożyła skrzydła i pochyliła się nad Liść, wymachując gwałtownie pałką. — Ej, Liść, mam cię tym stuknąć, żebyś straciła przytomność?

— Jeszcze nie — zazgrzytała zębami Liść. Jej szczęki poruszały się wedle własnego uznania, lecz nie straciła kontroli nad prawą ręką. Sięgnęła do dżinsów, aby wydobyć z nich pudełko z magiczną kieszenią, ale jej nogi bezustannie wierzgały na wszystkie strony. — Dzięki… że przybyłaś… tak szybko.

— Obserwowałam cię przez Siedem Cyferblatów — wyjaśniła Suzy. — Nie przez cały czas, ale zdarzało się, po tym jak te wojskowe bufony mnie odrzuciły. Musiałam zrobić coś użytecznego, nawet gdyby Damula miała coś przeciwko.

Nagle przełożyła pałkę przez pas i ciężkim butem przycisnęła udo Liść, aby powstrzymać drgawki. Pochyliła się i podniosła plastikowe pudełko.

Liść zaczęła się gwałtownie ciskać, aby odzyskać magiczną kieszeń, co potwierdziło najgorsze obawy dziewczyny. Bezskóry Chłopiec widział to, co ona. Zapewne tylko minuty dzieliły ją od całkowitego ubezwłasnowolnienia przez potwora.

— Zabierz… do Domu — poprosiła. — Szybko.

— A co z tobą? — zapytała Suzy.

— Stuknij mnie — wyszeptała Liść. Jej prawa ręka zaczęła pełznąć po podłodze w stronę stopy Suzy. — Powiedz Sylvie w karetce. Niech przyniesie… środek uspokajający…

— Starsza dama w pojeździe ze światłem na dachu? — spytała Suzy, tylko po to, aby odwrócić uwagę Liść. Jednocześnie energicznie wyciągnęła pałkę i stuknęła koleżankę w ramię. Rozległ się ostry trzask i po ciele Liść przepłynęła fala błękitnych iskier, od stóp do głowy i z powrotem. Wszystkie mięśnie dziewczyny gwałtownie się skurczyły, jej oczy uciekły pod powieki.

— Zabiłaś ją! — wrzasnęła Michaeli od progu. Natychmiast wyciągnęła skądś szczotkę i zaczęła nią wywijać z wprawą, która wskazywała na zaliczenie kursu kendo albo znajomość roli w inscenizacji musicalu *Robin Hood*.

— Nie, skąd — zaprzeczyła Suzy, czujnie spoglądając na kij od szczotki. — Ty jesteś siostrą Arthura i masz na imię Michaeli, zgadza się?

— Tak…

— Nazywam się Suzy Turkusowy Błękit. Powiedzmy, że jestem główną asystentką Arthura.

— Jego… czym? Co tu się dzieje?

— Nie ma czasu na wyjaśnienia — oznajmiła Suzy. — Mogłabyś kopsnąć się do… jak wy to mówicie… karetki, na dwór, i powiedzieć starszej pani, że ktoś musi się zająć Liść? Na mnie pora, muszę pędzić.

— Ale…

Michaeli nieznacznie opuściła szczotkę. Suzy uznała to za zachętę i ostrożnie przemknęła obok zdezorientowanej dziewczyny. Mijając ją, lekko machnęła skrzydłami. Kilka piór otarło się o twarz Michaeli, która nerwowo podskoczyła.

— Te skrzydła… one są prawdziwe!

— No a jak — odparła Suzy. — Nigdzie nie znajdziesz lepszych. Mam nadzieję, że do mojego powrotu właściciel nie będzie ich potrzebował. Którędy do Szpitala na Wschodzie?

— Hm, Wschodniego? Mniej więcej tędy — wyjaśniła Michaeli i wskazała kierunek.

— Dziękuję — powiedziała Suzy. — Wasz taras na dachu znajduje się za tymi drzwiami?

Michaeli skinęła głową, nie kryjąc zdumienia.

— Dokąd idziesz? — spytała.

— Wracam do Domu, Pierwszego Tworu Architektki i Epicentrum Wszechświata — wyjaśniła Suzy. — Pod warunkiem że znajdę Drzwi Frontowe, a Bezskóry Chłopiec i jego wysłannicy nie zdołają mnie powstrzymać. Do widzenia!

Michaeli niepewnie pomachała ręką. Suzy złożyła jej ukłon, załopotała skrzydłami i pobiegła schodami na taras na dachu.

Tymczasem Michaeli uważnie przyjrzała się Liść, aby sprawdzić, czy nieprzytomna dziewczyna jeszcze oddycha. Na wszelki wypadek nie zbliżyła się do niej nawet o krok. Potem przeszła do swojego pokoju i wyjrzała przez okno. Na ulicy zobaczyła karetkę pogotowia. Dziewczyna wahała się przez moment, a następnie zbiegła na dół.

Suzy poklepała po łbie ceramicznego warana, który stał w ogrodzie na dachu, wskoczyła mu na grzbiet, odbiła się i pofrunęła w niebo, mocno machając skrzydłami. Dziesięć metrów nad dachem wyczuła prąd wznoszący i szybko poszybowała na wysokość ponad stu metrów.

Skrzydła były wyjątkowo piękne i doskonale sprawdzały się podczas lotu, a na dodatek wyposażono je w kilka ciekawych funkcji. Suzy liczyła na to, że jedna z nich zapewni jej spokojny powrót do Domu. Zdaniem doktora Scamandrosa, który niechętnie pomógł Suzy pożyczyć skrzydła z przebieralni Pierwszej Damy, latanie dzięki nim w magiczny sposób zapewniało użytkownikowi niewidzialność, bo śmiertelnicy nie mogli na niego patrzeć. Skrzydła miały także pewne właściwości ochronne, lecz tak jak w poprzednim wypadku uaktywniały się one wyłącznie podczas lotu. Suzy od razu uznała to rozwiązanie za dosyć kiepskie i nadal podtrzymywała swoją opinię, choć doktor Scamandros wyjaśnił jej, że czarnoksięstwo z samej swej natury nigdy nie zaspokaja wszystkich oczekiwań.

Inna sprawa, że Suzy nie planowała używać skrzydeł do czegokolwiek poza lotem. Pragnęła dotrzeć drogą powietrzną do wizji Domu, która objawiła się ponad szpitalem — dziewczyna wiedziała o tym dzięki Siedmiu Cyferblatom. Następnie zamierzała podlecieć prosto do

Drzwi Frontowych, a w razie konieczności zawisnąć przed nimi w powietrzu i zapukać. Potem pozostałoby jej tylko pomknąć z kieszenią prosto do Pokoju Dziennego Poniedziałka. Tam zadecydowałaby, jak przekazać kieszeń Arthurowi, by mógł ją cisnąć w odpowiednio duży zbiornik Nicości, i dzięki temu pozbyć się zarówno magicznego przedmiotu, jak i Bezskórego Chłopca.

Prosta i przyjemna robota, pomyślała Suzy. Nawet Pierwsza Dama nie będzie mogła narzekać, choć, rzecz jasna, nie odpuści sobie kazania o Pierwotnym Prawie. Do tego Suzy zdążyła się jednak przyzwyczaić. Była to niska cena, jaką przyjdzie jej zapłacić za uratowanie świata Arthura przed Duchożerem.

Suzy pokonała już trzy czwarte drogi do szpitala i wyraźnie widziała przed sobą Dom, kiedy dostrzegła także słabą stronę swojego planu. Zważywszy na całkowity brak zainteresowania ze strony rozmaitych oficjalnie wyglądających śmiertelników, nad którymi przelatywała, skrzydła zapewne faktycznie gwarantowały jej niewidzialność przed spojrzeniami ludzi. Co prawda ta sztuczka nie działała na Niconi, lecz Suzy i doktor Scamandros uznali za bardzo mało prawdopodobne, by Bezskóry Chłopiec dysponował kompletem skrzydeł.

Żadne z nich nie zastanowiło się jednak dostatecznie nad tym, że ktoś musiał przecież stworzyć Bezskórego Chłopca i pomóc mu przeniknąć przez Drzwi Frontowe na Ziemię, łamiąc tym samym rozliczne prawa Domu. Ten, kto stworzył Duchożera, z pewnością nie zawahał się przed powołaniem do istnienia bardziej prymitywnych stworów. Innymi słowy, Bezskóremu mogły pomagać inne Niconie, skierowane tu po to, by Duchożer wypełnił zlecone mu zadanie.

Teraz Suzy je zobaczyła i natychmiast zamachała gwałtownie skrzydłami, aby wzbić się wyżej. Trzy skrzydlate stwory powoli zataczały koła w odległości około pół kilometra od Drzwi Frontowych. W tym momencie zabawiały się z latającą dookoła szpitala machiną śmiertelników, na zmianę pikując tuż przed jej dziobem. Górna część pojazdu obracała się i głośno terkotała. Niewątpliwie główną atrakcją był fakt, że śmiertelny pilot nie widział Niconi i nie miałby pojęcia, co uderzyło w maszynę, gdyby któryś ze stworów źle wymierzył odległość.

Suzy nie potrafiła precyzyjnie określić, z jaką formą Niconi ma do czynienia. Istoty przybrały z grubsza ludzkie kształty, lecz jeden ze stworów miał łeb gryzonia, drugi węża, a morda trzeciego kojarzyła się z częściowo rozgniecionym awokado z oczyma i najeżoną zębami paszczą. Wszystkie wyposażono w prawie normalne kończyny, jeśli nie liczyć różnej liczby palców. Cała trójka nosiła typowe dla Rezydentów wiązane koszule, kamizelki i bryczesy. Suzy sama najchętniej wkładała podobne ubrania. Niconiom brakowało do kompletu wyłącznie kapeluszy. U ramion potworów rozpościerały się eleganckie skrzydła o czerwonych piórach. Z pewnością nie były to tandetne konstrukcje z papieru i charakteryzowały się podobnymi właściwościami jak te, z których korzystała Suzy, choć wszystkie Niconie i tak pozostawały niewidzialne w Poślednich Królestwach.

Stwory były uzbrojone w trójzęby, co mogło wskazywać na to, że niegdyś służyły Utopionej Środzie, lecz Suzy od razu uznała to za próbę zmylenia obserwatorów. Zbyt dużo wiedziała o Środzie, aby dać się nabrać. Przygnębiona, obsesyjnie zaspokajająca głód istota nigdy nie szukałaby wsparcia u Niconi. Te trzy stwory musiały być na usługach jednego z czterech pozostałych Potomnych Dni.

Suzy konsekwentnie się wznosiła, nie spuszczając oka z niebezpiecznych Niconi. Zabawa pochłonęła ich całkowicie, lecz w każdej chwili mogli sobie przypomnieć o obowiązkach i rozejrzeć się na wszystkie strony.

Dziewczynie przeszło przez myśl, że komisarska pałka nie na wiele się zda w wypadku potyczki w przestworzach. Z takiej odległości Suzy słabo widziała, ale trójzęby z pewnością były zaczarowane, bo albo jaśniały na czerwono, niczym rozgrzane w ogniu, albo emitowały wyładowania elektryczne. Jeśli miała strasznego pecha, broń wystrzeliwała pociski z Nicością.

Nie poradzę sobie z trzema uzbrojonymi Niconiami, pomyślała Suzy.

Zerknęła z góry na Dom, wypatrując innych Niconi albo dodatkowych przeszkód w pobliżu Drzwi Frontowych. Z takiej wysokości trudno jednak było cokolwiek dostrzec. Znajdowała się teraz co najmniej tysiąc metrów ponad Domem i widziała głębokie cienie, rzucane przez liczne, osobliwe gzymsy, podpory, występy, karby, markizy i dobudówki.

Jej jedyną szansą było gwałtowne zanurkowanie i wyhamowanie w ostatniej chwili, tuż przed Drzwiami. Zadecydowała, że jeśli wybierze dogodny moment, będzie działała szybko i nie skręci karku, to być może wejdzie do środka, zanim Nicone zdążą ją dopaść.

Suzy wepchnęła cenny pojemnik z oddartą kieszenią Arthura głębiej do kieszonki na zegarek w trzeciej, najbliższej ciału kamizelce i starannie zapięła pozostałe dwie zewnętrzne kamizelki, a na koniec palto, pod samą szyję.

Niconie nadal bawiły się z terkoczącą machiną powietrzną. Suzy przez moment unosiła się, przyciskając brodę do piersi, aż wreszcie nabrała pewności, że droga na dół jest całkowicie wolna.

— Raz kozie śmierć — mruknęła pod nosem. Złączyła dłonie nad głową w klasycznym geście nurka i rzuciła się naprzód, do dołu, z nieruchomymi skrzydłami.

Przez moment rozpostarte skrzydła utrzymywały ją w dotychczasowej pozycji, choć jej ciało ułożyło się niemal pionowo względem ziemi. Następnie złożyła skrzydła i poczuła się tak, jakby była meteorytem, pikującym z nieba w dół.

ROZDZIAŁ OSIEMNASTY

Tego samego wieczoru Arthur otrzymał przyśpieszoną, intensywną lekcję nibykonnej jazdy. Podobnie jak Fred, ogromnie się zdumiał, gdy sierżant Trzon uścisnął im dłonie i wypowiedział kilka miłych słów. Potem jednak porucznik rozkazał im szybko opuścić stołówkę i pomaszerować do Kancelarii, gdzie pułkownik Huwiti poinformował ich, że otrzymali awans za zasługi na polu bitwy i opuszczają Fort Przemiana. Następnie pogratulował im przeniesienia do Kwatery Głównej i otrzymania rangi szeregowych Regimentu. On również uścisnął im prawice. W odpowiedzi zasalutowali, wykonali najsprawniejszy zwrot w tył, na jaki potrafili się zdobyć, i pomaszerowali do Magazynu Kwatermistrzostwa, aby zdać całe wyposażenie poborowych pozostawione przez nich w koszarach oraz zwrócić sprzęt Legionistów. Wydano im jeździeckie zbroje polowe Hordy oraz stosowny sprzęt i kazano przebrać się na miejscu.

Po wyjściu z Magazynu Kwatermistrzostwa pokuśtykali za porucznikiem, ubrani w kolczugi do kolan i sztywne, skórzane buciory. Starali się nie jęczeć pod ciężarem zdobionych skrzydełkami hełmów, nieporęcznych siodeł, wypchanych juków i zakrzywionych mieczów, które w Hordzie nazywano piorunującymi talwarami.

Lekcja jazdy nibykonnej odbyła się w Garnizonowej Stajni, a przeprowadził ją podoficer Hordy, którego dotąd nigdy nie spotkali: sierżant polowy Terzok. Był on znacznie węższy w ramionach niż większość innych sierżantów, lecz miał niesamowite wąsiska, które Arthur od razu uznał za sztuczne. Z bliska wyglądały jak uplecione z drutu i sterczały do przodu pod kątem prostym w stosunku do nosa. Bez wątpienia żaden naturalny zarost nad górną wargą nie byłby w stanie tak sterczeć.

Chłopcy niemal odetchnęli z ulgą, gdy sierżant polowy zamiast okazywać im dziwną i nieuzasadnioną sympatię, natychmiast na nich nawrzeszczał. Potem bez zbędnych ceregieli przystąpił do wyliczania długiej listy wiadomości na temat Nibykoni oraz jazdy na nich. Co minutę przerywał przemowę, aby przepytać słuchaczy z tego, co przed chwilą wyłuszczył.

Arthur był zmęczony, lecz zarazem podbudowany świadomością, że przetrwał bitwę, choć jeszcze nie miał okazji dobrze się zastanowić nad tym, czego doświadczył. Z ulgą myślał także o perspektywie przeniesienia do Kwatery Głównej. I tak na początku lekcja jazdy nibykonnej okazała się całkiem znośna.

W trzeciej godzinie nauki, gdy nadeszła pora przejścia do stajni Nibykoni, uczucie ulgi niemal zupełnie opuściło Arthura. W końcu popełnił fatalny błąd — ziewnął akurat w chwili, gdy sierżant polowy Terzok prezentował im szczególnie istotne elementy Nibykonia, który spokojnie stał w swoim boksie i sennie spoglądał lśniącymi, rubinowymi oczyma.

— Czyżbym cię nudził, szeregowy Zielony?! — ryknął Terzok. — Brakuje ci mocniejszych wrażeń, co? Od razu chciałbyś wskoczyć Nibykoniowi na grzbiet?

— Nie, panie sierżancie! — krzyknął Arthur, który nagle poczuł się rześki i wypoczęty.

— Nie, panie sierżancie polowy! — odkrzyknął Terzok. Wąsami jak szczotka druciana niemal podrapał Arthurowi nos. — Będziesz dosiadał Nibykonia jak żołnierz Hordy, a nie byle szeregowiec, a ja jestem sierżantem polowym, nie jakimś tam rozlazłym pierwszym lepszym sierżantem. Zrozumiano?

— Tak jest, panie sierżancie polowy! — wrzasnęli Arthur i Fred, który doszedł do wniosku, że najlepiej będzie zawtórować.

— Gdybyśmy mieli tutaj jeszcze kilka Nibykoni, mógłbym wysłać pościg za tymi Niconiami — ciągnął Terzok. — Wówczas żaden nie uszedłby z życiem. Tak. Powtórzę podstawowe zasady po raz piąty i ostatni. Ten tutaj to Mowlder, najstarszy Nibykoń w garnizonie. Powstał ponad cztery tysiące lat temu, i nadal nie brakuje mu siły. Tak wygląda typowy Nibykoń, z trzema palcami u każdej nogi, w przeciwieństwie do widywanego niekiedy wariantu czteropalczastego. Wszystkie palce zostały przystosowane do celów bojowych poprzez zainstalowanie w nich dziesięciocentymetrowych, stalowych pazurów, co zresztą widać. Skórę Nibykonia zrobiono z elastycznego metalu, choć w gruncie rzeczy stworzenie to jest Niemalstworem, opartym na pierwotnym projekcie Architektki. Pod skórą, pełniącą funkcję bardzo przydatnego pancerza, znajduje się żywe ciało. Podobnie jak my, Rezydenci, Nibykoń jest niebywale wytrzymały, a jego rany błyskawicznie się zasklepiają. Nibykonie są inteligentne i trzeba je należycie traktować. Dotąd wszystko jasne?

— Tak jest, panie sierżancie polowy!

— Bardzo dobrze. Teraz zademonstruję wam prawidłowy sposób podchodzenia do Nibykonia w celu założenia mu wędzidła i uzdy. Patrzcie uważnie.

Arthur patrzył uważnie, jak Terzok demonstruje zakładanie uprzęży na Nibykonia. Rzecz wyglądała prosto, pod warunkiem że Nibykoń raczył współpracować. Gdy Arthur samodzielnie wziął się do roboty, wszystko się skomplikowało. Usadowienie się w siodle i jazda wierzchem również okazały się trudniejsze, niż chłopiec początkowo przewidywał.

Sześć godzin po rozpoczęciu lekcji, w ciemnościach i chłodzie przedświtu, Terzok oznajmił, że Arthur i Fred zostali najlepiej przygotowani, jak to możliwe w tak krótkim czasie. Innymi słowy, to nie była prawda, niemniej miał nadzieję, że obaj zdążą jeszcze nabrać doświadczenia. Zanim wyszli, sierżant ponownie coś szepnął do ucha obu Nibykoniom, które przekazano im jako środek transportu.

O tej porze Arthur był tak wyczerpany, że nie protestowałby, nawet gdyby przerzucono go przez siodło niczym zwinięty koc. Chciał tylko odpocząć i nie słyszeć — ani nie oglądać — sierżanta polowego Terzoka. W szczególności irytowały go wąsy przełożonego. Dotąd sądził, że jest przyzwyczajony do stanu wyczerpania i coraz skuteczniej przeciwstawia się falowaniu przed oczyma oraz zaburzeniom koordynacji. Nawet bliskość sierżanta nie mogła go jednak powstrzymać od kołysania się na nogach.

Tymczasem nie wolno mu było zasnąć. Inny nieznany porucznik, dla odmiany cały i zdrowy, odziany w zbroję Hordy, przybył na zakończenie szkolenia i obwieścił, że zaprowadzi ich do Kwatery Głównej.

— Porucznik polowy Jarrow — przedstawił się. — Skierowany z Hordy do Fortu Przemiana. Za kwadrans wyruszamy, muszę tylko przeprowadzić inspekcję waszego uzbrojenia, wyposażenia, uprzęży i wierzchowców. Który z was to Złoty, a który Zielony?

— Szeregowiec... polowy Złoty — odezwał się Fred.

Arthur wymamrotał coś, co od biedy można było uznać za słowo „Zielony". Jarrow zmarszczył czoło i zbliżył się do chłopca.

— Zielony, wiem że masz szczególne zalecenia medyczne — powiedział. — Niestety, twoje akta zaginęły. Jesteś zdolny do podróży?

— Padam z nóg, panie poruczniku polowy — wyznał Arthur. — Jestem bardzo zmęczony.

Był tak skonany, że nie miał pewności, czy w ogóle udzielił jakiejś odpowiedzi na pytanie przełożonego. Nie do końca zdawał sobie sprawę, gdzie jest i co robi. Jeśli jednak miał dokądkolwiek iść, to uznał, że z pewnością do szkoły. Do szkoły, z Liść i Edem.

Arthur pokręcił głową. Co to była za szkoła, która nagle stanęła mu przed zamkniętymi oczyma? Kim byli Liść i Ed i dlaczego patrzyli na niego z góry, a za nimi rozpościerało się błękitne niebo?

— Panie sierżancie polowy, czy ci dwaj zostali poinstruowani, jak wygląda stosowana przez Hordę metoda transportowania rannych? — zainteresował się Jarrow.

— Nie, panie poruczniku polowy! — odparł Terzok energicznie i popatrzył na Arthura. — Czy mam go umieścić w kołysce?

— Tak jest — potwierdził Jarrow.

Do podróży przygotowano dwa Nibykonie, które cierpliwie czekały przed bramą stajni, z której Terzok przyniósł coś, co wyglądało jak wielka, płócienna torba ze skórzanymi pasami oraz stalowymi sprzączkami. Sierżant rozwiesił przedmiot między dwoma Nibykońmi. Nieustannie mamrocząc do nich jakieś słowa, przypiął jeden skraj worka do siodła Nibykonia z lewej, a drugi zamocował przy siodle wierzchowca środkowego. Rozpięte płótno stworzyło coś w rodzaju hamaka między rumakami.

— Oto kołyska dwunibykonna — wyjaśnił Terzok. — Nibykonie doskonale potrafią poruszać się noga w nogę, czego nie da się powiedzieć o innych wierzchowcach. Taką kołyskę można stosować wyłącznie na wyraźny rozkaz, gdyż rozpięte płótno uniemożliwia rumakom cwałowanie.

Arthur wpatrywał się w kolebkę pomiędzy Nibykońmi. Z powodu skrajnego zmęczenia dopiero po kilku sekundach pojął, że instalacja jest przeznaczona dla niego.

— Jak się tam wsiada? — spytał Fred.

— Jeśli jesteś dostatecznie sprawny, aby tam wsiąść, to powinieneś jechać w siodle — odparł Terzok. — Jeżeli nie...

Wziął Arthura pod pachę, podszedł od przodu do Nibykoni i wepchnął go w otwór worka, wraz ze zbroją, bronią i wszystkim.

— Jeśli transportowany żołnierz jest ciężko ranny, należy w tym miejscu zawiązać rzemienie — wyjaśnił Terzok.

— Ale ja wcale nie chcę... — zaczął Arthur.

— Cisza! — rozkazał Terzok. — Otrzymałeś rozkaz podróżowania w worku! Teraz śpij!

Arthur zamknął usta i obrócił się, aby rękojeść piorunującego talwara nie wbijała mu się tak mocno w biodro.

Potem sięgnął ręką do dolnej krawędzi kolczugi, żeby wyprostować jej podwinięty rąbek, który uciskał mu uda.

Następnie posłusznie wykonał rozkaz sierżanta: zamknął oczy i zasnął.

Z początku sen był płytki. Przez przymknięte powieki Arthur dostrzegał ruch wokół siebie. To porucznik polowy Jarrow sprawdzał uprząż Nibykoni. Worek zakołysał się w górę i w dół, a stalowe pazury rumaków wykrzesały iskry na kamieniach przed stajnią, by po chwili głucho załomotać o pylistą, gołą ziemię. Prowizoryczny hamak zatrząsł się jeszcze mocniej, kiedy ruszyli kłusem, a potem się zakołysał, gdy oba Nibykonie zmieniły tempo i pobiegły idealnie zgranym galopem. Gnały w jednostajnym rytmie, kołysząc Arthura do głębszego snu. Chłopiec zaczął śnić.

Stał w przestronnym, zdobionym marmurami pomieszczeniu, w którym ze wszystkich stron otaczali go niewiarygodnie wysocy Rezydenci. Każdy z nich liczył najmarniej cztery metry wzrostu, a między nimi piętrzyły się sterty broni oraz zbroi ze zwłokami Niconi. Choć Rezydenci byli naprawdę ogromni, Arthur przewyższał ich i spoglądał na nich wyniośle z góry. Patrzył na pierścień na palcu: zapętlony krokodyl z wolna zmieniał się ze srebra w złoto. Wysocy Rezydenci owacjami powitali zmianę, jaka zaszła w wyglądzie Arthura — urósł jeszcze bardziej. Nagle zorientował się, że nie jest już w marmurowej sali, bo stał się olbrzymem, i góruje nad zielonym polem. Jakiś głos w głowie podpowiedział mu, że to szkolne boisko. U jego stóp biegały dzieci, ścigane przez stwory o psich obliczach. Skojarzył, że te istoty to Aporterzy. W pewnej chwili sam przybrał rozmiary dziecka, a Aporterzy stali się dwa razy wyżsi od niego. Zaczęli go szczypać, łapać. Jeden z nich oderwał mu kieszeń ze szkolnej koszuli i zabrał książkę, która znajdowała się w środku.

— Mam cię! — wycharczał okropny, szorstki głos.

Arthur obudził się z przenikliwym krzykiem, czując na sobie dotyk czegoś skórzastego i potwornego. Jakiś ohydny stwór zabrał *Kompletny Atlas Domu*!

Otóż to. *Kompletny Atlas Domu*. Miałem *Kompletny Atlas Domu*. Nazywam się Arthur Penhaligon. Jestem Prawowitym Dziedzicem — Arthur usiłował pochwycić tę myśl, lecz mu umknęła.

Dał za wygraną, otworzył oczy i powiódł wzrokiem dookoła. Nadal znajdował się w kołysce dwunibykonnej, lecz oba rumaki stały nieruchomo. Słońce wschodziło, wąski pasek różowej tarczy wychylał się zza skąpanych w czerwonej ochrze wzgórz na wschodzie. Tu i ówdzie rosły niskie drzewa o bladych pniach i żółtych, trójkątnych liściach, zbyt rzadko, aby nazwać je lasem.

Fred stał przed Arthurem, masował sobie uda po wewnętrznej stronie i mamrotał coś na temat niegodziwości Nibykoni. Porucznik polowy Jarrow siedział nieopodal na kamieniu i zaglądał do *Efemerydy*.

Panowała niemal idealna cisza, zakłócana wyłącznie przez chrapliwy oddech Nibykoni oraz przypadkowe stuknięcia ich palców o kamienie, gdy stworzenia przestępowały z nogi na nogę.

— Co się dzieje? — spytał Arthur sennie. Wypchnął ręce przez otwór worka i częściowo się z niego wysunął. Z pewnością gruchnąłby na ziemię, gdyby Fred nie chwycił go w porę i nie pomógł mu odzyskać równowagi. Po chwili jednak i tak obaj upadli, nie mogąc się utrzymać na nogach.

— Co się dzieje? — spytał Fred ze złością. — Tobie udało się kimać przez całą drogę, choć pokonaliśmy aż sześć segmentów, a ja musiałem ścierać sobie skórę z ud i obijać kość ogonową. Oto co się dzieje.

— To się już zdarzyło — zauważył Arthur z uśmiechem. — A ja pytam, co się teraz dzieje?

— Zatrzymaliśmy się na odpoczynek — wyjaśnił Fred i ruchem głowy wskazał porucznika polowego. — Tylko tyle wiem.

Jarrow zamknął *Efemerydę* i podszedł do chłopców, którzy zerwali się na równe nogi, stanęli na baczność i zasalutowali.

— Nie ma potrzeby, jesteśmy w terenie — oświadczył Jarrow. — Zielony, jesteś w pełni wypoczęty?

— Tak jest, panie poruczniku polowy.

— To dobrze — podkreślił Jarrow. — Przed nami jeszcze szmat drogi i istnieje poważne niebezpieczeństwo, że napotkamy oddziały Neoniconi.

— Neoniconi, panie poruczniku polowy?

— Tak ich teraz nazywamy — westchnął Jarrow. — Postaramy się ich unikać, w miarę możliwości. Wystarczy, że będziecie się trzymali blisko mnie i nie zejdziecie z rumaków. Wówczas ich prześcigniemy. Nie dysponują oddziałami kawalerii. — Zastanowił się przez chwilę i dodał: — A przynajmniej dotąd ich nie widzieliśmy. Są pytania?

— Co mamy robić, jeśli będziemy musieli się rozdzielić, panie poruczniku polowy? — zaniepokoił się Arthur.

— W takiej sytuacji zdajcie się na instynkt Nibykoni — odparł Jarrow. — One znajdą najbliższy sojuszniczy oddział. Dla waszej wiadomości: dzisiaj kierujemy się do segmentu dwieście sześćdziesiąt osiem przez czterysta pięćdziesiąt siedem. Zgodnie ze schematem, o zmierzchu przemieści się na pozycję odległą zaledwie o szesnaście kilometrów od Cytadeli. Aktualnie przebywamy w kwadracie dwieście sześćdziesiąt pięć przez czterysta pięćdziesiąt dziewięć. Podążamy pięć kilometrów na wschód i cztery na południe. Segmenty na wschodzie są pokryte nagimi wzgórzami, trawiastym stepem oraz dżunglą z prześwitami. Na południe od dżungli znajdziemy ruiny miasta, potem jezioro i trzęsawisko. Do tego segmentu próbujemy dotrzeć. W dżungli, w ruinach miasta i na trzęsawisku musimy zachować wzmożoną czujność. Wszędzie tam łatwo dać się zaskoczyć i trudno odjechać. Odpoczniemy jeszcze przez pół godziny i ruszamy w dalszą drogę. Ja zostanę na straży, na tamtym wzniesieniu. Pozostawicie uprząż na wierzchowcach, ale jednak musicie ją przetrzeć. Nie chcemy, aby zardzewiała.

Arthur i Fred posłusznie sięgnęli po druciane szczotki, ścierki, butelki z rozpuszczalnikiem, ukryte w jukach, po czym zabrali się do pracy przy polerowaniu stawów kolanowych oraz innych miejsc, szczególnie narażonych na korodowanie. Nibykonie parskały i cicho rżały, zadowolone z poświęcanej im uwagi. Arthur nagle poczuł do nich sympatię. Na polu, kiedy promienie słońca rozjaśniały ich czerwone oczy, stworzenia wydawały się zupełnie inne niż w ciemnej stajni, gdzie przypominały zimne bestie o rubinowym spojrzeniu.

— Ciekawe, czego od nas chcą w Kwaterze Głównej — zadumał się Fred. — Porucznik polowy Jarrow wspomniał coś o rozkazie, osobiście wydanym przez Księcia Czwartka.

— Zapewne odkrył, że jestem tutaj jako dziecko Szczurołapa — zauważył Arthur machinalnie.

— Co takiego? — Fred wyjrzał spod brzucha Nibykonia i uważnie popatrzył na druha.

— Zapewne odkrył, że jestem tutaj jako dziecko Szczurołapa — powtórzył Arthur powoli. Jego słowa brzmiały rozsądnie, choć nie wiedział, co oznaczają. Nie potrafił sobie przypomnieć...

Zanim zdołał się głębiej zastanowić, po łagodnym zboczu pośpiesznie zsunął się Jarrow.

— Do Nibykoni! — zawołał, zasłaniając usta dłońmi, aby stłumić głos. — Neoniconie!

ROZDZIAŁ DZIEWIĘTNASTY

Przy prędkości sięgającej dwustu dziewięćdziesięciu kilometrów na godzinę Suzy znalazła się w końcu zaledwie trzysta metrów od drzwi, od których dzieliły ją cztery sekundy lotu. W tej chwili dostrzegł ją jeden z Niconi. Stwór pisnął i zaskoczył towarzysza, dla którego zabawa w kotka i myszkę z helikopterem zakończyła się zderzeniem. Niewidzialny dla pilota Nicoń wbił się w osłonę kabiny i całkowicie zdemolował jej wnętrze, miotając się i usiłując uciec. W trakcie zamieszania przypadkowo zabił obu pilotów. Śmigłowiec bojowy stanął na ogonie, znieruchomiał na krótką chwilę i runął na parking. Maszyna eksplodowała, a jej płonące szczątki obsypały wejście do szpitala, stojących w pobliżu żołnierzy i agentów FBA.

Na wysokości ponad dwustu pięćdziesięciu metrów Suzy rozpostarła skrzydła. Wstrząs, towarzyszący gwałtownemu hamowaniu, na chwilę pozbawił ją świadomości. Skrzydła okazały się na tyle skuteczne, że wystarczyła im sekunda, aby dziewczyna znieruchomiała. Obaj Niconie w szaleńczym tempie rzucili się ku niej, najszybciej jak potrafili.

Suzy ponownie zanurkowała prosto na Niconi, zupełnie jakby zamierzała przypuścić atak. Zatrzymali się, aby odeprzeć natarcie. Unieśli trójzęby, lecz w ostatnim momencie Suzy opuściła jedno skrzydło, prześliznęła się bokiem, przez cały czas opadając, i wylądowała na jednej nodze na szpitalnym dachu. Drzwi Frontowe znajdowały się przed nią, lecz nie miała czasu, by zapukać. Niconie nurkowali tuż za nią.

Pochyliła się ku Drzwiom, zamknęła oczy... i przeniknęła przez nie na drugą stronę.

Spodziewając się uderzenia, Suzy osłoniła głowę rękoma. Przez kilka sekund nic się jednak nie działo, więc ostrożnie otworzyła oczy i opuściła dłonie.

Unosiła się, a może opadała, w całkowitych ciemnościach. Nie machała skrzydłami, lecz czuła, że się porusza. Było ciemno choć oko wykol, nie widziała nawet Drzwi Frontowych, gdy nerwowo wykręciła głowę, by spojrzeć, którędy się tu dostała.

— Oho, ho — szepnęła. Wcześniej nie korzystała z Drzwi Frontowych i sądziła, że po prostu wyjdzie na drugą stronę Wzgórza Uchylonych Wrót. Najwyraźniej nie było to takie proste.

Przez chwilę rozważała swoją sytuację, a potem szepnęła:

— Skrzydła, dajcie światło.

Odetchnęła z ulgą, słysząc swój głos i po chwili widząc, jak skrzydła zaczęły powoli roztaczać poświatę. Pióra pojaśniały perłowo, oświetlając całą postać Suzy.

Mimo to nadal nie była w stanie dostrzec nic wokoło. Popatrzyła w górę, w dół, rozejrzała się... Miała nadzieję, że ujrzy jakiś znak, iż w tej dziwnej pustce jest jeszcze coś... choćby inne miejsce.

Nie mogąc skorzystać ze zmysłu wzroku, Suzy na próbę zamachała skrzydłami. Ponownie odniosła wrażenie, że się porusza, lecz nie była w stanie określić swojego położenia, dlatego zastanawiała się, czy wokół niej cokolwiek się dzieje. Doszła do wniosku, że wylądowała jak mucha złapana na lep: trzepotała skrzydłami i nic z tego nie wynikało.

Wzruszyła ramionami, na chybił trafił wybrała kierunek i mocniej zamachała skrzydłami. Dużo później, może po kilku godzinach, zaczęła się zastanawiać, czy kompletnie się zgubiła gdzieś wewnątrz Drzwi Frontowych lub na obszarze pomiędzy Domem a Drzwiami, który nie był Nicością, lecz trudno go było uznać za coś więcej.

Znieruchomiała. Wrażenie ruchu pozostało, więc Suzy zastanowiła się, co robić dalej. Samo trzepotanie nie wystarczało, więc musiała wymyślić coś innego.

— Ej! — zawołała. W panującej ciszy jej głos zabrzmiał wyjątkowo donośnie. — Strażniku Poruczniku! Zgubiłam się w twoich głupich Drzwiach! Przybądź tu i mi pomóż!

Nikt jej nie odpowiedział. Dziewczyna skrzyżowała nogi i wyciągnęła z kapelusza żółty ser, musztardę oraz kanapkę z rukwią. Podobnie jak kapelusz, kanapka była nieco wymięta, lecz Suzy zjadła ją z apetytem. Jako Napełniaczka Kałamarzy właściwie nie miała żadnego dostępu do żywności. Odkąd została Poniedziałkową Przedpołudnicą i zyskała możliwość zaopatrywania się w spiżarniach Pokoju Dziennego, na nowo odkryła rozkosze podniebienia, choć żywność nie była jej potrzebna do życia.

— Panno Turkusowy Błękit?

Suzy drgnęła i zgubiła skórkę od chleba. Obróciła się gwałtownie i ujrzała wysokiego, niesłychanie przystojnego Rezydenta w gołębioszarym fraku z wysokim kołnierzem. Czarne spodnie przybysza miały ostre jak brzytwa kanty, a eleganckie buty z cholewami były wypolerowane na wysoki połysk. Cylinder nieznajomego tak lśnił, że światło skrzydeł Suzy odbijało się w nim niczym w zwierciadle. W osłoniętej rękawiczką z koźlej skóry dłoni ściskał laskę o srebrnej rączce. Jego skrzydła, złożone za plecami, wykonano z kutego srebra.

— Kim jesteś? — spytała podejrzliwie Suzy.

— To nieistotne — odparł Rezydent miłym głosem. Dziewczyna zauważyła, że jego język jest jeszcze bardziej srebrzysty niż skrzydła. — Muszę cię niestety zobowiązać do przekazania mi skarbu naszego Duchożera. Przecież nie możemy dopuścić, by ktoś przerywał mu pracę, sama przyznasz.

— Waszego Duchożera? — Suzy rozejrzała się nerwowo, licząc na to, że zobaczy, skąd przybył Rezydent albo dostrzeże inną ewentualną drogę ucieczki.

— Naszego — przytaknął Rezydent. Jego głos był niesłychanie melodyjny i przyjemny dla ucha. — No już. Przekaż mi kieszeń, a ja ci wyjaśnię, w jaki sposób zdołasz opuścić Drzwi.

Suzy zamrugała oczyma i mimowolnie sięgnęła dłonią pod kamizelki.

— Nie oddam ci jej! — warknęła przez zaciśnięte zęby.

— Ależ przeciwnie — zapewnił ją Rezydent. Ziewnął i poklepał usta lewą dłonią w rękawiczce. — Pośpiesz się.

— Nie oddam! — upierała się, lecz ku własnemu przerażeniu zobaczyła, że jednak wyciąga pojemnik ze skrawkiem cennego materiału.

— Doskonale — pochwalił ją Rezydent. Wyciągnął rękę po pudełko, w które Suzy wbijała wzrok, usiłując się odsunąć.

Gdy palce przybysza miały się już zacisnąć na przedmiocie, jego skrzydła nagle wystrzeliły w powietrze, a on sam odwrócił się do tyłu i wzbił się, prychając ze złością. Suzy poleciała również do tyłu i wywinęła podwójnego kozła w powietrzu. Dopiero po chwili jej skrzydła się rozpostarły i ustabilizowały tor lotu.

Wysoko w górze toczył się zajadły pojedynek srebrnoskrzydłego Rezydenta z elektroblękitnoskrzydłym Rezydentem, w którym Suzy nie od razu rozpoznała Strażnika Porucznika Drzwi Frontowych. Jego niebieski, płomienny miecz starł się z połyskującym, srebrnym mieczem, ukrytym w lasce Rezydenta. Przeciwnicy opadali, obracali się i nurkowali, wymieniając uderzenia, a także z niespotykaną szybkością parowali ciosy i robili uniki.

Suzy z otwartymi ustami obserwowała pojedynek. Walczący korzystali ze wszystkich dostępnych im środków: używali do walki skrzydeł, poruszali się z nadzwyczajną sprawnością, blokując ciosy mieczami, tnąc końcami głowni i wyprowadzając tak silne uderzenia, że przy trafieniu przeciwnika posyłali go koziołkującego w przestrzeń. Czasami zawisali do góry nogami, kiedy indziej przyjmowali pozycje pionowe, aż w końcu dziewczynie zakręciło się w głowie od prób zorientowania się w sytuacji. Wreszcie dała za wygraną i tylko patrzyła.

Obaj walczyli bardzo szybko i wyjątkowo groźnie. Wielokrotnie jeden lub drugi w ostatniej chwili parował cios, odsuwał się na bok lub do tyłu, gdy pchnięcie już miało sięgnąć celu. Stal uderzała o stal tak szybko, że słychać było bezustanny brzęk, jakby ktoś rzucał na ziemię monety. Suzy, która uczyła się fechtunku u Poniedziałkowego Południka, czuła, jak jej brwi na przemian unoszą się i marszczą, tak bardzo zdumiewały ją kunsztowne popisy w walce na miecze, wspomagane sprawną pracą skrzydeł. Takich układów nie znalazła w żadnym podręczniku, pożyczonym od Południka.

Poza oglądaniem pojedynku Suzy niewiele mogła uczynić. Schowała pojemnik z kieszenią do kamizelki i starała się nie wchodzić walczącym w drogę. Rozważała możliwość interweniowania, lecz obaj fechtmistrze poruszali się zbyt szybko i byli tak skoncentrowani na szermierce, że zdaniem dziewczyny jakakolwiek próba pomocy tylko zaszkodziłaby Strażnikowi Porucznikowi.

Potem, gdy Strażnik Porucznik przeszedł do defensywy i zaczął wycofywać się w górę, Suzy przeszło przez myśl, że powinna uciekać. Nadal jednak nie widziała żadnego miejsca, w którym mogłaby się schronić. Dlatego podążała za walczącymi, energicznie machając skrzydłami, aby dotrzymać im kroku.

Strażnik Porucznik nagle przestał się cofać i ruszył naprzód. Drugi Rezydent usiłował uprzedzić cios przeciwnika, lecz chybił i obaj starli się z bliska, blokując sobie nawzajem miecze. Strażnik Porucznik był szczuplejszy i niższy, lecz jego skrzydła najwyraźniej okazały się mocniejsze, bo odepchnął rywala na odległość prawie dziesięciu metrów. Jednocześnie krzyknął jakieś słowo, którego Suzy nie zrozumiała, lecz wyczuła je każdą kością, niczym dreszcz malaryczny.

W jednej chwili, bezpośrednio za srebrnoskrzydłym Rezydentem pojawiło się świetlne koło. Z pewnością wyczuł jego obecność, bo ze zdwojoną energią zamachał skrzydłami, aby pozostać na miejscu, lecz Strażnik Porucznik okazał się za silny.

— To nie koniec!... — krzyknął Rezydent, wpadając tyłem w jasny krąg. Suzy zorientowała się, że to droga na zewnątrz. Po drugiej stronie znajdował się kapiący od złota pokój oraz stojak na parasole, wykonany z bulwy skłąbi słoniowej. Gdy Rezydent tam trafił, koło się zamknęło. Wokoło ponownie roztaczała się idealna pustka.

— A niech mnie — westchnęła Suzy. — Co to był za jeden?

— Zmierzchnik Dostojnej Soboty — objaśnił Strażnik Porucznik. — Z dawien dawna jesteśmy rywalami. Nie wszystkie Dni ani nie wszyscy ich słudzy przestrzegają umowy, dotyczącej Drzwi. Poddani Soboty są najgorsi.

Strażnik Porucznik przeczesał palcami długie, siwe włosy i otarł twarz rękawem niebieskiego płaszcza. Nadal sprawiał wrażenie przejętego. Jego kalosze ociekały wodą, na prawym rękawie widniały ślady zaschniętej, niebieskiej krwi.

— Bez wątpienia wkrótce powróci, może z innymi — ciągnął. — Zamknąłem wiele drzwi do Domu, lecz moje starania nie zdadzą się na nic, jeśli Sobota rozkaże ponownie je otworzyć, a Niedziela nie przytaknie ani nie zaprotestuje. Suzy, dokąd chciałabyś się udać?

— Do Niższego Do… — zaczęła Suzy, lecz urwała. — Czy mogę się dostać do dowolnego miejsca w Domu? — spytała.

— Drzwi Frontowe otwierają się we wszystkich częściach Domu, przybierając rozmaite formy — poinformował ją Strażnik Porucznik. — Nie wszystkie z tych drzwi są bezpieczne. Niektóre są zablokowane, inne zamknięte na klucz, jeszcze inne się zagubiły i nawet ja nie potrafię ich odnaleźć. Mogę jednak wskazać ci te do każdego królestwa, z pewnymi ograniczeniami.

— Czy wiesz, gdzie teraz przebywa Arthur? — spytała Suzy. Planowała zanieść kieszeń z powrotem do Pokoju Dziennego Poniedziałka, lecz lepiej byłoby przekazać ją bezpośrednio Arthurowi, aby zniszczył ją bez zbędnej zwłoki.

— Nie wiem — odparł Strażnik Porucznik. — Śmiało, podejmij decyzję, dokąd chcesz się udać. Zawsze ciąży na mnie mnóstwo obowiązków i nie mogę zwlekać z ich wykonaniem.

— Chcę się znaleźć w Wielkim Labiryncie — postanowiła Suzy.

— Jedyne drzwi, które mogę otworzyć, prowadzą do Cytadeli, gdzie rezyduje Książę Czwartek. Czy na pewno chcesz trafić właśnie tam?

— Jasne — potwierdziła Suzy.

— W Labiryncie bardzo źle się dzieje — mruknął Strażnik Porucznik. Bladobłękitnymi oczyma spojrzał prosto na Suzy. — Niewykluczone, że wkrótce wszystkie drzwi do niego będą zamknięte. Podobnie jak windy.

— Dlaczego?

— Ponieważ armia Niconi jest bardzo bliska podboju tamtego rejonu. Jeśli uda się jej pokonać siły Księcia Czwartka, wówczas Wielki Labirynt zostanie w całości odcięty od świata, aby chronić resztę Domu. Dlatego ponawiam pytanie: czy na pewno chcesz się znaleźć właśnie tam?

— Muszę coś dostarczyć Arthurowi — Suzy poklepała pojemnik pod kamizelkami. — Nie ma wyjścia, muszę tam się dostać. Poza tym, chyba jednak nie będzie tak źle. Przecież Niconie nie potrafią się ze sobą dogadać, prawda?

— Te potrafią — westchnął Strażnik Porucznik. — Skoro nalegasz, oto masz przed sobą drzwi do Wielkiego Labiryntu oraz Cytadeli Księcia Czwartka.

Zamachnął się mieczem i znowu wypowiedział słowo, od którego Suzy zatrzepotało w brzuchu i zadzwoniło w uszach. W przestrzeni zawisł świetlisty okrąg. Widać było przez niego drewniany chodnik wzdłuż kamiennego muru. Po chodniku maszerował Rezydent w szkarłatnym mundurze, odwrócony plecami do dziewczyny, z muszkietem na ramieniu.

— Dzięki! — zawołała Suzy. Zatrzepotała, zamierzając dać nura w otwór, kiedy nagle poczuła, że pióra ją zatrzymują.

— W Wielkim Labiryncie nie używa się skrzydeł — wyjaśnił jej Strażnik Porucznik. — Za bardzo przyciągają błyskawice. To ma coś wspólnego z przesuwaniem segmentów. — Skrzydła oderwały się od Suzy i opadły w jego dłonie.

— Ale ja muszę je zwró…

Zanim Suzy zdołała dokończyć, drzwi przesunęły się ku niej i wpadła do środka. Za progiem ujrzała światło późnego popołudnia i poczuła na twarzy chłodny wiatr. Pojawiła się na wysokich umocnieniach jednego z bastionów Fortu Gwiaździstego, wewnętrznego układu obronnego Cytadeli Księcia Czwartka.

Ruszyła chodnikiem, gdy nagle strażnik znieruchomiał, tupnął i wykonał w tył zwrot. Przeszedł jeszcze dwa lub trzy kroki, wpatrując się prosto w Suzy, zanim jej widok wprawił go w zdumienie. Ponownie znieruchomiał i sięgnął po muszkiet. Chwycił go oburącz i wykrzyknął:

— Stój! Kto idzie? Straż! Alarm! Straż! Kapralu!

ROZDZIAŁ DWUDZIESTY

Jeźdźcy bez trudu umknęli przed zwiadowcami Neoniconi, gdyż Nibykonie ochoczo wyciągały nogi w cwale, zadowolone z braku niewygodnej kołyski. Arthur po raz pierwszy dosiadał takich zwierząt i choć z początku był przerażony, to później, gdy się przekonał, że nie grozi mu upadek, poczuł przypływ radości.

Nibykonie charakteryzowały się znacznie większą wytrzymałością niż ziemskie konie, lecz nawet one nie mogły cwałować w nieskończoność. Kiedy oddziały Niconi były tak daleko, że wyglądały jak małe plamki na horyzoncie za niskimi wzgórzami segmentu, który właśnie pokonywali, porucznik polowy Jarrow uniósł dłoń. Jego Nibykoń zwolnił do galopu, potem do skróconego kłusa, a na końcu do stępa. Wierzchowce Arthura i Freda podążały za dowódcą.

Przez resztę dnia kontynuowali tę nieśpieszną podróż, w południe robiąc sobie półgodzinny popas. Zatrzymali się wśród ruin miasta z ostatniego kwadratu, który musieli pokonać. Wędrowcy dostrzegli tylko zarysy starych budynków, sięgające wysokości jednej lub dwóch cegieł, oraz niewielkie pagórki, które mogły skrywać interesujące szczątki. Porucznik polowy Jarrow pośpieszył z wyjaśnieniem, że w rzeczywistości w tym miejscu nigdy nie było

miasta. Ruiny zbudowano w czasie, gdy Architektka tworzyła Wielki Labirynt, i miały one być rodzajem poligonu
dla Armii.

Oficer wytłumaczył im także, jak wyszukiwać granice
segmentów. Ta umiejętność miała ogromne znaczenie,
gdyż każdy, kto o zmierzchu znajdował się w odległości
kilku metrów od granicy, ryzykował, że różne fragmenty
jego ciała zostaną jednocześnie przeniesione do różnych
miejsc.

Jak objaśnił Jarrow, nie wszystkie linie graniczne były
oznaczone w taki sam sposób, lecz większość łatwo dawało się rozpoznać po ciągnącym się wzdłuż prostej linii
podziale na dwa rodzaje roślinności lub gleby. Podział pomiędzy dżunglą a ruinami miasta prezentował się niebywale wyraźnie, gdyż każde oplecione winoroślą drzewo
po stronie południowej miało niemal żółtą barwę zamiast
zdrowej zielonej.

Granica dzieląca ruiny od trzęsawiska nie była już tak
oczywista, gdyż brakowało charakterystycznej linii zmiany barwy lub zróżnicowanej roślinności. Jarrow wskazał
jednak niski kopiec białych kamieni, usypany pośrodku
obszaru, na którym krótka, zielona trawa łagodnie zmieniała się w niskie krzewy o niemal niebieskiej barwie. Co
ważne, podstawa kopca miała formę półkola, zaokrąglo-
nego od północy i ściętego od południa. W ten sposób łatwo było rozpoznać południowy skraj segmentu.

Niedaleko rozciągało się właściwe trzęsawisko. Jarrow
puścił wodze, aby jego Nibykoń sam wybierał drogę po
gąbczastej turzycy i płytkich stawach o kolorze herbaty.
Pozostałe stworzenia szły gęsiego za przywódcą.

Pośrodku segmentu, a raczej w miejscu, które Jarrow
uznał za bliskie środka, natrafili na skrawek nieco such-

szej i wyżej położonej ziemi, na której rozbili obóz. Porucznik polowy ponownie stanął na czatach, podczas gdy Arthur i Fred ściągali uprząż z Nibykoni, czyścili je drucianymi szczotkami i oliwili, a także przecierali im rubinowe oczy. Potem wypolerowali piorunujące talwary, naostrzyli je, a na koniec natłuścili buty oraz kolczugi. Wszystkie te czynności zajęły im czas do zmierzchu.

Gdy słońce zniknęło za horyzontem, daleko za bagnami, na zachodzie zobaczyli tylko jeden z czterech nowych segmentów. Na wschodzie, gdzie dotąd nic nie widzieli, wznosiła się imponująca góra, której mroczny masyw piętrzył się na tle rozgwieżdżonego nieba.

— Rano jedziemy do Cytadeli — zapowiedział Jarrow. Ostatnie promienie słońca wykorzystał do studiowania almanachu, aby po zmroku uniknąć konieczności używania światła. — Wolałbym wyruszyć od razu i gdybyśmy mieli do pokonania inne segmenty, pewnie dalibyśmy sobie radę. Musimy jednak przebyć górską przełęcz, a także las i Wschodnią Zaporę Wodną.

— Jaką zaporę? — spytał Arthur.

— To obronny element Cytadeli, nie podlegający codziennym ruchom segmentów w Labiryncie. Mówię o suchym jeziorze, które można zalać poprzez otwarcie śluz przy podziemnych źródłach pod wzgórzem Cytadeli. Zapora jeszcze powinna być sucha, ale…

Jarrow zawiesił głos. Cała trójka siedziała w ciemnościach, rozjaśnianych jedynie przez światło gwiazd, i nasłuchiwała odgłosów z bagna. Nibykonie stały nieopodal w ciszy, od czasu do czasu porozumiewając się przytłumionym, beznamiętnym językiem, zrozumiałym chyba tylko dla najstarszych sierżantów polowych.

— Powinna być sucha, panie poruczniku polowy, ale może nie będzie? — zapytał Fred po chwili, gdy zebrał się na odwagę.

— Tak, może być napełniona — przyznał Jarrow. — Tektoniczna strategia jak zawsze okazała się niedościgniona, niemniej przy takiej liczbie Neoniconi w Labiryncie jakaś ich część prędzej czy później musiała trafić w pobliże Cytadeli. Rozmaite grupki najeźdźców połączyły siły na równinie u stóp wzgórza... Bardzo uciążliwe sąsiedztwo, ale żadną miarą nie można go określić mianem oblężenia.

— Jak właściwie wygląda Cytadela, panie poruczniku polowy? — zainteresował się Arthur.

— To potężna forteca, szeregowy Zielony. Składa się z czterech koncentrycznych pierścieni bastionów, okopów zewnętrznych oraz fortyfikacji półksiężycowych, rozmieszczonych tak, aby nawzajem się wspierać ogniem armat i muszkietów. Chodniki przejazdowe wyposażono w miotacze płomieni. W trzecim pierścieniu znajduje się Wewnętrzna Cytadela, Fort Gwiaździsty, wzniesiony na wzgórzu z litej skały. Wewnętrzna Cytadela jest chroniona przez umocnienia ziemne o grubości ponad dwudziestu metrów, stykające się z murami ponadpiętnastometrowej wysokości. W skład uzbrojenia Fortu Gwiaździstego wchodzi szesnaście haubic, trzydzieści dwie armaty i siedemdziesiąt dwie armatki. Odkąd jednak lord Arthur obalił Ponurego Wtorka, wciąż brakuje nam prochu strzelniczego...

Jarrow zamilkł, gdy Arthur nagle jęknął z bólu i przycisnął dłonie do skroni. Poczuł się tak, jakby pocisk eksplodował mu w głowie, rozrzucając odpryski wspomnień. Wizje, dźwięki, zapachy, przemyślenia wypełniły mu czaszkę. Było ich tak wiele, że na moment stracił orientację i zrobiło mu się niedobrze. Każde istotne wspomnienie, począwszy od dnia, w którym zgubił żółtego słonia, do chwili nadejścia trzech Łaziebnych, zostało natychmiast przytłoczone lawiną faktów wygrzebanych z zakamarków pamięci.

Ból ustąpił niemal od razu, a wspomnienia powoli powróciły w głębsze rejony umysłu, stopniowo się segregując i układając, choć często w niewłaściwej kolejności. Chłopiec wiedział już, kim jest i co się zdarzyło, a także uświadamiał sobie, jak ogromne niebezpieczeństwo grozi mu ze strony Księcia Czwartka.

— Szeregowy Zielony, wszystko w porządku? — spytał Jarrow.

— Tak jest, panie poruczniku polowy — wyszeptał Arthur.

— Ból wspomnień — westchnął Fred. — Kiedyś tak mnie dopadło, że rąbnąłem się pięścią w usta. Strasznie mi warga spuchła. Przypomniałeś sobie coś istotnego, Ray?

— Niewykluczone — odparł Arthur ostrożnie. Znajdował się w trudnej sytuacji. Bardzo chciał wszystko opowiedzieć Fredowi, ale w ten sposób tylko naraziłby go na niebezpieczeństwo. — Jest jeszcze kilka rzeczy, które muszę gruntownie przemyśleć.

— Wy dwaj odpoczniecie — oświadczył Jarrow. Wstał, poprawił talwar w pochwie i zaczął w ciszy przechadzać się po skrawku ziemi, na którym obozowali. — Ja będę czuwał.

— Pan porucznik polowy nie potrzebuje chwili wypoczynku? — zaciekawił się Fred.

— Muszę poświęcić nieco czasu na rozważania — wyjaśnił Jarrow. — Poza tym nie potrzebuję jeszcze wypoczynku. Dzieci Szczurołapa muszą więcej sypiać niż Rezydenci z poboru, a oni potrzebują więcej snu niż zawodowi żołnierze, tacy jak ja, stworzeni przez Architektkę do walki zbrojnej. Nawet ja jednak muszę dłużej sypiać niż nasi tu obecni czerwonoocy towarzysze, którzy robią to wyłącznie we własnych stajniach i nie częściej niż raz w tygodniu. Obudzę was przed świtem albo wtedy, gdy pojawi się zagrożenie.

Noc minęła jednak spokojnie, choć Arthur budził się kilkakrotnie, zaniepokojony odgłosami z bagien lub zdrętwiały na niewygodnym posłaniu. Zamiast poduszki miał siodło, a za całą pościel służył mu szorstki, sfilcowany koc.

Jarrow zrobił pobudkę zgodnie z zapowiedzią, przed świtem, kiedy jeszcze nie było widać słońca, lecz wyższe gwiazdy zaczynały blednąć. Ponieważ nikomu z trójki żołnierzy śniadanie nie było potrzebne, a ze względu na warunki polowe nie musieli się golić, szybko uporali się z osiodłaniem Nibykoni i ruszyli w drogę. Obaj chłopcy z zaciśniętymi zębami znosili bóle i dolegliwości, doskwierające im po dniu spędzonym w siodle i nocy na gołej ziemi.

Arthur wkrótce przestał jednak zwracać uwagę na przykrości związane z podróżą, nie przyglądał się także bagnu, przez które jechał. Miał umysł zaprzątnięty myśleniem o tym, co powinien zrobić i co mu grozi ze strony Księcia Czwartka. Wykonawca musiał wiedzieć, kim jest Arthur, gdyż porucznik Crosshaw lub sierżant Trzon z pewnością donieśli mu o obecności chłopca. Niewykluczone także, iż Książę Czwartek przez cały czas wiedział o Arthurze i powołał go do wojska celowo, a nie przez urzędniczy przypadek.

Tylko po co Książę Czwartek miałby ściągać do Cytadeli wszystkie dzieci Szczurołapa, skoro potrzebował wyłącznie Arthura? Chłopak nabrał przekonania, że Wykonawca ma jakieś ukryte intencje. Należało także odpowiedzieć na pytanie, co powinien zrobić, jeśli nadarzy się okazja, by podjąć próbę odnalezienia Woli lub przejąć Czwarty Klucz. Czy w takiej sytuacji postąpiłby roztropnie, zabierając Klucz i narażając się na niebezpieczeństwo represji? A może najlepiej byłoby dowieść, jakim jest dobrym żołnierzem? Gdyby przestrzegał rozkazów i nie dawał Księciu Czwartkowi żadnych pretekstów do zapomnienia o wojskowych przepisach, wówczas Wykonawca pewnie nie zrobiłby mu krzywdy. Z drugiej strony jednak, jako dobry żołnierz mógłby spędzić w wojsku jeszcze sto lat i nigdy nie wrócić do domu…

Dom. Bezskóry Chłopiec. Liść…

— List! — powiedział Arthur głośno i niespodziewanie, a następnie klepnął się w głowę. Właśnie przypomniał sobie list od Dostojnej Soboty, w którym znajdowały się pogróżki pod adresem jego rodziny. Jako pozbawiony wspomnień Ray uznał pismo za niesmaczny dowcip. Teraz jednak zrozumiał, jak wielkie niebezpieczeństwo grozi jego bliskim ze strony Bezskórego Chłopca.

— Od tej pory musimy zachować ciszę — rozkazał Jarrow, zawracając konia, aby przemówić wprost do Arthura i Freda. — Przełęcz przed nami powinna być przejezdna, lecz nie możemy być tego pewni. Przybliżcie się do mnie i przygotujcie miecze. Jeśli droga okaże się zablokowana, przypuścimy szarżę.

Arthur jechał tak blisko, że niemal stykał się kolanami z porucznikiem, podobnie jak Fred po drugiej stronie oficera. Gdyby stanęli przed koniecznością szarżowania, postąpiliby jako zwarta grupa Nibykoni, która klinem przebiłaby się przez szeregi Neoniconi, stojących jej na drodze.

Gdy podążali przed siebie, Arthur po raz pierwszy od co najmniej dziesięciu minut uważnie się rozejrzał. Opuszczali tereny bagniste i kierowali się na zachód. Kwadrat przed nimi był zdominowany przez dwa skaliste wzgórza, przedzielone płytką przełęczą, ciągnącą się mniej więcej w połowie ich wysokości. Wyboista droga, którą kroczyły Nibykonie, docierała prosto do przełęczy.

— Nie możemy objechać tych wzgórz? — zaproponował Arthur. Nie widział nic niepokojącego ani na północy, ani na południu.

— W dniu dzisiejszym na północy rozciągają się błota — wyjaśnił Jarrow i postukał w *Efemerydę*. — Na południu natrafilibyśmy na gęstwinę krzewów ostu. Nibykonie musiałyby się przez nie bardzo długo przedzierać. Droga, którą obraliśmy, biegnie dość stromo, za to jest szeroka i solidna. Po minięciu przełęczy natrafimy na naturalne pastwiska i malowniczą wioskę. Za nią znajduje się najdalej wysunięty na wschód stały segment, zawierający Wschodnią Zaporę Wodną. Jeżeli nie zostaniemy zaatakowani, a Zapora okaże się sucha, późnym popołudniem powinniśmy się znaleźć w Cytadeli.

Nie zostali zaatakowani, lecz na długo zanim ujrzeli Wschodnią Zaporę Wodną, doskonale wiedzieli, że nie jest już sucha. Zbiornik został zalany, a część wody spływała do sąsiedniego segmentu i przetaczała się przez główną ulicę malowniczej wioski — uroczej, lecz nie zamieszkanej miejscowości, pełnej wąskich uliczek i ślicznych domów w zieleni. Na jej obrzeżach znajdowało się kilka gospód, kuźnia, cztery lub pięć sklepików oraz łucznicza strzelnica.

— Panie poruczniku polowy, czy kiedykolwiek ktoś tu mieszkał? — spytał Arthur, gdy Nibykonie brodziły po pęciny w wodzie, przewalającej się strumieniem po ulicy. Stworzenia wysoko unosiły pyski, aby zademonstrować, jak bardzo im się to wszystko nie podoba.

— Nie na stałe — odparł Jarrow. Mówił szybko, a jego oczy bezustannie wędrowały na wszystkie strony, gdy rozglądał się dookoła. — Dawniej jednak, kiedy ten segment lądował nieopodal Cytadeli, Białej Twierdzy, Fortu Przemiana lub jednego z innych stałych kwadratów, w knajpkach zbierali się goście i organizowano jednodniowy jarmark. Lada minuta powinniśmy ujrzeć Cytadelę, wystarczy że miniemy te budynki.

Za wioską droga zaczęła się wznosić, a następnie ponownie się wyrównała. Wzdłuż traktu w regularnych odstępach rosły kępy wysokich cyprysów, lecz jeźdźcy dobrze widzieli teren przed sobą. Gdy dotarli do równiny, Jarrow się zatrzymał i rozejrzał, osłaniając oczy dłonią.

Arthur i Fred nie tyle patrzyli, ile gapili się i otwierali usta ze zdziwienia tak szeroko, że bez trudu mogliby pochłonąć każdego małego owada, który przypadkiem znalazłby się w pobliżu.

Przed nimi, z północy na południe, rozpościerało się jezioro, szerokie na ponad półtora kilometra, obejmujące sąsiednie segmenty i sięgające poza linię horyzontu. Wschodni brzeg zbiornika zalał skraj kwadratu z wioską, wyznaczonego przez szereg wysokich sosen, w wielu wypadkach odartych z zachodnich gałęzi.

Za jeziorem, niczym niewyobrażalnie gigantyczny tort weselny, piętrzyła się forteca, rozciągająca się na przestrzeni wielu kilometrów. Zewnętrzna linia bastionów o trójkątnej podstawie — Arthurowi kojarzyły się z niskimi, szerokimi wieżami — tworzyła podstawę tortu. Druga linia ciągnęła się sto pięćdziesiąt metrów dalej i piętnaście metrów wyżej od pierwszej, trzecia zaś znajdowała się kolejnych sto pięćdziesiąt metrów dalej i piętnaście metrów wyżej od drugiej. Za trzecią linią wznosiło się wzgórze z białego kamienia, a na nim fort w kształcie gwiazdy. Na końcu każdego z sześciu ramion twierdzy znajdował się bastion, uzbrojony w sześć armat i zapewne około dwustu obrońców. W samym środku Fortu Gwiaździstego stała prastara warownia, kamienna budowla o kwadratowej podstawie, wysoka na pięćdziesiąt metrów.

Nad zewnętrzną, południowo-zachodnią linią umocnień unosiła się rozległa zielona chmura.

— Dym z ogniowej kąpieli — zauważył Jarrow ponuro. — Dzisiejszego ranka musiał nastąpić atak. Nie słyszałem jednak huku armat... Musi być naprawdę krucho z prochem z Nicości. Wracamy do wioski, zbudujemy tratwę.

— Nie moglibyśmy jakoś powiadomić załogi Cytadeli? — zaproponował Arthur. — Panie poruczniku polowy?

— Nie mam figurek komunikacyjnych — odparł Jarrow. — Zabrakło ich dla mnie. Jeśli podjęlibyśmy próbę nawiązania kontaktu za pomocą dymu lub lusterka, wówczas moglibyśmy zostać zauważeni przez Neoniconi, którzy wysłaliby przeciwko nam jeden ze swoich oddziałów. Ich siły z pewnością stacjonują na zachodnich równinach. Jeszcze nigdy nie widziałem tak ogromnej chmury dymu po ogniowej kąpieli.

Zbudowanie tratwy nie było tak trudne, jak się Arthurowi zdawało. Wystarczyło z pobliskiej gospody wytoczyć tuzin baryłek, wyjąć troje drzwi, w kuźni znaleźć dużo lin oraz sznurów, nieco smoły i gwoździ, a także pożyczyć stamtąd narzędzia. Jarrow pokazał chłopcom, jak należy związać beczki, potem wspólnie przybili drzwi do górnej części baryłek, a miejsca najbardziej narażone na przeciekanie wysmarowali smołą.

Tratwę zmontowali nad brzegiem jeziora, bardzo blisko krawędzi segmentu z malowniczą wioską. Arthur doskonale zdawał sobie z tego sprawę, ale udało mu się opanować chęć bezustannego spoglądania na pozycję słońca. Nie spytał też Jarrowa, dokąd o zmierzchu przeniesie się wioska.

W miarę upływu popołudnia stawał się jednak coraz bardziej podenerwowany. Na mniej więcej pół godziny przez zachodem słońca skończyli pracę. Dzieło zwieńczyły trzy wiosła, wykonane z desek, które wyrwali z ław w gospodzie.

Tratwa prezentowała się solidnie, lecz nie była dostatecznie duża, aby pomieścić trzy Nibykonie, Rezydenta i dwóch chłopców Szczurołapa.

— Zdejmijcie uprząż i sprzęt z wierzchowców, a następnie przełóżcie wszystko na tratwę — polecił Jarrow. On także spojrzał na zachodzące słońce. — Puścimy je luzem, ale najpierw szybko wyszczotkujemy i naoliwimy.

— Dokąd pójdą, panie poruczniku polowy? — zaciekawił się Fred. Ogromnie się przywiązał do swojego rumaka, który, jak napisano na stalowej osłonie palca, nosił imię Skwidge.

— Same znajdą drogę do przyjaciół — zapewnił chłopca Jarrow. Ściągnął juki z wierzchowca i przerzucił je na tratwę. — Szybciej! Musimy się oddalić od granicy kwadratów, zanim wioska się przesunie!

Po słońcu pozostał zaledwie wąski paseczek, prawie niewidoczny nad horyzontem pomiędzy Fortem Gwiaździstym a Wewnętrznym Bastionem, kiedy ostatni Nibykoń odszedł, rżąc na pożegnanie. Arthur i Fred pośpiesznie rzucili na pokład szczotki oraz szmatki do polerowania metalu i zaczęli spychać jednostkę na jezioro.

— Oprzyjcie się plecami o tratwę! — pośpieszył chłopców Jarrow i znowu spojrzał na zachodzące słońce. Jednostka, choć w dwóch trzecich znajdowała się już w wodzie, a beczki na drugim jej końcu unosiły się na powierzchni, nadal mocno tkwiła w mule.

Arthur i Fred zeszli głębiej, aby z całej siły pchnąć tratwę. Tym razem dołączył do nich Jarrow. Przesunęła się kilkanaście centymetrów i znowu utknęła.

— Co to za dźwięk? — wysapał Arthur między jednym pchnięciem a drugim. Usłyszał piskliwy gwizd, podobny do tego, jaki wydaje wiertło dentystyczne.

— Segmenty się przesuwają! — krzyknął Jarrow. — Do wody, natychmiast!

Chwycił Arthura oraz Freda i odciągnął ich od tratwy, w głąb jeziora. Po chwili woda sięgała chłopcom do piersi, ale Jarrow cały czas popędzał ich na głębinę. Wkrótce dzieci Szczurołapa musiały odchylać głowy do tyłu, aby zaczerpnąć powietrza, a stopami ledwie muskały dno. Ciężkie kolczugi Hordy oraz żołnierskie wyposażenie nieubłaganie ściągały ich pod wodę.

ROZDZIAŁ DWUDZIESTY PIERWSZY

Arthur i Fred byli pewni, że utoną, a taka śmierć nie wydawała im się bardziej atrakcyjna niż rozczłonkowanie podczas przesunięcia segmentu. Nagle jednak przeraźliwy gwizd ucichł. Jarrow znieruchomiał i odwrócił się, ale nie ruszył od razu w kierunku brzegu.

— Pomocy! — wybulgotał Arthur.

— Nie czuję dna! — wykrztusił Fred.

Porucznik polowy nadal jednak stał w miejscu i obserwował linię brzegową. Dopiero po chwili zaciągnął chłopców z powrotem na stały grunt i rzucił na ziemię obok tratwy. Po minucie nerwowego kasłania i łapczywego chwytania powietrza, obaj doszli do siebie na tyle, by zauważyć, że tratwa jest nienaruszona, a malownicza wioska nadal pozostaje w zasięgu wzroku.

Jarrow stał nieopodal i przerzucał kartki *Efemerydy*, którą trzymał tuż przy oczach, aby cokolwiek odczytać w półmroku.

— Kwadrat się nie przemieścił — zauważył Arthur.

— Nie da się ukryć — mruknął Jarrow i pokręcił głową. — A powinien był. Sprawa jest niesłychanie poważna. Tylko strategia tektoniczna uniemożliwiała Neoniconiom masowy atak i doprowadzenie do decydującej bitwy... Lepiej natychmiast ruszajmy do Cytadeli!

Ze wzmożoną energią zabrał się do spychania tratwy przy mizernej pomocy chłopców. Tym razem ich prowizoryczny środek transportu zniknął częściowo pod taflą jeziora i wynurzył niemal tak widowiskowo, jak zwykła łódź, którą charakteryzował permanentny, piętnastostopniowy przechył na sterburtę.

Choć od drugiego brzegu dzieliło ich półtora kilometra, Arthur i Fred kompletnie opadli z sił, zanim jeszcze dotarli do połowy drogi. Tymczasem Jarrow utrzymywał mordercze tempo wiosłowania i nie pozwalał chłopcom odpocząć.

— Panie poruczniku polowy, gdybyśmy mogli choć przez kilka minut... — zaczął Arthur błagalnie.

— Wiosłować! — przerwał mu Jarrow stanowczo. — Jesteście żołnierzami Architektki. Wiosłować!

Arthur nie przestawał wiosłować, choć ręce i ramiona bolały go tak potwornie, że musiał przygryzać wargę, aby powstrzymać się od jęczenia. Fred również machał wiosłem, lecz Arthur tego nie dostrzegał. Jego świat się skurczył i dotyczył jedynie bólu, wiosła oraz wody, którą musiał przecinać i odpychać.

Na niebie chwiejnie wzeszedł księżyc, gdy zbliżali się do jednego z zewnętrznych bastionów, które wcinały się w jezioro. Drobne fale uderzały o kamienny mur przed umocnieniem z ziemi. Blask księżyca odbijał się od hełmów oraz kolczug wioślarzy natychmiast dostrzeżonych przez wartowników.

— Kto tam?! — rozległ się okrzyk. Towarzyszył mu błysk zapałki, rozpalanej przez żołnierza szykującego do wystrzału muszkiet lub armatkę.

— Porucznik Jarrow z Hordy oraz dwóch szeregowych! — odkrzyknął Jarrow. — Prosimy o pozwolenie na przybicie do pomostu!

— Przestańcie wiosłować i czekajcie na decyzję!

Wiosła Jarrowa znieruchomiały. Arthur niemal nie mógł się opanować, gdyż jego mięśnie machinalnie powtarzały te same ruchy. Gdy wyciągnął wiosło z wody i położył je w poprzek tratwy, dopiero po kilku sekundach udało mu się oderwać od niego zaciśnięte dłonie.

— Płyńcie do wodnej bramy!

— Do wioseł! — zakomenderował Jarrow.

Arthur i Fred jak w transie chwycili je, zanurzyli w wodzie i z trudem wprawili ponownie w ruch nieruchomą tratwę. Na szczęście wodna brama znajdowała się niedaleko. Była to stara, żelazna krata, zainstalowana około trzydziestu metrów dalej wzdłuż muru bastionu.

Uniesiono ją na tyle, by przepuścić wyłącznie tratwę i jej załogę. Jednostka wpłynęła do zalanej wodą komnaty w obrębie bastionu. Gdy tylko znaleźli się w środku, krata opadła z chrzęstem i pluskiem.

W zbiorniku za murami było akurat tyle miejsca, żeby powiosłować tratwą ku wolnej przestrzeni między dwiema małymi łódkami, przywiązanymi do niskiego, drewnianego pomostu czy też mola.

Na pomoście stał komitet powitalny: porucznik, kapral i dwa tuziny Rezydentów w szkarłatach Regimentu. Żołnierze byli uzbrojeni w muszkiety na proch z Nicości, z zamocowanymi bagnetami. Jarrow pierwszy wszedł na molo i po wymianie salutów oraz zaprezentowaniu broni pośpiesznie zamienił kilka słów z innym porucznikiem. Wyczerpani Arthur i Fred z wysiłkiem zebrali ekwipunek oraz uprząż Nibykoni.

— Szeregowi Złoty i Zielony! Zostawcie to wszystko! — polecił Jarrow. — Musimy się zgłosić do Kwatery Głównej marszałka Południka. Jesteście ostatnimi dziećmi Szczu-rołapa, które dotarły na miejsce.

Arthur i Fred popatrzyli po sobie i z ulgą cisnęli siodła, juki i resztę wyposażenia. Następnie, pomagając sobie nawzajem, wyszli na pomost i przepisowo zasalutowali drugiemu porucznikowi.

— Lepiej przebrać ich w mundury Regimentu, zanim trafią przed oblicze marszałka — zauważył drugi oficer. — Chyba że to zawodowi żołnierze.

— Jeszcze nie — odparł Jarrow i poklepał Arthura oraz Freda po obolałych plecach, tak mocno, że obaj prawie upadli. — Ale mają zadatki. Ruszamy. Szeregowi, baaacz-ność! Lewą, szybki marsz!

Jarrow niewątpliwie świetnie znał Cytadelę. Poprowa-dził ich pochyłym chodnikiem na górę, w kierunku szczytu bastionu. Pomaszerowali nim, po drodze mijając wartow-ników i armaty. Wszyscy uważnie obserwowali okolicę. Następnie przeszli przez stróżówkę, w której Jarrow za-łatwił kilka formalności z oficerem dyżurnym, i ruszyli dalej, w dół następnego chodnika, do krytego przejścia z armatkami na obrotowych stojakach. Potem wspięli się do następnej stróżówki, przeszli przez nią, zeszli po spi-ralnych schodach, pomaszerowali przez pustą przestrzeń pomiędzy trzecią a drugą linią obrony, weszli do innego bastionu i w końcu znaleźli się w Magazynie Kwatermi-strzostwa, który wyglądał tak samo jak ten z Fortu Prze-miana. Zmęczeni chłopcy zastanawiali się przez chwilę, czy w ogóle opuścili poprzednie koszary.

Arthur i Fred w kwadrans pozbyli się kolczug i hełmów Hordy, zastępując je znacznie lżejszymi i wygodniejszymi szkarłatnymi tunikami, czarnymi spodniami i toczkiem Regimentu. Dodatkowo przydzielono im znajome białe pasy z ładownicami i uchwytami na bagnet. Nie dostali jednak muszkietów, tylko same bagnety.

— Prochu wystarcza tylko dla snajperów — wyjaśnił niewyraźnie sierżant kwatermistrzostwa, posiwiały Rezydent, któremu swojego czasu przestrzelono policzki. Ponieważ kula zawierała domieszkę Nicości, rana nie mogła się w pełni zagoić. Gdy sierżant mówił, powietrze zasysało się przez otwory i zniekształcało brzmienie słów.

Jarrow się nie przebrał, zapewne dlatego, że był zawodowym oficerem Hordy. Znalazł jednak czas, aby szybko oczyścić zbroję i buty; zajął się tym sam, czym zyskał sobie aprobatę sierżanta kwatermistrzostwa. Potem cierpliwie zaczekał, aż Arthur i Fred zakończą sprawy związane z umundurowaniem. Gdy chłopcy zaczęli z zainteresowaniem oglądać bagnety, kazał podkomendnym stanąć na baczność i wszyscy wymaszerowali.

Tym razem opuścili zewnętrzne bastiony i przez pusty teren dotarli do drugiej linii. Tam weszli na zygzakowatą ścieżkę, biegnącą po rozmaitych chodnikach, przez kilka stróżówek i w górę, po czterech szeregach schodów. Na przeciwległym końcu drugiej linii obronnej przebyli jeszcze szerszy pas pustej ziemi i pokonali bardziej skomplikowany system chodników, schodów i stróżówek. Po opuszczeniu bastionu trzeciej linii znaleźli się u podnóża wąskich schodów kręconych, zbudowanych przy ścianie wzgórza z białego kamienia.

— Panie poruczniku polowy, dokąd idziemy? — spytał Fred.

— Kwatera Główna marszałka Południka znajduje się w Forcie Gwiaździstym — objaśnił mu Jarrow. — A teraz na górę, tymi schodami!

Wzgórze nie było tak wysokie, jak się zdawało Arthurowi, gdy płynęli jeziorem. Raczej nie liczyło więcej niż sto metrów. Po pozbyciu się ciężaru kolczugi, hełmu i piorunującego talwara chłopiec niemal z przyjemnością wdrapywał się po stopniach, choć wiedział, że później wszystko będzie go bolało. Czas spędzony w Armii Architektki pomógł mu poznać działanie licznych mięśni, których istnienia chłopak wcześniej nawet nie podejrzewał. Niestety, tego typu odkryciom zawsze towarzyszył przenikliwy ból.

Bastiony Fortu Gwiaździstego okazały się mniejszymi wersjami tego samego typu konstrukcji z niższych linii obronnych. Na szczycie schodów Jarrow głośno krzyknął i nie ruszył dalej, dopóki nie usłyszał odpowiedzi straży. Potem, w intensywnym blasku zielonkawego księżyca, maszerowali po gołej ziemi, przeszli po kładce, przerzuconej nad rowem, i przez drzwi wypadowe w fasadzie bastionu weszli do środka.

— Myślę, że umiałbyś odnaleźć drogę do wyjścia? — spytał kolegę Fred chwilę później, czekając, aż Jarrow skończy rozmowę z innym porucznikiem w następnej stróżówce, tym razem przyjemniejszej niż te w dole, gdyż ściany nie były z gołego kamienia, tylko obite boazerią, a na podłodze leżał niebiesko-czerwony dywan.

— Nie — odparł Arthur. Już wcześniej to sobie uświadomił, zapewne dlatego, że w przeciwieństwie do Freda mógł naprawdę stanąć przed koniecznością wydostania się stąd.

— Pójdziecie do sali przyjęć marszałka Południka — oznajmił Jarrow, odwracając się do chłopców. — Najwyraźniej czeka tu większa grupa dzieci Szczurołapa, a marszałek wkrótce do was przemówi. Pamiętajcie, że przez całe przemówienie musicie stać na baczność, chyba że otrzymacie inne rozkazy. Ponadto nie wolno wam zabierać głosu, chyba że ktoś się do was odezwie. Czy to jasne?

— Tak jest, panie poruczniku polowy! — krzyknęli Fred i Arthur.

Jarrow się wzdrygnął.

— Tutaj nie musicie tak hałasować. Oszczędzajcie gardła na plac defilad. Dobrze się spisałeś, Zielony, i ty także, Złoty. Powodzenia w przyszłości. Mam nadzieję, że jeszcze kiedyś będziemy razem służyć.

Uścisnął im dłonie i znikł. Arthur i Fred nerwowo odwrócili się ku drugiemu wyjściu. Kapral uśmiechnął się do chłopców i uchylił drzwi, ruchem dłoni zapraszając obu do środka.

Zaniepokojony i przestraszony Arthur poczuł bolesny skurcz w brzuchu. Na razie nic nie wskazywało na to, że Książę Czwartek zamierza ujawnić jego tożsamość i zrobić mu coś strasznego. Arthur bał się jednak tego, co mogło nastąpić, gdyż czekało go coś nieznanego, zarówno dla żołnierza, którym został, jak i ukrywającego się Prawowitego Dziedzica.

Wmaszerowali razem, krok w krok. Pomieszczenie okazało się duże, lecz nie tak przestronne jak Pokój Dzienny Poniedziałka. Salę urządzono po spartańsku. Podłogę wyłożono polerowanym drewnem, w kącie stało biurko o smukłych nogach oraz polakierowana na czarno tablica z poprzypinanymi mapami. Na ścianach wisiały rozmaite rodzaje broni, a wśród nich zakonserwowana głowa potwora, zapewne ryby, gdyż wyglądała jak pozostałość dziesięciometrowej piranii. W pomieszczeniu zgromadziło się dwadzieścioro dzieci Szczurołapa, które ustawiły się w dwuszeregu, po dziesięć osób w rzędzie. Większość miała na sobie szkarłatne mundury Regimentu, lecz wśród nich rzucało się w oczy czworo Legionistów w galowych zbrojach, troje Artylerzystów w szarych płaszczach i dwóch Graniczników w zieleniach. Wszyscy skierowali spojrzenia na Freda i Arthura, gdy chłopcy minęli próg i marszowym krokiem podeszli do lewego krańca dwuszeregu, aby dołączyć do reszty oczekujących.

— Teraz uważaj — szepnął Arthur, gdy dochodzili na miejsce. — Fred i Ray, stój! W lewo zwrot!

Zatrzymali się w nienagannym stylu. Pozostałe dzieci Szczurołapa ponownie wbiły wzrok w przestrzeń przed sobą. Wyjątkiem była tylko jedna dziewczyna, Granicznik, która zrobiła krok do tyłu i przemknęła się za plecami towarzyszy, aby stanąć na baczność obok Arthura.

— Pst! Arthur!

Arthur skierował oczy w lewo. Granicznikiem, i to w stopniu kaprala, była Suzy!

Osłupiały chłopiec mimowolnie obrócił głowę o pięć centymetrów, ale natychmiast przypomniał sobie o właściwej postawie. Jednak nawet potem jego oczy omal nie wyskoczyły z orbit, gdy usiłował zerknąć na przyjaciółkę. Jej obecność sprawiła mu nieopisaną ulgę, ale niepokój chłopca jednocześnie odrobinę się nasilił. Pojawienie się Suzy zawsze było zwiastunem rychłego koszmarnego zamieszania oraz kłopotów.

— Suzy! Jednak pozwolili ci wstąpić do wojska? — wyszeptał kątem ust. — I już dochrapałaś się stopnia kaprala?

— To niezupełnie tak — zaprzeczyła. — Wszystko to jest nieco pogmatwane, ale w sumie jakoś się tutaj znalazłam i nikt nie wiedział, co ze mną zrobić. Przez parę godzin byłam skazana na rozstrzelanie za szpiegostwo.

Okazało się jednak, że wcześniej służyłam już w wojsku! Poszłam w kamasze cztery wieki temu, a potem przeniesiono mnie do Rezerwy! W sumie nic sobie nie przypominam, choć ostatnio od czasu do czasu jakieś incydenty odżywają mi w pamięci. Powiedziałam tym tutaj, że miałam pranie między uszami i teraz trochę mi się miesza w głowie. Potem nadszedł rozkaz, żeby stawiły się wszystkie bez wyjątku dzieci Szczurołapa, więc major, mój zwierzchnik, oznajmił: „No nareszcie" i kazał mi się zabierać. Ale najważniejsze jest to, Arthur, że mam...

— Baaaczność!

Do sali weszła nieskazitelna starsza sierżant Regimentu. Jej szkarłatny płaszcz miał rękawy zdobione laurowymi liśćmi oraz skrzyżowanymi mieczami. Wyprężona jak struna Rezydentka podeszła do dzieci Szczurołapa, a jej krokom towarzyszył idealnie miarowy stukot butów o podłogę. Pod pachą ściskała wykończoną srebrem hebanową laskę do wybijania rytmu.

— Żołnierzu, zajmij pustą przestrzeń! — rozkazała ostro, wskazując na opuszczone przez Suzy miejsce. Następnie zatrzymała się przed dwuszeregiem, wykonała w tył zwrot i zasalutowała Rezydentowi, który w tym właśnie momencie wszedł za nią do sali.

Przybysz prezentował się zdecydowanie mniej imponująco niż starsza sierżant, gdyż miał na sobie mundur, który wyglądał dokładnie tak samo jak uniform szeregowca Arthura. Różnica polegała na tym, że na płaszczu nieznajomego widniały dwa czarne epolety z ozdobami w postaci sześciu maleńkich, złotych mieczów, ułożonych w koło. Ten drobiazg wydał się Arthurowi dziwny, gdyż *Poradnik poborowego* głosił, że marszałek ma prawo nosić tylko pięć mieczyków. Druga i ostatnia rozbieżność wiązała się z nakryciem głowy: zamiast typowego dla szeregowca toczka, obcy nosił czarny beret z przypiętym złotym mieczykiem. Znaczek wydawał się zbyt duży i przez to nie pasował do czapki. Mieczyk wyglądał na bardzo stary, miał około piętnastu centymetrów długości, a wokół jego rękojeści wił się wąż.

Nieznajomy miał małe, głęboko osadzone oczy i nie był szczególnie przystojny jak na tak wysokiego rangą Rezydenta. Ponadto wydawał się dość niski, bo na oko mierzył niecałe dwa metry wzrostu. Ramiona miał ze dwa razy węższe niż sierżant Trzon. W sumie nie wywierał imponującego wrażenia. W jego ciemnych oczach, wąskich ustach i uniesionej brodzie czaiło się coś, co wzbudziło w Arthurze natychmiastowy strach.

— Niech staną na spocznij — rozkazał przybysz starszej sierżant.

— Spocznij! — kilkakrotnie powtórzyła Rezydentka głosem znacznie donośniejszym od głosu dowódcy.

Dzieci Szczurołapa wykonały rozkaz, wszystkie jednocześnie. Nawet Suzy nic nie popsuła.

— Jestem Książę Czwartek — przedstawił się Rezydent. Gdy zebrani usłyszeli jego słowa, dwuszereg lekko się zakołysał, lecz poza tym nic się nie stało.

Arthur wpatrywał się w przestrzeń. Nie śmiał choćby poruszyć powieką. Jego mięśnie stężały, a umysł pracował na najwyższych obrotach. Chłopiec usiłował zrozumieć, co mogło się zdarzyć i co powinien teraz zrobić.

— Objaśnię wam swój plan — ciągnął Książę Czwartek. — Potem będę czekał na ochotników.

Mówiąc, przechadzał się tam i z powrotem, aż nagle stanął na przeciwległym krańcu sali i wyjrzał przez okno.

— Wyjaśnieniem planu miał się zająć marszałek Południk, ale jest niedysponowany. Może dołączy do nas później. Starsza sierżant! Tablica mapowa!

Starsza sierżant podeszła do Arthura i zabrała mu wiszący u pasa bagnet. Chłopiec się nie poruszył ani nawet na nią nie spojrzał, choć słyszał, jak Rezydentka wyciąga trzydziestocentymetrowe ostrze.

Przecież nie zabije mnie na oczach wszystkich, pomyślał z rozpaczą. Pierwsza Dama powiedziała, że będzie przestrzegał własnych przepisów. Nie zakłuje mnie…

— Pożyczę ten drobiazg na moment, szeregowy — zakomunikował Książę Czwartek. — Posłuży mi jako wskaźnik.

Odwrócił się do tablicy mapowej i parę razy machnął bagnetem. Tam, gdzie wskazał coś jego końcem, pojawiła się jaśniejąca, żółta linia, potem narysował jeszcze jedną kreskę i następną. W ten sposób szybko naszkicował kwadrat.

— Oto Wielki Labirynt — wyjaśnił. W prawym dolnym rogu nakreślił krzyżyk. — Tu mamy Cytadelę.

Następnie pośrodku kwadratu dodał małe kółko.

— A tutaj znajduje się bezwzględny środek Labiryntu, pole określane mianem pięćset przez pięćset. Kto może mi zdradzić jedyny realny sposób przeniesienia grupy uderzeniowej z Cytadeli na pole pięćset przez pięćset, biorąc pod uwagę fakt, że segmenty przestały się przemieszczać? Odległość między kwadratami sięga prawie pięciuset kilometrów, a po drodze zgromadziło się około ćwierci miliona Neoniconi.

Głównodowodzący odwrócił się ku dzieciom Szczurołapa.

— Kto wie? Może ty, szeregowy? Zielony, dobrze zgaduję?

— Tak jest! — zaskrzeczał Arthur. Nie był pewien, czy powinien udawać głupiego, czy odpowiadać zgodnie z prawdą, bo natychmiast przyszedł mu do głowy jedyny możliwy sposób rozwiązania problemu. — Sądzę... że jedyne wyjście to przedostać się przez Niebywałe Schody.

— I jaki oczywisty wniosek płynie z tego faktu?

— Że tylko nieliczni... hm... Rezydenci wiedzą o istnieniu Niebywałych Schodów, a prawie żaden nie potrafi nimi wędrować — odparł Arthur. Miał fatalne przeczucia. Jego zdaniem rozmowa zmierzała w niewłaściwym kierunku. — Nie wiem, ilu żołnierzy może ze sobą zabrać ktoś, kto umie wkroczyć na Niebywałe Schody.

— Bardzo dobrze — pochwalił Książę Czwartek. — Szeregowy Zielony, niniejszym mianuję cię podporucznikiem. W Regimencie, chyba że opowiadasz się za Hordą.

— Nie, jaśnie panie — zaprzeczył chłopiec.

Co on knuje? — zastanawiał się. — Czuję, że w coś mnie wrabia.

— Nasuwa się oczywiste pytanie, dlaczego ktoś miałby wysyłać wojsko z Cytadeli na pole pięćset przez pięćset — ciągnął Książę Czwartek i zaczął stukać w tablicę bagnetem. — Wyjaśnienie jest proste. Ponieważ w ostatecznym rozrachunku powinienem być posłuszny swoim politycznym zwierzchnikom w Domu, musiałem zmienić plany tegorocznej kampanii i wpuścić do Wielkiego Labiryntu nieprzebraną rzeszę Niconi. Dopiero później dowiedziałem się, że w grę wchodzi armia Neoniconi, w praktyce tożsamych z Rezydentami. Mówię o wyszkolonych, zdyscyplinowanych i doskonale wyposażonych siłach. Na ich czele stoi ktoś potężny i niesłychanie przebiegły.

Najprawdopodobniej korzysta on ze wsparcia zdrajców z mojego najbliższego otoczenia w sztabie. Postać, o której mowa, odkryła jedną z tajemnic Wielkiego Labiryntu i przy ogromnej pomocy sprzedawczyków zdołała wprowadzić gigantyczny kolec ustabilizowanej Nicości prosto na główną pozycję w polu pięćset przez pięćset!

Wypowiadając ostatnie słowa, Książę Czwartek wraził bagnet w tablicę, przeszył drewno na wylot i porozdzierał je na strzępy z niewiarygodną zajadłością. Gdy z tablicy pozostały zaledwie drzazgi, dostojny Rezydent wpakował w nie ponownie bagnet i natychmiast przestał się interesować drżącą bronią.

Odetchnął głęboko i dopiero po chwili odwrócił się do podkomendnych.

— Jak widzicie, ten fakt budzi moją irytację. Rzeczony kolec w magiczny sposób unieruchomił segment na polu pięćset przez pięćset. Ponieważ jest to główna i kluczowa pozycja Labiryntu, jej zablokowanie uniemożliwia przesuwanie się pozostałych kwadratów. W rezultacie jestem zmuszony poprowadzić grupę żołnierzy po Niebywałych Schodach na pole pięćset przez pięćset. Jako że przytłaczająca większość Rezydentów zostaje najzwyczajniej odrzucana przez Schody, muszę zabrać dzieci Szczurołapa, które zawsze cieszą się ich akceptacją. Tak więc potrzebuję dwunastu ochotników. Przejdziemy po Schodach, unicestwimy kolec i powrócimy. Starsza sierżant!

Podoficer powróciła na miejsce przed szeregiem, wzięła głęboki oddech i krzyknęła:

— Wszyscy, którzy wyrażają chęć zgłoszenia się na ochotnika do specjalnej misji zaczepnej, w trakcie której zajdzie konieczność przebycia Niebywałych Schodów, krok w przód!

ROZDZIAŁ DWUDZIESTY DRUGI

Arthur dopiero co opuścił szkołę poborowych. Choć rozum podpowiadał mu, że trzeba pomyśleć, jego nogi zareagowały niczym pobudzone prądem żabie udka, gdy tylko padł rozkaz. Chłopiec zrobił krok naprzód. Podobnie uczynił Fred, a po krótkim wahaniu także Suzy. Arthur dostrzegł kątem oka, że w jego ślady poszło jeszcze co najmniej dziesięcioro dzieci. Innymi słowy, połowa zebranych nie odpowiedziała na wezwanie najwyższego dowódcy.

— Reszta odmaszerować! — rozkazał Książę Czwartek. — Zabierzcie ich sprzed moich oczu! Jeśli który ma jakiś stopień, zdegradować! I znajdźcie mi gwiazdki dla pana Zielonego.

Gdy starsza sierżant Regimentu wykrzykiwała polecenia, kierowane do nieochotników, Wykonawca podszedł do wąskiego okienka strzelniczego i wyjrzał na dwór. Arthur nie mógł dostrzec widoku, który ukazał się oczom Czwartka, lecz okno wychodziło na zachód i znajdowało się na znacznej wysokości, krajobraz był zatem najprawdopodobniej zdominowany przez potężną watahę Neoniconi, gotujących się do kolejnego ataku na zewnętrzne bastiony.

Wszystko wskazywało na to, że Arthur wkrótce stanie oko w oko z licznymi Neoniconiami. Ten fakt mniej go jednak martwił niż zachowanie Księcia Czwartka. Ktoś, kto ulega atakom nieokiełznanego szału na samą wzmiankę o jakiejś irytującej sprawie, zasługuje na miano wyjątkowo niebezpiecznego towarzysza. Zwłaszcza że Arthur, jako Prawowity Dziedzic, zamierzał pozbawić Czwartka władzy i odebrać mu Klucz.

Tak czy owak, Klucza ani widu, ani słychu, pomyślał Arthur. Woli też nigdzie nie ma, skoro o tym mowa. Klucz ma zapewne postać broni. Wola może się skrywać gdziekolwiek, niewykluczone nawet, że poza obszarem Domu.

— Jaśnie panie, gwiazdki pana Zielonego — oświadczyła starsza sierżant, zwracając się do Czwartka i zakłócając tok myśli Arthura. Rezydentka wręczyła dowódcy małe, obite aksamitem puzderko.

— Podporucznik Zielony, cztery kroki naprzód — rozkazał Książę Czwartek. Arthur wykonał polecenie i znieruchomiał. Czwartek podszedł bliżej, otworzył puzderko i wyciągnął z niego dwa złote znaczki w kształcie rombów. Następnie przycisnął odznaki do epoletów na ramionach Arthura. Materiał momentalnie przybrał czarną barwę i pojawiły się na nim złote guziki. Gwiazdki samoczynnie się wyszyły blisko ramion.

— Moje gratulacje — oznajmił Książę Czwartek. — Podczas wyprawy w celu zniszczenia kolca będziesz moim zastępcą. A teraz stań z mojej lewej, dwa kroki za mną. Nie możesz już powrócić do szeregu.

Arthur pomaszerował na wskazane miejsce i stanął na baczność za plecami Księcia Czwartka. Suzy powoli opuściła powiekę, jakby chciała mrugnąć okiem. Fred wpatrywał się w przestrzeń ponad głową Arthura, a pozostałe dzieci Szczurołapa spoglądały wprost na chłopca tak, jakby kompletnie go nie widziały.

Tymczasem Arthur wreszcie mógł się przyjrzeć towarzyszom broni. Kilkoro z nich służyło w randze kaprali, wśród ochotników znalazło się nawet dwóch sierżantów. Z pewnością nie byliby zachwyceni świadomością, że Arthur to w gruncie rzeczy tylko częściowo przeszkolony poborowy, uczestnik zaledwie jednej bitwy, mający za sobą marne półtora miesiąca przysposobienia wojskowego.

— Mój plan jest prosty — oświadczył Książę Czwartek. — Pojawimy się jak najbliżej kolca. Na jego zniszczenie będę potrzebował kilku minut absolutnego spokoju. Odeprzecie wtedy atak każdego wroga, który zechce mi przeszkodzić. Gdy zlikwiduję kolec, Niebywałymi Schodami powrócimy do Cytadeli. Mamy znaczne szanse na sukces, zważywszy, że wróg będzie kompletnie zaskoczony naszą interwencją. Są pytania?

Jeden z sierżantów, jasnowłosy chłopiec o poważnej twarzy i domalowanych, żółtych wąsach, energicznie stanął na baczność i uniósł rękę.

— Jaśnie panie, czy możemy dobrać sobie broń wedle własnego uznania?

— Główna zbrojownia pozostaje do waszej dyspozycji — zapewnił Czwartek. — Możecie wziąć nawet tę broń wyposażoną w proch z Nicości. Chcę was jednak uprzedzić, że nie powinniście się zbytnio obładowywać. Nie mogę pchać na Niebywałe Schody tuzina żołnierzy i armaty.

Uśmiechnął się na znak, że żartuje, a ochotnicy posłusznie się zaśmiali. Arthur również uniósł kąciki ust, odrobinę za późno, lecz uśmiech znikł mu z twarzy, gdy Suzy trzasnęła obcasami i podniosła rękę.

Suzy, nie!, pomyślał rozpaczliwie. Nie pytaj go o nic, bo go rozwścieczysz!

— Jaśnie panie, co do tego kolca. Jest zrobiony z Nicości? Całej fury Nicości?

— Tak — potwierdził Książę Czwartek. — Jeśli mnie pamięć nie myli, już to zakomunikowałem.

Ani słowa więcej! Ponieważ Arthur stał za plecami Księcia Czwartka, szybko i dyskretnie przesunął dłonią po ustach, jakby zamykał je zamkiem błyskawicznym, lecz momentalnie zamaskował ten gest drapaniem się po nosie, gdy tylko oczy starszej sierżant się ku niemu skierowały.

Chyba po raz pierwszy od chwili, w której Arthur poznał się z Suzy, dziewczyna postąpiła rozsądnie i powstrzymała język za zębami.

— Inne kwestie? — ponowił pytanie Czwartek. W jego głosie dała się słyszeć irytacja, z trudem trzymana w ryzach. Nie chciał żadnych innych pytań. Oczekiwał natychmiastowego, ślepego posłuszeństwa.

Arthur zadrżał. Nie chciałby znaleźć się w skórze posłańca, przynoszącego Czwartkowi złe wieści. Właściwie wolałby nie przynosić mu żadnych wieści, bo reakcje głównodowodzącego były kompletnie nieobliczalne.

Nikt nie zadał następnego pytania.

— Starsza sierżant McLameth, kontynuować! — warknął Czwartek. — Podporucznik Zielony, za mną!

Arthur spojrzał na Suzy, która kilkakrotnie przewróciła oczami, jakby chciała mu coś przekazać. Nie miał jednak pojęcia, o co jej chodzi. Z kolei Fred wykorzystał moment, w którym starsza sierżant odwróciła głowę i uśmiechnął się do niego tak, jak ktoś zadowolony z sukcesu przyjaciela.

Mam nadzieję, że Fred nie zginie — pomyślał Arthur, maszerując za Księciem Czwartkiem. — Chłopak nawet nie wie, w co się pakuje. Ciągle tylko marzy o tym, że zostanie generałem. Uczestniczyliśmy tylko w jednej bitwie, ochroniono nas przed najgorszym, a i tak było okropnie…

— Gabinet marszałka Południka — zapowiedział Książę Czwartek, uchylając drzwi do mniejszego pokoju.

Pomieszczenie należące do Południka okazało się zaskakująco małe, liczyło zaledwie dziesięć metrów na piętnaście. Arthur uznał, że bardziej przypomina ono zbrojownię niż biuro, bo wszystkie ściany zapełnione były bronią. Zza uzbrojenia prześwitywały obrazy i kwasoryty ze scenami o charakterze wojskowym. Na niektórych uwieczniono bitwy i potyczki z Niconiami, lecz wszystkie przedstawiały tego samego, rudowłosego, wytwornego Rezydenta. Arthur uznał, że musi to być Czwartkowy Południk.

Pośrodku pokoju stało duże, mahoniowe biurko, wsparte na trzech kolumnach szuflad. Blat był pusty, jeśli nie liczyć inkrustowanej złotem i kością słoniową buławy marszałkowskiej, która spoczywała pośrodku mebla.

— Musimy przedyskutować kilka spraw, podporuczniku Zielony — zaczął Książę Czwartek. — A może raczej powinienem mówić podporuczniku Penhaligon?

— To moje prawdziwe nazwisko, panie komendancie — przyznał Arthur. Stał wyprostowany na baczność, lecz ostrożnie zerknął w kierunku ścian. Postanowił, że w razie ataku Czwartka rzuci się w bok, chwyci obrotowy miecz, zawieszony na kołkach…

— Nie zamierzałem cię powoływać — oznajmił Książę Czwartek. — Co więcej, nie wiedziałem o wcieleniu cię do wojska, dopóki oficer rekrutacyjny nie złożył raportu drogą oficjalną. Rzecz jasna, powinien był z tym przyjść bezpośrednio do mnie. Teraz jest już szeregowym Crossha-wem.

Po scenie niszczenia mebli rozumiem, dlaczego nie przyszedł bezpośrednio do komendanta — pomyślał Arthur. — Idę o zakład, że nikt by tego nie zrobił, gdyby nie zachodziła absolutna konieczność.

— Gdy tylko zostałeś wcielony i dołączyłeś do grona moich żołnierzy, okazało się, że mam związane ręce — kontynuował Czwartek. Zaczął spacerować po pokoju, bezustannie spoglądając na Arthura. — Potem uświadomiłem sobie jednak, że ciebie obowiązują podobne ograniczenia. Nie możesz zrobić wszystkiego, na co ci przyjdzie ochota, aby uwolnić Wolę i przejąć Czwarty Klucz. Widzisz, Arthurze, obaj się znaleźliśmy w specyficznej sytuacji. Jestem żołnierzem — mówił dalej Czwartek. — Choć dowodzę Chwalebną Armią Architektki, nie pełnię funkcji najwyższego głównodowodzącego. Była nim Architektka, a gdy znikła, nabrałem przekonania, że Lord Niedziela ma stosowne plenipotencje do przejęcia tej roli, z Dostojną Sobotą jako swoją zastępczynią. Sobota przekazała mi wydane przez Niedzielę rozkazy, abym wziął Fragment Woli, ukrył go i przejął opiekę nad Kluczem. Wykonałem te rozkazy tak jak zawsze i będą one obowiązywały do czasu wydania przez Lorda Niedzielę lub jego zastępczynię nowych poleceń.

Umilkł i ściągnął ze ściany zegarowy topór. Arthur zdrętwiał, gotów pochwycić broń, aby odeprzeć atak Księcia Czwartka. Ten jednak najwyraźniej nie zamierzał napadać chłopca. Zaczął za to wyginać trzonek topora do przodu i do tyłu, choć wykonano go z grawitacyjnie kondensowanej stali. Mechanizm zegarowy broni zapiszczał na znak protestu, gdy wyginały się pokrętła i tryby wewnątrz trzonka, a koło zamachowe na jego końcu znieruchomiało, spalone. Wokół rąk Czwartka unosił się dym.

— Przestrzegałem tych rozkazów przez ostatnie dziesięć tysięcy lat — wycedził Czwartek przez zaciśnięte zęby. — Choć Wola bezustannie usiłuje uciec, przez cały czas się uskarża i coś knuje… A ja nigdy nie mogę odpocząć!

Topór rozpadł się na kawałki, sprężyny pofrunęły po całym pokoju. Arthur odruchowo się pochylił, lecz w następnym momencie znowu stał na baczność.

— Nie mogę odpocząć, bo jeśli to zrobię, Wola ucieknie — ciągnął Czwartek. — Jestem przez to nieco rozdrażniony. Ale co robić, rozkaz to rozkaz. Jak widzisz, poruczniku, nie zamierzam uwalniać Woli ani przekazywać ci Klucza do czasu uzyskania jednoznacznych rozkazów. Nie utrzymuję szczególnie ożywionych kontaktów z Wyższym Domem, niemniej takie rozwiązanie wydaje mi się niesłychanie mało prawdopodobne.

Książę Czwartek otrzepał dłonie z resztek sproszkowanego metalu i chwiejnym krokiem podszedł do Arthura, po czym nachylił się ku chłopcu.

— Możesz mieć plany samodzielnego uwolnienia Woli, Arthurze, ale tutaj nie jesteś Arthurem Penhaligonem, Mistrzem Niższego Domu, Odległych Rubieży i Morza Granicznego. Jesteś oficerem w mojej Armii, a ja rozkazuję ci powstrzymać się od wszelkich działań, zmierzających do uwolnienia Woli. Rozumiesz?

— Tak jest — potwierdził Arthur.

— Nieposłuszeństwo rozkazom podczas pełnienia czynnej służby jest uznawane za bunt — przypomniał mu Czwartek. — Za to grozi jedna kara. Śmierć. Rozumiesz?

— Tak jest!

— Zatem tę sprawę uważam za zamkniętą, przynajmniej do zakończenia twojej służby wojskowej. — Czwartek wykrzywił kącik ust, zapewne wyobrażając sobie, że się szeroko uśmiecha. — Przez dziewięćdziesiąt dziewięć lat sporo się może zdarzyć, panie… Zielony.

— Tak jest! — odparł Arthur i pomyślał, że sporo się zdarzy w ciągu najbliższej doby, bo Czwartek najwyraźniej zamierzał go zlikwidować podczas samobójczej misji, na którą wyruszali.

— Lepiej dołącz do reszty oddziału specjalnego i przygotuj się należycie — poradził Książę Czwartek. — Za osiemnaście minut wkraczamy na Niebywałe Schody. Odmaszerować!

Arthur zasalutował i zrobił w tył zwrot. Gdy się obracał na pięcie, usłyszał w głowie głos, który przemawiał bezpośrednio do umysłu. Słowa były wypowiadane bardzo cicho, lecz wyraźnie. Arthur od razu rozpoznał charakterystyczny ton. Wszystkie Fragmenty Woli odznaczały się swoistą monomaniakalną bezpośredniością, nawet wtedy, gdy przemawiały do cudzego umysłu:

Arthurze, jestem tutaj, przyczepiona do Klucza. Mogę się uwolnić sama, pod warunkiem że moc i uwaga Księcia Czwartka będą w dostatecznym stopniu skupione na czym innym.

Arthur w żaden sposób nie dał po sobie poznać, że nawiązał kontakt z Wolą. Maszerował przed siebie, a w jego umyśle kłębiły się plany, obawy, przemyślenia, które odrzucał lub rozważał i akceptował.

Chcąc usłyszeć rozmowę i porozumieć się z Arthurem, Wola musiała się znajdować w tym samym pomieszczeniu, co Książę Czwartek. Podkreśliła, że jest przyczepiona do Klucza, zatem i on był nieopodal. Czwartek nie nosił jednak żadnej widocznej broni. Ubrany był w mundur szeregowca, bez ładownicy i bez pętelki na bagnet, o którą mógłby coś zaczepić.

Ale miał odznakę, przypomniał sobie chłopiec. Dziwny, nieproporcjonalnie duży znaczek przy czapce. Miecz z wężem, wijącym się wokół rękojeści…

ierżant czekała na Arthura. Dziwnie się poczuł, kiedy mu zasalutowała, zamiast na niego nawrzeszczeć. Miło go to zdumiało. Pomyślał, że szybko mógłby się przyzwyczaić do rangi oficera. Sierżant zaprowadziła go na dół kręconych schodów, do przestronnej zbrojowni w skalnej jaskini pod Fortem Gwiaździstym. W pomieszczeniu ustawiono w ośmiu rzędach niezliczone stojaki z bronią i zbrojami, ciągnące się na przestrzeni co najmniej stu metrów. Jedenaścioro dzieci Szczurołapa hałasowało w trakcie wybierania sobie ekwipunku pod okiem trzech zrezygnowanych, siwych Rezydentów w randze sierżantów zbrojmistrzów. Jeden z nich dostrzegł Arthura i jego nowe naramienniki.

— Baczność! — krzyknął momentalnie.

Dzieci Szczurołapa wykonały polecenie, lecz niespecjalnie pośpiesznie i byle jak. Jedno z nich wyglądało tak, jakby miało usiąść. Arthur zignorował tę niesubordynację.

— Spocznij! — odkrzyknął. — Wracajcie do swoich zajęć. Kapral Błękit!

Suzy wyłoniła się spoza stojaka na muszkiety o dzwonowatej lufie. Za szerokim, nieprzepisowym pasem ze skóry trzymała zatknięty obrotowy miecz, a na skrzyżowanych na piersi pasach nosiła w kaburach cztery małe pistolety na proch z Nicości.

Arthur dał jej znak, by ukryła się za innym stojakiem. Tam do niej dołączył, by mogli swobodnie porozmawiać, zasłonięci szeregiem dwuipółmetrowych tarcz strzeleckich, zwanych pawężami.

— Arthur, mam kieszeń! — wyszeptała Suzy i poklepała dłonią tunikę.

— Kieszeń? Kieszeń od mojej koszuli? — spytał Arthur osłupiały. Właśnie zamierzał opowiedzieć Suzy o Księciu Czwartku. — Chodzi ci o tę kieszeń, która posłużyła do wyhodowania Bezskórego Chłopca?

— Ma się rozumieć, że nie mówię o byle kieszeni — obruszyła się Suzy. — Chcesz ją teraz? Wydaje mi się, że możesz ją wetknąć do tego kolca, skoro jest zrobiony z Nicości.

— Tak — potwierdził Arthur szybko i wyciągnął rękę. — Ale jak ją odzyskałaś? Czy Liść… czy moja rodzina dobrze się miewa?

— Pojęcia nie mam. — Suzy przetrząsnęła tunikę i wyciągnęła pudełko z przezroczystego plastiku, w którym spoczywał skrawek materiału. — Liść odnalazła kieszeń, ale nie mogła wrócić do Domu. Zatelefonowała z twojego pokoju, a ja pognałam do niej przez Siedem Cyferblatów, ale zanim dotarłam na miejsce, ta mózgowa pleśń zdążyła ją opanować. Nie miałam czasu zostać dłużej, więc wleciałam w Drzwi Frontowe, tyle że zatrzymał mnie Południk Dostojnej Soboty i byłby mnie pochlastał na kotlety, gdyby nie Strażnik Porucznik, chwała jego siwym włosom, który zjawił się w samą porę…

— Później opowiesz mi wszystko ze szczegółami — przerwał Arthur dziewczynie. Umierał z ciekawości, tak bardzo chciał wysłuchać całej historii, lecz musiał się skupić na palących problemach. — Mamy tylko kilka minut. Książę Czwartek wie, kim jestem. Rozkazał mi, bym nie uwalniał Woli, którą, moim zdaniem, ukrywa w znaczku na czapce. Mam na myśli węża. Kluczem jest miecz.

Suzy podrapała się po głowie.

— A to dopiero. Byłam pewna, że ktoś taki jak on od razu utnie ci łeb.

— Czwartek wykonuje rozkazy i przestrzega regulaminu — zauważył Arthur. — Ale uważam, że zabije mnie bez wahania, gdy tylko okażę mu choćby cień niesubordynacji. Zresztą tak czy owak na pewno postanowił mnie zgładzić podczas wyprawy na ten kolec.

— Tu się zgadzam — przyznała Suzy. Jej słowa nie dodały Arthurowi otuchy. — I co zamierzasz?

Arthur rozejrzał się, aby sprawdzić, czy nikt nie podsłuchuje.

— Wola przemówiła do mnie mentalnie. Usłyszałem jej głos w głowie. Powiedziała, że może się sama uwolnić, jeśli Książę Czwartek będzie dostatecznie zdekoncentrowany. Kiedy Wola się oswobodzi, pewnie pomoże mi w zdobyciu Klucza. Tyle tylko że… na razie się trochę denerwuję, bo muszę stawić czoło Czwartkowi. Nie pomaga mi nawet świadomość, że będę miał do dyspozycji Klucz i uzyskam pomoc Woli.

— Dobrze cię rozumiem — mruknęła Suzy.

— Poza tym otrzymałem rozkaz zabraniający mi podejmowania prób uwolnienia Woli, więc nie mogę nawet samodzielnie odwrócić uwagi Księcia Czwartka.

— A dlaczego? — zdumiała się Suzy. — Po prostu nie wykonaj rozkazu. Ja tak robię na okrągło przy Starej Damuli.

— Chyba nie dam rady — wyznał Arthur. — Czuję w głowie dziwny ucisk, kiedy zastanawiam się nad zignorowaniem rozkazów i trudno mi nawet wyobrazić sobie, że mógłbym przeciwstawić się poleceniu Księcia Czwartka. To chyba skutek przebywania w szkole poborowych. Zresztą, to zjawisko się pogłębiło, kiedy zostałem oficerem. Z pewnością dlatego Czwartek mnie awansował.

— Sama odwrócę jego uwagę — zaproponowała Suzy i zamyślona popatrzyła na przyjaciela. — Mam taką wprawę w lekceważeniu rozkazów, że chyba sobie poradzę.

— To nie takie proste — pośpiesznie zauważył Arthur. — Musimy zaczekać, aż Czwartek zniszczy kolec Nicości. Jeśli misja się nie powiedzie, nie poradzimy sobie z Neoniconiami... choć gdy się nad tym głębiej zastanowić...

— Co takiego? — Suzy sięgnęła po opartą o stojak megawłócznię i zamarkowała rzut, aby sprawdzić, jak wyważona jest broń. Arthur się pochylił, gdy dziewczyna wywijała włócznią, lecz mówił dalej:

— Zastanawiam się, czy ktoś próbował już rozmawiać z Neoniconiami i ich dowódcą. Wiem, że to wrogowie, ale oni nie przypominają zwykłych Niconi, które chcą tylko zabijać i niszczyć. Kto wie, o co chodzi tym najeźdźcom? Może mógłbym z nimi negocjować.

— Negocjacje z Niconiami? — osłupiała Suzy. — Z nimi nie da się negocjować...

— Pięć minut! — zawołała sierżant, która wprowadziła Arthura do zbrojowni. — Pięć minut!

— Pięć minut — powtórzył chłopiec. — Lepiej się przygotuję.

Podbiegł do stojaka ze zbrojami Legionistów i po chwili wahania wybrał brązowy kirys młodszego centuriona, rezygnując z segmentowej zbroi zwykłego Legionisty. Włożył pancerz i wepchnął plastikowe pudełko z magiczną kieszenią do pochewki, zamocowanej pod pachą kirysu. Było to miejsce na sztylet, ukryty na czarną godzinę.

— Suzy, czy możesz mi podać obrotowy miecz? Wybierz jeden ze średnich.

— Tak jest, panie podporuczniku! — odparła Suzy służbiście i zasalutowała.

— Nie musisz... — zaczął mówić Arthur, lecz urwał, gdy się zorientował, że Suzy patrzy mu ponad ramieniem. Jednocześnie rozległ się okrzyk:

— Baaaczność!

Arthur odwrócił się tak raptownie, że poluzowane rzemienie kirysu załopotały w powietrzu. Do zbrojowni wkroczył Książę Czwartek. Nadal miał na sobie szkarłatny mundur Regimentu, lecz zamiast beretu nosił żelazny hełm Legionistów, bez znaczka. W dłoni ściskał bardzo długi i szeroki miecz, w którym Arthur momentalnie rozpoznał Czwarty Klucz. Potęgę magicznego przedmiotu chłopiec wyczuwał w kościach. Był to swoisty ból połączony z dreszczem, wędrującym od palców rąk do kręgosłupa i w dół nóg.

Miecz wyposażono w bardzo szeroki uchwyt, dzięki czemu można nim było władać oburącz... ewentualnie jedną ręką, jeśli właściciel broni był niespotykanie silny. Wokół prostej, mosiężnej rękojeści wił się ozdobny wąż z metalu. Ogólnie biorąc, miecz był znacznie większym odpowiednikiem broni ze znaczka na czapce Księcia Czwartka.

— Panie Zielony! — warknął Czwartek. — Proszę zebrać żołnierzy i przeprowadzić inspekcję ich wyposażenia.

— Tak jest, jaśnie panie!

Arthur pośpiesznie zawiązał pod pachami rzemienie kirysu, przypiął obrotowy miecz, podany mu przez Suzy, i włożył na głowę zwieńczony szkarłatnym grzebieniem z końskiego włosia oficerski hełm. Potem przez kilka sekund nie bardzo wiedział, co robić dalej, lecz sobie przypomniał, jak zawsze postępowali oficerowie. Po prostu mówili sierżantom, aby oni się wszystkim zajęli. W związku z tym Arthur rozejrzał się i spostrzegł najbliższe z dzieci Szczurołapa w randze sierżanta. Była to dziewczyna, Granicznik, z trzema czarnymi paskami na ręce. Arthur natychmiast do niej podszedł.

— Jak nazwisko, pani sierżant?

— Żywosrebrna — odparła dziewczyna. — Panie podporuczniku.

— Pani sierżant, będzie pani sierżantem naszej drużyny... plutonu... jak go zwał, tak go zwał — oznajmił Arthur. Był nieco skołowany, rozmawiając w taki sposób z podkomendną, gdyż w szkole poborowych przez wiele tygodni to jemu wydawano rozkazy. — Proszę zwołać zbiórkę i oboje przeprowadzimy inspekcję wyposażenia.

— Tak jest, panie podporuczniku — potwierdziła dziewczyna. Arthur zwrócił uwagę, że ogromnie przypomina Suzy. Miała podobnie wąską twarz, ale bardzo krótkie, czarne włosy oraz brązowe oczy. — Sugeruję, byśmy nazywali naszą jednostkę oddziałem wypadowym.

— Bardzo dobrze, pani sierżant — pochwalił Arthur. — Proszę kontynuować. — Wiedział, że tak właśnie mówią oficerowie, kiedy nie wiedzą, co zrobić.

— Oddziaaał wypadowy! — ryknęła sierżant. — Zbiórka! W szeregu!

Dzieci Szczurołapa szybko ustawiły się jak należy, machinalnie utrzymując porządek od najwyższego do najniższego. Dodatkowo przesuwały się bokiem, aby zachować odpowiedni odstęp, mierzony przez przytknięcie pięści do ramienia sąsiada z prawej. Cała gromada wyglądała bardzo dziwnie. Niemal wszyscy mieli przy sobie kombinowane wyposażenie, złożone z rozmaitych rodzajów zbroi, broni i sprzętu ze standardowego ekwipunku żołnierzy Regimentu, Legionu, Hordy, a także Graniczników. Chłopiec uświadomił sobie, że wszyscy poza nim wybrali sobie co najmniej dwie odmiany broni, choć wielu zdecydowało się na trzy lub cztery. Arthur dopiero teraz spostrzegł, iż do udziału w wyprawie nie zgłosili się żadni Artylerzyści, co być może tłumaczyło, czemu ich jednostka nosiła nazwę Umiarkowanie Czcigodnej Kompanii Artylerii.

— Panie podporuczniku, oddział wypadowy gotowy do inspekcji!

Arthur wymienił saluty z Żywosrebrną i przemaszerował wzdłuż szeregu, przypatrując się każdemu żołnierzowi. Gdyby miał więcej pewności siebie, skomentowałby ich uzbrojenie lub wyposażenie, lecz tylko spytał, jak się nazywają. Nie czuł się jak prawdziwy oficer, ale nawet jako zwykły towarzysz broni swoich podkomendnych zapragnął dowiedzieć się, kim są. Po bitwie pod Fortem Przemiana miał świadomość, że co najmniej część z nich nie powróci. Chciał znać kamratów, a dodatkowo próbował zapamiętać ich twarze, aby pozostało po nich jakieś wspomnienie, gdyby przeżył wyprawę, a oni nie.

Gdy słyszał nazwiska dzieci Szczurołapa, powtarzał je sobie w myślach i w ten sposób zapamiętywał. Zawsze miał wyśmienitą pamięć, w szczególności do słów i muzyki.

Oprócz Arthura, Suzy i Freda, oddział dwanaściorga dzieci Szczurołapa składał się z Żywosrebrnej, Klejnika, Żółtowąsa, Wiaty, Jazbity, Półciętnika, Sobola, Starodobrego oraz Gronostaja. Nie wyjawili mu imion, tylko nazwiska. Wśród nich znajdowało się pięć dziewczynek i czterech chłopców, w wieku od mniej więcej dziewięciu do trzynastu lat.

Na końcu szeregu Arthur się odwrócił i pomaszerował do Księcia Czwartka, który cierpliwie czekał. Po obowiązkowej wymianie żołnierskich pozdrowień Arthur oświadczył, że oddział wypadowy jest gotów do drogi. Czwartek skinął głową i podszedł bliżej szeregu, aby osobiście przemówić do żołnierzy.

— Wejdę pierwszy na Niebywałe Schody — obwieścił. — Pan Zielony zamknie pochód. Żołnierz za mną będzie trzymał mój pas z tyłu, następny chwyci się pasa poprzednika i tak dalej. Jeśli ktoś puści pas, wypadnie z Niebywałych Schodów bez względu na to, gdzie się akurat będziemy znajdowali. Wraz z nim wypadną wszyscy pozostali. Dlatego absolutnie zasadniczą sprawą jest bardzo mocne chwycenie się pasa poprzednika — podkreślił z naciskiem. — Niebywałe Schody są... niebywałe... Choć będziemy pokonywać bardzo krótki dystans w skali Domu, niewykluczone że pojawimy się na półpiętrze, które może się objawić w całkowicie dowolnym miejscu oraz czasie. Gdyby do tego doszło, nie puszczajcie pasów! Natychmiast ponownie wkroczymy na Schody. Nikomu nie wolno puścić pasa poprzednika bez mojego wyraźnego rozkazu. Czy wyrażam się dostatecznie jasno?

— Tak jest, panie komendancie! — krzyknął oddział wypadowy.

ROZDZIAŁ DWUDZIESTY CZWARTY

K siążę Czwartek nie zasypiał gruszek w popiele. Gdy tylko skończył mówić, podszedł do prawego skraju szeregu dzieci Szczurołapa i tam się zatrzymał.

— Oddział wypadowy! — krzyknął. — W prawo zwrot! Niech każdy chwyci za pas żołnierza przed sobą!

Arthur pośpiesznie stanął na końcu, gdy wszyscy odwrócili się w prawą stronę. Ledwie zdążył chwycić Freda za pas, Czwartek nakreślił w powietrzu kilka stopni schodów. Do rysowania użył miecza, którego koniec pozostawił nad ziemią jaśniejące linie.

— Pilnowanie kroku niekonieczne! — zawołał Książę Czwartek i uniósł obutą nogę, by stanąć na pierwszym z jaśniejących, niematerialnych stopni, które właśnie narysował. — Jeśli chcecie, zamknijcie oczy, zezwalam na to. Ale nie wolno wam się puścić!

Choć Arthur korzystał już wcześniej z Niebywałych Schodów, jeszcze nigdy dotąd nie widział, jak ktoś na nich znika. Gdy sam podróżował tą drogą, pozostawał skupiony tylko i wyłącznie na wyobrażaniu sobie Schodów tam, gdzie ich nie było. Widział wtedy stopnie wykonane z błyszczącego, białego marmuru, które ciągnęły się w nieskończoność.

Tym razem ujrzał co innego. Książę Czwartek wdrapał się po jaśniejących, wyrysowanych przez siebie stopniach i nagle jego głowa znikła, zupełnie jakby ktoś ją niespodziewanie wymazał. Potem przepadły jego ramiona i w jednej chwili cały się zdematerializował. Dziewczyna za Czwartkiem odetchnęła głęboko, gdy znikła jej ręka. Potem zamknęła oczy i dała się pociągnąć naprzód, pozornie w niebyt.

Trudno było wytrzymać na końcu szeregu, choć dzieci Szczurołapa poruszały się bardzo szybko. Arthur zwrócił uwagę, że ani jedno z nich się nie zawahało przed wejściem na Niebywałe Schody, choć większość w ostatniej chwili odwracała głowy, jakby chciały uniknąć przykrego ciosu w twarz. Poza tym miały zamknięte oczy.

Arthur zamierzał mieć je otwarte. Wolał dostrzec ewentualne sztuczki, których Książę Czwartek mógł się dopuścić na Schodach.

Pomyślał, że powinien odetchnąć z ulgą, gdy otoczyło go białe światło, pod stopami poczuł marmur, a przed sobą widział krętą kolejkę żołnierzy, wdrapujących się coraz wyżej. Arthur jednak ani trochę się nie odprężył.

Gdy poprzednio wspinał się na Schody, nie były kręcone. Tym razem wiły się spiralnie.

Dopiero gwałtowne szarpnięcie uświadomiło Arthurowi, że się na sekundę zatrzymał. Przez jedną okropną chwilę sądził, że zaraz straci kontakt z Fredem. Na szczęście palce utkwiły mu za pasem towarzysza i mógł ponownie mocno je zacisnąć. Chwiejnie podążając za resztą oddziału, patrzył tylko pod nogi.

— Trzymaj się! — powiedział Fred jak najciszej i zarazem na tyle głośno, by jego słowa zabrzmiały krzepiąco. — Panie podporuczniku — dodał.

Arthur się trzymał, skoncentrowany wyłącznie na wchodzeniu. Przez pierwszych kilkadziesiąt stopni oczekiwał, że Książę Czwartek coś zrobi, lecz potem przypomniał sobie, jakie miał trudności podczas prowadzenia na górę Schodów samej Suzy Błękit. Wykonawca nie mógł nic zrobić, bo naraziłby się na upadek ze Schodów, a to oznaczałoby trafienie w miejsce, w którym z pewnością prawie nikt nie chciałby się znaleźć.

Ta świadomość sprawiła, że Arthur zaczął się przejmować tym, co go czeka na końcu podróży. Nawet gdyby Czwartek potrzebował zaledwie pięciu lub sześciu minut na zniszczenie kolca z Nicości, w tym czasie mogło się bardzo wiele zdarzyć. Podczas bitwy pod Fortem Przemiana całe zastępy Rezydentów oraz Neoniconi poległy lub odniosły rany w pierwszych trzydziestu sekundach. Pięć minut batalii musiało pociągnąć za sobą o wiele większe straty.

Należało też liczyć się z tym, że Księciu Czwartkowi przytrafi się coś złego. Gdyby z takiego czy innego względu nie mógł poprowadzić podkomendnych z powrotem na Niebywałe Schody, wówczas znaleźliby się w potrzasku. Neoniconie poradziłyby sobie z nimi bez większego wysiłku.

Chyba że sam skierowałbym wszystkich na Niebywałe Schody, przeszło Arthurowi przez myśl.

Zastanawiał się, czy korzystanie ze Schodów pogłębi zatrucie jego krwi i kości. Pierścień z krokodylem trzymał w ładownicy przy pasie, lecz rozmyślanie o magicznym przedmiocie i o skażeniu mijało się z celem. Arthur wiedział, że będzie musiał zrobić wszystko, co w jego mocy, aby ochronić towarzyszy broni.

W pewnej chwili coś przykuło uwagę chłopca, podniósł wzrok. Schody ciągnęły się w nieskończoność i znikały w mgle rozjaśnionej jaskrawobiałym światłem. Książę Czwartek jednak przepadł, a wraz z nim jeszcze dwoje dzieci Szczurołapa, które wspinały się tuż za jego plecami. Trzecie właśnie się dematerializowało, między jednym stopniem a drugim.

— Wychodzimy! — oznajmił Arthur. — Trzymajcie się!

Wypowiadając te ostrzegawcze słowa, poczuł się trochę niemądrze, bo zanim skończył, niemal wszyscy zdążyli już opuścić Schody. Słyszał go tylko Fred, który wiedział, że to przede wszystkim Arthur powinien się trzymać, bo wcześniej miał z tym trudności.

Potem zniknął także Fred. Tym razem Arthur jednak zamknął instynktownie oczy. Gdy ułamek sekundy później zmusił się do uchylenia powiek, ujrzał przed sobą tylko rząd dzieci Szczurołapa z Księciem Czwartkiem na czele. Zaledwie kilka metrów za plecami Czwartka znajdował się potężny, gwałtownie obracający się róg kompletnej ciemności, od czasu do czasu przeszywany rzadkimi błyskami oślepiającej bieli.

Był to kolec. Szybko wirował, a na domiar złego okazał się większy, niż Arthur podejrzewał. Widziana przez chłopca część liczyła sobie około dziesięciu metrów wysokości i siedmiu metrów średnicy w najszerszym punkcie. Wyglądało jednak na to, że kolec jest połowicznie zakopany w ziemi, a jego wierzchołek już dawno temu zagłębił się w wierzchniej warstwie podłoża i dotarł do materiału spoczywającego poniżej organicznej tkanki segmentu pięćset przez pięćset.

— Oddział, zwolnić uścisk! — ryknął Książę Czwartek. — Zająć pozycje obronne!

Arthur puścił pas Freda i powiódł wzrokiem dookoła. Znajdowali się na usypanym z ziemi pomoście, wzmocnionym drewnem. Konstrukcję wzniesiono zapewne w celu podparcia kolca. Platforma miała ponad trzy metry szerokości i około dwudziestu metrów długości. Oddział wypadowy zajął sam jej szczyt, obok kolca.

Przeciwległy koniec platformy łączył się z pylistą, udeptaną drogą z białymi skałami po bokach, ciągnącą się do granicy segmentu, niecały kilometr dalej. Po obu stronach tego prostego traktu ustawiono niezliczone rzędy jaskrawożółtych namiotów w kształcie dzwonów. Były ich tysiące, każdy liczył około siedmiu metrów średnicy i wraz z otaczającym go skrawkiem ziemi zajmował kwadrat o boku długości około czternastu metrów.

W obozie przewidziano także miejsce na plac defilad, czyli kwadrat gołej ziemi o mniej więcej siedemdziesięciometrowym boku. Zajmowała go jednostka tysiąca Neoniconi, której inspekcję prowadził właśnie bardzo wysoki, wręcz imponujący Neonicoń, może nawet Rezydent, gdyż charakteryzował się ludzkimi kształtami i nosił bladożółty szynel wojskowy z licznymi guzikami oraz pokaźnym ozdobnym sznurem w kolorze złotym. Na głowie, nałożony bokiem, miał napoleoński pieróg. Arthur znajdował się daleko, lecz wydawało mu się, że wrogi dowódca ukrywa twarz za metalową maską lub też korzysta z upiornej, błyszczącej protezy. Za wysokim przywódcą zgromadziło się dwunastu oficerów czy też wysokiej rangi Niconi. Arthur od razu uświadomił sobie, że na placu defilad znajduje się tajemniczy wódz Neoniconi.

Chłopiec nie miał czasu na dalsze przemyślenia. Sierżant Żywosrebrna krzyczała, a dzieci Szczurołapa ustawiały się w szeregu, w najwyższym miejscu platformy.

Tam przygotowywały pistolety i karabiny na proch z Nicości, a także megawłócznię. Żywosrebrna miała dodatkowo łuk z włókien mięśniowych

— Doskonale, pani sierżant — pochwalił ją Arthur. Musiał się bardzo starać, aby głos mu się nie załamywał. Zawodzenie wirującego kolca ogromnie go dekoncentrowało, bo przypominało nieprawdopodobnie piskliwy i donośny płacz ludzkiego dziecka. Neoniconie na placu defilad już dostrzegli intruzów. Wysoki dowódca odwrócił się, by na nich popatrzeć. Choć wydawało się, że nie wypowiedział ani słowa, wśród oficerów za jego plecami nagle zapanowało zamieszanie i dały się słyszeć donośne rozkazy.

— Będą tu za pięć minut — oszacowała Żywosrebrna ze znawstwem. — Mają po drodze tyle namiotów…

Urwała, bo rozległo się dudnienie mosiężnych kotłów, w takim samym rytmie, który Arthur słyszał podczas ataku na Fort Przemiana. Na ten dźwięk z niemal wszystkich namiotów wylegli Neoniconie, niczym dziesięć tysięcy ukrytych pszczół, które nagle opuściły z pozoru niewinne komórki plastra miodu.

Arthur spojrzał na Księcia Czwartka, stojącego z mieczem uniesionym nad głową, obok kolca. Dowódca wydał z siebie okrzyk bojowy, przekrzykując wycie wirującej Nicości. Arthur poczuł, jak po grzbiecie przebiega mu dreszcz. Książę Czwartek zamachnął się na kolec i odciął jego pokaźny fragment, który zgodnie z ruchem wskazówek zegara zawirował w powietrzu i spadł na dzwonowaty namiot, momentalnie go niszcząc. Z konstrukcji pozostały zaledwie luźne liny, które znikały w dziurze w ziemi.

Kolec nie przestał się jednak obracać, nie powstało w nim także żadne zauważalne wgłębienie, jakby Nicość po prostu wypełniła miejsce po brakującym fragmencie.

Książę Czwartek zachmurzył się i ponownie zaatakował kolec, z podobnym skutkiem.

— Nadchodzą — zauważyła Żywosrebrna. — Czy mam wydać rozkaz otwarcia ognia?

Arthur dopiero po sekundzie się zorientował, że pytanie jest skierowane do niego. Wpatrywał się w masę Neoniconi, okrzykami skłanianych do ustawienia się w szeregi oraz gnających w kierunku podnóża platformy, aby tam zewrzeć szyki przed atakiem. Po jej bokach kłębiło się też mnóstwo słabiej zorganizowanych Niconi. Część z nich usiłowała wspiąć się na górę i nawet im się to jakoś udawało, choć mieli do pokonania dziesięć metrów w pionie.

Wszyscy Neoniconie nosili mundury, byli uzbrojeni w trzaskające iskrami włócznie, które Arthur już wcześniej widział, i najwyraźniej wykonywali rozkazy doświadczonych dowódców. W rzeczy samej, byli bardziej zróżnicowani fizycznie niż Rezydenci, gdyż pojawiały się u nich dodatkowe kończyny i mieli zdeformowane oblicza. W niczym nie przypominali jednak na wpół oszalałej tłuszczy, którą powinny być zwykłe Niconie.

— Sam wydam rozkazy — oznajmił Arthur jak najspokojniej. — Muszkiety pierwsze, potem megawłócznie. Żywosrebrna, osłaniasz lewą stronę i strzelasz do wspinaczy. Suzy, idziesz na prawą stronę i robisz to samo swoimi pistoletami. Fred, będziesz ładował broń dla Suzy.

Arthur dobył miecza i skierował się na środek linii, tylko pobieżnie zerkając na Księcia Czwartka. Nawet tak przelotne spojrzenie wystarczyło, by się przekonać, że Wykonawca nie radzi sobie z kolcem, choć przynajmniej tak wycelował miecz, by kawały Nicości frunęły w kierunku obozu, nie raniąc dzieci Szczurołapa na platformie.

— Czekajcie na rozkaz! — zawołał Arthur, gdy żołnierze wycelowali muszkiety i unieśli megawłócznie.

Formacja Neoniconi o szerokości dwunastu i głębokości dziesięciu szeregów znajdowała się już niemal u stóp platformy. Arthur popatrzył na wrogów i zrozumiał, że w żaden sposób ich nie powstrzyma i nie odeprze ich ataku. Jego oddział był skazany na śmierć. Mieli czas na góra dwie salwy z pięciu muszkietów oraz na dwukrotne ciśnięcie włóczniami. Na tym koniec. Napastnicy musieli odnieść zwycięstwo.

Zwycięstwo, pomyślał Arthur. Dla Niconi zwycięstwo oznacza tylko jedno — zagładę wroga. Chyba że Książę Czwartek zrobi coś z Kluczem. Możemy też spróbować cofnąć się na Schody... Tyle że brakuje na to czasu. Nie uda się. Neoniconie zaatakują i wybiją nas do nogi. A przynajmniej ostatnich, którzy na końcu będą wchodzili na Schody... Czyli mnie. Może Książę Czwartek od początku planował takie rozwiązanie.

Wrogie dudnienie nagle zmieniło tempo, stało się energiczniejsze. Neoniconie wydali z siebie bojowy okrzyk i ruszyli do ataku na platformę. Suzy wypaliła z pistoletów, a łuk Żywosrebrnej zadźwięczał raz i drugi, gdy Arthur policzył do trzech i krzyknął: „Ognia!". Muszkiety huknęły i rozszedł się swąd prochu z Nicości. „Rzut!", zawołał Arthur, na co megawłócznie poszybowały w powietrzu. „Trzymać się!", polecił na koniec i sam przeszedł do pierwszej linii, aby wraz z innymi odeprzeć pierwszą falę ataku lub choćby powstrzymać wroga na kilka sekund. Potem...

W powietrzu rozległ się dziwny, nieziemski dźwięk. Była to pojedyncza, piskliwa nuta, która brzmiała osobliwie, nieco jak flet i odrobinę jak śpiew wieloryba. Chłopiec nigdy nie słyszał nic podobnego.

Dźwięk ten zagłuszył wszystkie hałasy. Dzieci Szczurołapa dosłownie zamarły, znieruchomiawszy w trakcie wykonywanej czynności. To niezrozumiałe zjawisko dotknęło wszystkich, z wyjątkiem Arthura. Chłopiec ze zdumieniem spojrzał na Starodobrego z jego obrotowym mieczem do połowy wyciągniętym z pochwy oraz na dłoń Jazbity, znieruchomiałą podczas odciągania kurka muszkietu.

Suzy skamieniała na skraju platformy. W każdej dłoni trzymała po małym pistolecie wycelowanym w dół prawej strony pomostu. Równie nieruchoma Żywosrebrna znajdowała się po przeciwnej stronie, z upuszczonym łukiem u stóp i puginałem o trójkątnym ostrzu w dłoni.

Neoniconie nie zamarli, lecz przerwali atak i zatrzymali się na ścianach platformy. Ci z nich, którzy znajdowali się po bokach atakującej formacji szerokości dwunastu rzędów, zrobili w tył zwrot, chcąc się wycofać, a ich towarzysze rozstąpili się na boki, żeby stworzyć przejście pośrodku.

Powstałą alejką szedł wysoki dowódca, przyciskając prostą, drewnianą fujarkę do ust, niewidocznych za metalową maską z ciemnoszarej stali. To on wygrywał ten niewiarygodnie czysty, nieprawdopodobny dźwięk.

Arthur usłyszał za plecami szelest i natychmiast się odwrócił. Ujrzał Księcia Czwartka, poczerwieniałego na twarzy, z ustami wykrzywionymi wściekłością.

— Zdrajcy! — wrzeszczał. — Żądałem tylko pięciu minut!

Zanim Arthur zdołał cokolwiek zrobić, miecz Księcia Czwartka przeciął powietrze i trafił znieruchomiałą postać szeregowca Starodobrego, który stał u boku Arthura.

Oszalały z gniewu Czwartek jednym ciosem ściął głowę nieszczęsnemu dziecku Szczurołapa. Komendant wywinął mieczem i ponownie się zamachnął, tym razem prosto na kapral Jazbitę.

Arthur bez zastanowienia przygotował się, aby odparować cios własnym obrotowym mieczem, lecz w zetknięciu z bronią Czwartka grawitacyjnie skondensowana stal zachowała się niczym gałązka. Miecz głównodowodzącego przeciął jego oręż na pół i, prawie wcale nie zwolniwszy, nieuchronnie opadał na szyję Jazbity.

Arthur odskoczył i upadł, gdy Książę Czwartek zamachnął się na niego, nieoczekiwanie zmieniając cios z uderzenia na pchnięcie. Czubek miecza Czwartka zadrżał tuż przy ciele chłopca, lecz Rezydent nie dokończył pchnięcia. Zamiast tego odskoczył w prawo i pośpiesznie zaczął rysować mieczem zawieszone w powietrzu stopnie, aby schronić się na Niebywałych Schodach.

Arthur wyprostował się raptownie, czując przenikliwy ból mięśni brzucha. Szybko się obejrzał. Dowódca Niconi powoli kroczył po platformie, między Niconiami, i przez cały czas grał na swej nieziemskiej fujarce.

Odwrócony plecami do chłopca Książę Czwartek oparł stopę na jaśniejącym stopniu.

Ogłuszony przenikliwym dźwiękiem Arthur wykrzywił usta i sięgnął pod pachę kirysu, aby dobyć zapasowy sztylet. Jego palce nie zacisnęły się jednak na broni, tylko na małym, plastikowym pudełku. Wyciągnął je, lecz dopiero po sekundzie uświadomił sobie, co to takiego.

Umrę, pomyślał. Ale ocalę rodzinę.

Cisnął pudełko do kolca i rzucił się Księciu Czwartkowi na plecy, w chwili gdy Wykonawca znikał na Niebywałych Schodach.

ROZDZIAŁ DWUDZIESTY PIĄTY

Arthur nogami otoczył Księcia Czwartka w pasie, a rękoma chwycił go za szyję, gdy dowódca wykonywał pierwszy krok na zdradliwym marmurze Niebywałych Schodów.

— Nie próbuj żadnych sztuczek! — ostrzegł Czwartka. — Masz iść na górę i nic innego nie robić, bo zrzucę ze Schodów nas obu!

Niczym rozjuszona bestia, Książę Czwartek warknął coś niezrozumiałego i pełnego wściekłości. Mimo to konsekwentnie wdrapywał się na kolejne stopnie, dźwigając Arthura tak, jakby chłopiec nie ważył więcej niż lekki plecak.

Po dwudziestu krokach Wykonawca przemówił.

— Zapłacisz za to głową — zapowiedział. — Bunt to bunt, wszystko jedno, kto się go dopuszcza. Przypieczętowałeś swój los, podporuczniku.

Arthur zbył jego słowa milczeniem. Całą uwagę skupił na tym, jak Książę Czwartek się porusza, nie na tym, co ma do powiedzenia. Wykonawca trzymał w dłoni miecz i mógł w każdej chwili skierować go do tyłu, aby bez ostrzeżenia zatopić broń w ciele chłopca. Arthur wiedział, że musi być przygotowany na przerzucenie ciężaru ciała na jedną stronę, nawet gdyby ten manewr okazał się śmiertelnie niebezpieczny. Uznał, że przynajmniej zrzuci ze Schodów Czwartka, najlepiej w jakieś okropne miejsce, z którego nie będzie łatwo się wydostać.

Sprawiedliwości stanie się zadość, przemówił ktoś w głowie Arthura. Cichy, telepatycznie przekazywany głos należał do uwięzionego Czwartego Fragmentu Woli. Prawie go miałam. Musisz znowu go rozwścieczyć.

Rozwścieczyć?, pomyślał w odpowiedzi Arthur. Jesteś równie szalona jak on? Nie chcę go rozwścieczyć. W ogóle nie wiem, jak mam ujść cało z tego wszystkiego.

Tylko wściekłość może odpowiednio skutecznie zdekoncentrować Księcia Czwartka, zapewniła go Wola. Rozprosz jego uwagę, a wówczas sama się uwolnię i przekażę ci Czwarty Klucz, lordzie Arthurze. Potem Księciu Czwartkowi zostanie wymierzona sprawiedliwość.

Ani myślę rozwścieczać go tutaj, zadecydował Arthur w duchu i zastanowił się, w którym miejscu rozzłoszczenie Księcia Czwartka byłoby najmniej niebezpieczne.

— W Cytadeli na pewno jest jakaś sala konferencyjna — powiedział głośno. — Chodzi mi o miejsce, w którym zbierają się marszałkowie, aby dzielić się bieżącymi informacjami i tak dalej. Zwłaszcza wiadomościami na temat przebiegu oblężenia.

— Jest mój pokój dowodzenia — warknął Książę Czwartek. — Nie ma mowy o żadnym oblężeniu. To tylko chwilowa niedogodność.

— Wobec tego chcę się znaleźć w pokoju dowodzenia — postanowił Arthur. — Proszę mnie tam zabrać, bo zrzucę nas obu ze Schodów.

— Moja zemsta… będzie tym słodsza… im więcej wycierpię — wydyszał Książę Czwartek. Arthur wyraźnie słyszał, jak dowódca zgrzyta zębami między jednym słowem a drugim. — Co się odwlecze, to nie uciecze.

Chłopiec otworzył usta, aby odpowiedzieć, lecz nie miał na to czasu, bo nieoczekiwanie — przynajmniej dla niego — opuścili Schody i znaleźli się w Domu. Książę Czwartek niezwłocznie zamachnął się wolną ręką w tył i kościstą pięścią trzasnął Arthura tak mocno, że ten rozluźnił uchwyt i spadł na podłogę. Oszołomiony, z trudem dźwignął się na nogi. Zanim jednak zdołał cokolwiek uczynić, Książę Czwartek wykrzykiwał już rozkazy, a wokoło pojawiło się mnóstwo Rezydentów, aby pośpiesznie wypełniać wolę dowódcy.

— Trzymać tego zdrajcę! Prawda wyszła na jaw! Na czele wrogich sił stoi Szczurołap! Wszystkie dzieci Szczurołapa trzeba stracić, zanim zdołają wprowadzić w życie dalsze zdradzieckie zamiary! Marszałek Jutrzenka, natychmiast tego dopilnujesz!

Arthur poczuł, jak ktoś wykręca mu ręce. Spróbował unieść brodę i w końcu mu się to udało dzięki mimowolnej pomocy kogoś, kto odciągnął mu głowę do tyłu, aby otoczyć jego szyję ramieniem.

Znajdował się w dużym pokoju, pełnym oficerów. Trzech najwyższych i najdostojniejszych stało u boku Księcia Czwartka, zatem z pewnością byli to marszałkowie: Jutrzenka, Południk i Zmierzchnik. Cała trójka miała podbite oczy, a Południk dodatkowo nosił bandaż wokół prawej ręki. Wszystko to dowodziło, że niedawno brali udział w bijatyce lub nie zawsze zgadzają się z Księciem Czwartkiem. To drugie Arthur uznał za bardziej prawdopodobne.

— Nie jesteśmy zdrajcami! — wycharczał. Ktoś ciągnął go tyłem ku drzwiom. — Książę Czwartek zabił dwóch własnych żołnierzy! On się nie nadaje do dowodzenia! Jestem oficerem Chwalebnej Armii Architektki i żądam, by mnie...

Nie zdołał wypowiedzieć ani jednego słowa więcej, bo Książę Czwartek jednym susem przeskoczył podłogę i grzmotnął chłopca pięścią w brzuch. Arthur jeszcze nigdy w życiu nie doświadczył tak potwornego bólu. Już lepsze było łamanie nogi. Przez kilka sekund nie był w stanie złapać tchu i doszedł do wniosku, że już nigdy nie zdoła odetchnąć. Przeraził się bardziej niż podczas napadu duszności, gdyż klatka piersiowa bolała go tak, jakby miał połamane żebra, a nie tylko zwężone oskrzeliki płucne.

Po dziesięciu, może dwunastu okropnych sekundach udało mu się jednak zaczerpnąć powietrza, gdyż marszałek Jutrzenka skupiła na sobie uwagę Księcia Czwartka. Ubrana w zielenie Graniczników wyróżniała się w pomieszczeniu pełnym szkarłatnych mundurów sztabowych. Poza tym w przeciwieństwie do innych podeszła do Księcia Czwartka, zamiast się od niego odsunąć.

— Podporucznik ma rację. Wysunął poważne oskarżenie i należy go wysłuchać.

Książę Czwartek zmrużył oczy do szparek i niczym wąż prześliznął się po podłodze ku marszałek.

— Należy go wysłuchać? Wydałem rozkazy, zgadza się, pani marszałek Jutrzenko? Dzieci Szczurołapa mają umrzeć!

— Regulamin głosi…

Książę Czwartek z całej siły uderzył Jutrzenkę w twarz. Marszałek się zachwiała i cofnęła, ale nie próbowała się bronić. Wypluła ząb i zaczęła ponownie.

— Regulamin głosi, że komisja śledcza…

Następne uderzenie przewróciło ją na kolana. Przez moment klęczała, lecz udało się jej podźwignąć. Tym razem u jej boku stanęło dwóch pozostałych marszałków.

— Jaśnie panie, to nie jest odpowiedni czas ani właściwe… — zaczął marszałek Południk.

— Rozkazy! — zaskrzeczał Książę Czwartek. Odwrócił się i pokazał palcem Arthura. — Rozkazuję moim żołnierzom zabić wszystkie dzieci Szczurołapa, począwszy od tego tutaj. Czy nie ma tu nikogo odpowiedzialnego za swoje obowiązki?

— Nikt się nie rusza! — warknął marszałek Zmierzchnik zimnym i przenikliwym głosem. — Ten rozkaz nie ma mocy prawnej. Jesteśmy żołnierzami, nie pomocnikami kata.

— Jesteś niczym! — wrzeszczał Książę Czwartek. — Degraduję cię i sam wykonam polecenie.

Obrócił się i uniósł miecz tak, by go wycelować prosto w serce chłopca, a następnie ruszył do niego biegiem.

Arthur usiłował paść plackiem na podłogę, ale trzymające go ręce były zbyt silne. Nie mógł uniknąć pchnięcia.

Miecz nie trafił jednak do celu. Książę Czwartek wykonał tylko jeden krok, gdy wąż, który oplatał rękojeść miecza, nagle się wyprostował i uniósł. Jego ciało składało się ze słów, a linijka, biegnąca wzdłuż grzbietu, nagle zalśniła srebrem. Litery powiększyły się do pełnej szerokości gada, tworząc jedno hasło: „Niech się wypełni Wola!".

W srebrzystym świetle zajaśniały zęby jadowe węża, który zaatakował, zanim Czwartek zdążył wykonać kolejny krok. Górna szczęka gada uderzyła Księcia Czwartka w dłoń, zatapiając w niej zęby. Dowódca gwałtownie szarpnął ręką i uniósł miecz tak, że jego ostrze zaświstało wysoko nad głową Arthura, ucięło ucho Rezydentowi stojącemu z tyłu i utkwiło w boazerii na ścianie.

Arthur usłyszał za plecami wrzask Rezydenta i poczuł, że jest wolny. Książę Czwartek próbował oderwać od ręki węża, który okazał się Czwartym Fragmentem Woli. Marszałkowie dobywali mieczów. Wszyscy pozostali cofali się ku ścianom. Niektórzy wyciągali broń, lecz większość tylko patrzyła w zdumieniu i ze strachem.

Arthur wiedział, co należy zrobić. Obrócił się, wyciągnął rękę i resztką sił wyjął miecz tkwiący w ścianie. Broń z brzękiem upadła na ziemię, bo była zbyt ciężka dla chłopca. Arthur ukląkł obok i chwycił rękojeść.

Następnie przemówił najwyraźniejszym głosem, jaki potrafił z siebie wydobyć.

— Ja, Arthur, namaszczony na Prawowitego Dziedzica Królestwa, przejmuję ten Klucz, a wraz z nim...

Książę Czwartek ryknął z wściekłości, wyrwał węża z dłoni i cisnął go na drugą stronę pomieszczenia. Wyciągnął miecz ze zdrętwiałych rąk majora sztabowego i, przez cały czas wyjąc niczym dzikie zwierzę, ponowił próbę dotarcia do Arthura.

Na drodze uzbrojonemu dowódcy stanęli jego marszałkowie. Przeciwstawili mu się wszyscy troje i zgodnie skrzyżowali z nim miecze. Musieli odeprzeć natarcie żądnego krwi potwora, w którego przeistoczył się Książę Czwartek.

Arthur mówił coraz szybciej i szybciej, nie odrywając wzroku od gwałtownej niczym burza z piorunami wymiany ciosów.

— A wraz z nim dowództwo nad Chwalebną Armią Architektki i Mistrzostwo Wielkiego Labiryntu. Biorę je krwią i kością, w turnieju, z prawdy, na mocy Ostatniej Woli i wbrew wszelkim przeciwnościom.

Chłopiec nagle przenikliwie pisnął, zakłócając chwilową ciszę, która zapadła po tym, jak dokończył przejmowanie Klucza. Spojrzał w dół i zobaczył spiralnie zwiniętego węża, wijącego się w górę po jego nodze.

Marszałkowie wykorzystali chwilową nieuwagę Księcia Czwartka i zepchnęli go do rogu, lecz ich dowódca nie był rozbrojony i nie czuł się pokonany. Podkomendni mogli tylko zatrzymać go w miejscu i bronić się przed jego błyskawicznymi pchnięciami i cięciami. Wykonawca nie miał już Czwartego Klucza, ale pozostał niesłychanie niebezpieczny.

— Skieruj na niego Klucz i rozkaż mu stanąć na baczność — syknęła Wola. Większą część ciała owinęła wokół górnej części ręki Arthura i wyprostowała tam szyję, dzięki czemu głowa o kształcie rombu znalazła się irytująco blisku ucha chłopca.

— Nie chcę używać Klucza — szepnął Arthur.

— Co takiego? — syknęła Wola. — Wiem, że jesteś Prawowitym Dziedzicem! Nie mam co do tego żadnych wątpliwości!

— To prawda, jestem — odszepnął Arthur. — Tyle że… wiesz, porozmawiamy o tym później.

— Zatem masz mój Klucz! — zawołał Książę Czwartek. Opuścił miecz, lecz marszałkowie nie skorzystali z okazji, aby zaatakować dowódcę. — To jednak za mało, aby dowodzić moją Armią, zwłaszcza gdy u bram stoi wróg. Jak rozumiem, wróg nadal stoi u bram?

— Tak jest, komendancie — potwierdził jeden z pułkowników niepewnie. — Jesteśmy jednak przekonani, że kiedy segmenty ponownie zaczną się przemieszczać, nieprzyjaciel straci wolę walki…

— Segmenty pozostaną unieruchomione — obwieścił Książę Czwartek. — Misję zakończyłem niepowodzeniem z powodu zdrady. Kolec nie uległ zniszczeniu.

Po sali przeszedł szmer. Część oficerów odetchnęła głęboko, inni jęknęli, rozległy się nawet pojedyncze wzburzone okrzyki rozpaczy. Kilka osób odwróciło wzrok, tylko nieliczni spojrzeli na Arthura. Ich zachowanie świadczyło o powadze sytuacji. Gdy chłopiec nadstawił ucha, usłyszał dobiegające z oddali odgłosy bitwy, choć nie docierał do niego huk kanonady. Można to było uznać za pomyślny lub za zły znak, w zależności od tego, czy z armat nie korzystano z powodu braku prochu z Nicości, czy też dlatego, że trwający atak był łatwy do odparcia.

— Jestem lordem Arthurem, Prawowitym Dziedzicem Architektki — ogłosił Arthur. — Przejmuję dowodzenie. Marszałkowie Jutrzenka, Południk i Zmierzchnik — rozkazuję rozbroić i aresztować Rezydenta, wcześniej znanego jako Książę Czwartek.

— Dowodzę Armią z rozkazu Lorda Niedzieli, dostarczonego na piśmie przez Dostojną Sobotę — replikował Książę Czwartek. — Może zbyt pochopnie zażądałem egzekucji dzieci Szczurołapa, ale trwa wojna. Wszyscy doskonale wiecie, że tylko ja mogę poprowadzić nas ku zwycięstwu nad Neoniconiami. Aresztujcie tego Arthura, a w stosownym czasie rozpatrzymy jego żądania i zwołamy komisję śledczą.

— Użyj Klucza! — syknęła Wola.

— Wybrała mnie Wola Architektki — oznajmił Arthur z desperacją. Uniósł rękę, aby zaprezentować węża. — Oto Czwarta Część Jej Woli.

Wyraźnie wyczuwał, że nastrój w pomieszczeniu się zmienia. Zgromadzeni mogli lada moment powrócić do dawnego schematu posłuszeństwa wobec Księcia Czwartka.

— Jakiej znowu Woli? — spytał Książę Czwartek. Postąpił naprzód, a trzej marszałkowie się cofnęli z opuszczoną bronią. — To tylko magiczny wąż, istota z Wyższego Domu. Ozdoba Klucza. Pułkowniku Repton, pan stoi blisko. Proszę aresztować podporucznika Zielonego. To zwykły żołnierz, przecież widać, że nie potrafi użyć Klucza, czyż nie?

— Użyj Klucza! — syknęła Wola ponownie. W jej przyciszonym, wężowym głosie słychać było rozpacz.

ROZDZIAŁ DWUDZIESTY SZÓSTY

Jestem Prawowitym Dziedzicem i tyle — westchnął Arthur ze znużeniem i rezygnacją w głosie. Uniósł Czwarty Klucz, który w jednej chwili się skurczył i przeobraził z miecza w cienką buławę marszałkowską z kości słoniowej, przyozdobioną wieńcem z maleńkich, złotych liści laurowych.

Buława pojaśniała zielonkawym światłem, które skojarzyło się Arthurowi z księżycem nad Wielkim Labiryntem. Chłopiec wycelował oznakę swej władzy w Księcia Czwartka. Mierzył prosto między zabarwione na żółto oczy Wykonawcy.

— Baaaczność!

Wszyscy w pomieszczeniu wyprężyli się jak struny, z wyjątkiem Arthura i Księcia Czwartka. Oczy Wykonawcy pożółkły jeszcze bardziej, a gdy usiłował przeciwstawić się potędze Klucza, na jego czole pojawiła się pokaźna, pulsująca żyła. Potem, powoli, lecz nieubłaganie jego stopy zaczęły zsuwać się, by w końcu z trzaskiem zderzyć się obcasami. Czwartek opuścił ręce i przycisnął je do boków, a miecz oparł na ramieniu.

— Degraduję cię do szeregowca i pozbawiam wszystkich przywilejów — ogłosił Arthur. W jego głosie wyczuwało się potęgę, brzmiał on donośniej, dobitniej i znacznie groźniej, niż powinien brzmieć głos chłopca.

Epolety Księcia Czwartka odfrunęły, a guziki posypały się na podłogę. Jego miecz przełamał się na trzy części, a rękojeść rozpadła się w rdzawy proch.

Arthur opuścił Czwarty Klucz.

— Marszałku Jutrzenko, proszę, wedle uznania, wybrać sobie asystentów i odprowadzić Księcia Czwartka w bezpieczne miejsce odosobnienia. Proszę dopilnować, by nie miał możliwości ucieczki i zadbać także o to, żeby nie spotkała go krzywda ze strony osób z zewnątrz. Ktoś konsekwentnie morduje wszystkich byłych Wykonawców.

— Tak jest, wasza lordowska mość! — potwierdziła Jutrzenka energicznie i ściągnęła swój pas, aby spętać nim dłonie zatrzymanego. Więzień nie stawiał oporu, ale przez cały czas wpatrywał się wrogo w Arthura. W głęboko osadzonych oczach Czwartka widniała nieskrywana nienawiść. Jutrzenka ruchem dłoni przywołała do siebie dwóch pułkowników i wspólnie z nimi wyprowadziła aresztowanego z pomieszczenia.

— Dobra robota — oświadczyła Wola z aprobatą. — A teraz, wasza lordowska mość, pora zastanowić się nad zaistniałą sytuacją. Moim zdaniem przede wszystkim powinniśmy wydać wyrok na Księcia Czwartka w należycie ukonstytuowanym sądzie. Musi zostać ukarany za swe liczne zbrodnie.

— Panie marszałku — zwrócił się Arthur do Południka, dwoma palcami zaciskając pyszczek węża. — Czy ktokolwiek podjął próbę negocjacji z Neoniconami?

Marszałek Południk spojrzał na oburzoną Wolę, zwiniętą wokół ręki Arthura, a następnie na samego chłopca.

— Nie, wasza lordowska mość — odparł. — Jakiekolwiek negocjacje z Niconiami nigdy nie były możliwe.

— Mam brata w wojsku — wyznał Arthur. — Oficera. Kiedyś zapewnił mnie, że każda armia zawsze toczy bieżącą wojnę tak, jakby to była poprzednia, nie wyciągając wniosków z tego, co się wokoło dzieje.

— Tak jest, wasza lordowska mość — potwierdził Południk, ale sprawiał wrażenie zdezorientowanego.

— Chodzi o to, że nie jesteśmy atakowani przez Niconi. Mamy do czynienia z Neoniconiami, którzy w niczym nie przypominają poprzedników. Poza tym na ich czele stoi Szczurołap. Tak przynajmniej można sądzić. Książę Czwartek był tego zdania i nie miał powodu kłamać w tej sprawie. I dlatego zastanawiam się, czego właściwie chce Szczurołap i jego Neoniconie.

— Ich zamiarem jest doprowadzenie do naszej zagłady, wasza lordowska mość — wtrącił Południk.

— Tego zwykle sobie życzą Niconie — podkreślił Arthur ze znużeniem. — Powtarzam jednak, że Neoniconie w niczym nie przypominają Niconi. Gdyby jedni i drudzy byli podobni, nie znaleźlibyśmy się w tak dramatycznym położeniu. A właśnie, skoro o tym mowa… Jak kształtuje się sytuacja?

— Nasze położenie jest niewesołe — doniósł Południk. — Powinniśmy rzucić okiem na pole bitwy, lecz zasadniczo Neoniconie przez cały czas otrzymują posiłki. Pół godziny temu nastąpił atak, w którego wyniku niemal utraciliśmy Zewnętrzny Południowo-Zachodni Bastion. Odczuwamy niedobór materiału do kąpieli ogniowej, brakuje nam prochu z Nicości, a garnizon nie dysponuje pełną siłą wojsk. Do Neoniconi bezustannie docierają nowe posiłki, my jesteśmy zdani wyłącznie na siebie. Zgodnie z ostatnim raportem nasze wojska w Cytadeli składają się z siedemnastu tysięcy dwustu osiemdziesięciu sześciu żołnierzy. Dodatkowe sześćdziesiąt dwa tysiące stacjonuje w Białej Twierdzy, Forcie Przemiana, Arsenale Artyleryjskim i w Warowni Żelazny Paluch. Skoro jednak segmenty znieruchomiały, nie możemy liczyć na rychłe wsparcie, bo dystans jest zbyt odległy, aby go przebyć pieszo. Poza tym nasze wojska będą musiały same się bronić, wrogie siły w Labiryncie są zbyt liczne. Wokół Cytadeli zgromadziło się co najmniej siedemdziesiąt pięć tysięcy żołnierzy nieprzyjaciela, dziesiątki tysięcy są w drodze. Bez pomocy tektonicznej strategii nie zapobiegniemy ich przybyciu.

— Lordzie Arthurze — wtrącił się wąż, którego chłopiec w końcu puścił. — Skoro Cytadeli grozi upadek, powinniśmy ją opuścić, zabierając ze sobą więźnia, aby postawić go przed obliczem wymiaru sprawiedliwości...

— Zamknij się! — warknął Arthur. — Co się z wami wszystkimi dzieje, Fragmenty Woli? Zawsze widzicie tylko koniec własnego nosa. Poza tym nawet gdybym zamierzał opuścić Cytadelę — a nie zamierzam — z pewnością musiałbym wejść na Niebywałe Schody, a tego nie zrobię, bo nie chcę korzystać z Klucza! Czy wyrażam się dostatecznie jasno?

— Tak jest, wasza lordowska mość — wymamrotał wąż.

— Przy okazji, coś sobie przypomniałem. — Arthur pogmerał w ładownicy i wyciągnął pierścień z krokodylem, który wsunął na palec. Nie ośmielił się jednak od razu spojrzeć na ozdobę i ucieszył się, gdy marszałek Zmierzchnik postanowił go zagadnąć.

— Proszę o wybaczenie, wasza lordowska mość — powiedział Zmierzchnik. Miał na sobie ciemnoszary mundur z czarnymi epoletami i czarnymi guzikami. Podobnie jak wszyscy Zmierzchnicy, zachowywał się z dystansem i był wyciszony. Rzeczywiście kojarzył się z późnym wieczorem. — Można się stąd wydostać w jeszcze inny sposób. Winda z gabinetu Księcia Czwartka zapewnia łączność ze Środkowym Domem u góry i Niższym Domem na dole.

— Winda? — powtórzył Arthur. — Czy dysponujemy także telefoniczną łącznością z resztą Domu?

— Tak jest, wasza lordowska mość — potwierdził Zmierzchnik. — Czy wasza lordowska mość życzy sobie do kogoś zadzwonić?

Arthur postukał się Czwartym Kluczem w udo i wzdrygnął, gdy poczuł ból. Buława z kości słoniowej była znacznie twardsza, niż się zdawało na pierwszy rzut oka, a złote listki miały ostre końce.

Chłopiec pośpiesznie rozważał, jak powinien postąpić. Zastanawiał się nad sposobami obrony Cytadeli, a z tego zasadniczego pytania wynikały inne, przede wszystkim jak zapewnić bezpieczeństwo Suzy i Fredowi, a także pozostałym dzieciom Szczurołapa z oddziału wypadowego. Wszystkie one zamarły, czy też przeobraziły się w bliżej nieokreślonego rodzaju posągi, co mogło świadczyć o tym, że Szczurołap nie chciał ich zabić. Ostatecznie sam je sprowadził do Domu. Arthur nie miał jednak pewności, czy nic złego ich nie spotka.

Najbardziej zagadkowa była jednak wiadomość, że Szczurołap jest przywódcą Neoniconi. Jeśli Arthur dobrze pamiętał, był on przecież jednym z trójki dzieci Starucha oraz Architektki, urodzonym przez zastępczą śmiertelną matkę. Chłopiec nie znał jednak żadnych szczegółów tej sprawy.

Dlaczego Szczurołap prowadzi Armię prawie-Rezydentów na Dom? Jego starszym bratem był Lord Niedziela, prawda?

— Dobrze — powiedział chłopiec po chwili i umilkł, gdy wszyscy w pokoju spojrzeli na niego z szacunkiem i wyczekiwaniem na twarzach. — Jak duża jest winda Księcia Czwartka? Nie tak beznadziejnie mała jak ta w Forcie Przemiana, zgadza się?

— Jej wymiary są zmienne — wyjaśnił Zmierzchnik. — W największej postaci przyjmuje w przybliżeniu wielkości tego pomieszczenia.

— Ile czasu trwałaby podróż do Niższego Domu i z powrotem? — spytał Arthur.

— To zależy od operatorów windy oraz władz lokalnych. Minuty, godziny, dni… Trudno powiedzieć.

— Rozumiem — mruknął Arthur przez zaciśnięte zęby. — Oby chodziło tylko o minuty. Zamierzam podjąć próbę negocjowania z Neoniconiami. Mój brat żołnierz powiedział kiedyś jeszcze, że negocjacje najlepiej prowadzić z pozycji siły. Dlatego zamierzam zadzwonić do Niższego Domu, do Odległych Rubieży i na Morze Graniczne, aby za pomocą windy przysłano mi stamtąd jak najwięcej Komisarzy, byłych Nadzorców, Nocnych Przybyszów, żeglarzy i innych, wraz z Poniedziałkowymi, Wtorkowymi i Środowymi Jutrzenkami, Południkami i Zmierzchnikami, a także możliwie dużą ilością prochu z Nicości.

— Cywile — mruknął Południk z pogardą. — Ale proch się przyda.

— Wszyscy oni w taki czy inny sposób walczyli z Niconiami — przypomniał mu Arthur. — Poza tym idę o zakład, że większość z nich odbyła służbę w Armii i teraz są w Rezerwie.

— Rezerwiści nie są wiele więcej warci od cywilów — prychnął Południk. — Ponowne wdrożenie ich do służby nie będzie proste. Poza tym nawet wasza lordowska mość nie ma chyba dość władzy, aby powołać do wojska Rezerwę. Ta sprawa leży w gestii Wyższego Domu.

— W zaistniałych okolicznościach przyjmiemy wszystkie posiłki, jakie uda się nam zgromadzić, i będziemy zadowoleni z każdego wsparcia — oświadczył Zmierzchnik. Popatrzył surowo na Południka, który nie odwzajemnił jego spojrzenia. — Poza tym lord Arthur nie powołuje Rezerwy, tylko ściąga... ochotników.

— I należy ich przyjąć z otwartymi ramionami — dodał chłopiec. Brak zdrowego rozsądku wśród Rezydentów niekiedy doprowadzał go do szału. — Gdzie jest telefon?

Jeden z kapitanów pośpiesznie podszedł z małą, wiklinową walizką. Wyglądała tak, jakby znajdował się w niej komplet naczyń i sztućców na piknik. Gdy oficer otworzył ją, oczom zebranych ukazała się telefoniczna słuchawka na widełkach. Arthur przyłożył ją do ucha, a kapitan zakręcił korbką z boku walizki.

— Tak, słucham? — odezwał się trzeszczący, bardzo daleki głos.

— Chcę mówić z Pierwszą Damą — oznajmił Arthur.

— Nie odbiera telefonów — padła odpowiedź. — Niedawno już ktoś do niej dzwonił.

— Przy aparacie lord Arthur, Prawowity Dziedzic Architektki. Sprawa jest pilna, więc bardzo proszę...

— Słucham?

— Powiedziałem, że przy aparacie lord Arthur...

— Nie, nie o to chodzi. Co pan powiedział na końcu?

— Bardzo proszę — powtórzył Arthur. — To naprawdę pilna sprawa...

— Już łączę, wasza lordowska mość — zapewnił go głos. Arthur usłyszał jeszcze w tle, jak telefonistka dodaje: — Powiedział „bardzo proszę", a jest znacznie ważniejszy od tych wszystkich nieuprzejmych kretynów.

Ponownie rozległy się trzaski, tym razem głośniejsze niż poprzednio, a potem odezwał się inny głos. Arthur rozpoznał Kichola.

— Pokój Dzienny Poniedziałka. Czym mogę służyć?

— Kichol, mówi Arthur. Poproś do telefonu Pierwszą Damę, jeśli łaska. Niezwłocznie.

— Oczywiście, wasza lordowska mość.

— Lord Arthur?

Wąż na ręce Arthura gwałtownie podskoczył, gdy głos Pierwszej Damy odbił się echem od ścian pomieszczenia. Chłopiec nie po raz pierwszy się zastanawiał, dlaczego wszyscy najwyżsi Rezydenci tak się wydzierają podczas rozmów telefonicznych. Zapewne chodziło o to, aby mówić jak ktoś wyjątkowo ważny.

— Tak. Mam mało czasu, więc słuchaj uważnie. Chcę, aby dostępni Komisarze Sierżanci, Metalowi Komisarze, Nocni Przybysze, byli Nadzorcy z Odległych Rubieży, zwykli żeglarze oraz wszyscy nasi najwyżsi Rezydenci jak najszybciej przybyli do Cytadeli w Wielkim Labiryncie, wraz z bronią oraz całym dostępnym prochem z Nicości. Ach, niech się zjawi także doktor Scamandros oraz ci, którzy mogliby się okazać przydatni podczas bitwy. Ty również. W Niższym Domu będzie czekała winda. Masz pytania?

— Tak, wasza lordowska mość, nasuwają mi się rozliczne pytania — odparła Pierwsza Dama zirytowanym tonem. — Co się dzieje? Czy zamierzasz walczyć z Księciem Czwartkiem? To nie byłoby najlepsze rozwiązanie. Nawet

jeśli zgromadzimy wszystkie dostępne nam siły, nie będziemy mogli skutecznie przeciwstawić się Armii...

— Mam Klucz, a Czwarta Część jest wolna — przerwał
jej Arthur. — Książę Czwartek został aresztowany...

— I będzie osądzony! — nie wytrzymał wąż.

— A nas wkrótce zaatakuje ogromna armia Neoniconi
pod dowództwem Szczurołapa. Dlatego koniecznie musisz
się pośpieszyć, dobrze?

— W rzeczy samej — odparła Pierwsza Dama całkowicie odmienionym tonem. — Będzie, jak sobie życzysz,
lordzie Arthurze. Nie wiem, jak szybko przybędziemy, ale
postaramy się dotrzeć jak najrychlej

— Zatem ta sprawa jest już załatwiona — odetchnął
Arthur. — Rzućmy okiem na pole bitwy. Niech ktoś znajdzie dużą, białą flagę oraz gałązkę oliwną. Marszałek Południk może wziąć na siebie ten obowiązek. Marszałku
Zmierzchniku, proszę prowadzić.

Gdy podchodzili do drzwi, Arthur uniósł dłoń i dyskretnie zerknął na pierścień z krokodylem. Nie musiał go
przysuwać do oczu, aby dostrzec, że złoto minęło czwarty
wskaźnik i znajdowało się w jednej trzeciej drogi do piątej
kreski.

ROZDZIAŁ DWUDZIESTY SIÓDMY

Wysoko na blankach Fortu Gwiaździstego łatwiej było zrozumieć, w jak poważnych tarapatach znalazła się Cytadela oraz wszyscy, którzy schronili się za jej murami. Za zachodnimi bastionami rozpościerał się szeroki na trzysta metrów pas graniczny, pokryty poczerniałą, zwęgloną ziemią. Dalej znajdowały się liczne, ukośne okopy, wykonane zgodnie ze skomplikowanym schematem i ciągnące się przez wiele kilometrów na zachód, północ i południe. W okopach roiło się od Neoniconi oraz ich sprzętu oblężniczego, między innymi drabin wspinaczkowych, pęków faszyny do wypełniania rowów, taranów oraz wielkich tarcz do noszenia niczym przenośne dachy, pod którymi można się było chować przed strzałami oraz kulami muszkietów.

— Więc tak wygląda siedemdziesięciopięciotysięczna armia Neoniconi — zauważył Arthur. Chciał, by jego głos zabrzmiał nonszalancko, lecz wróg był liczny i uporządkowany. Zdawało się, że w obozie wszystko ma swoje miejsce i cel, począwszy od okopów, skończywszy na uformowaniu każdej jednostki w ramach umocnień ziemnych. Każdy oddział dysponował własną wielobarwną chorągwią, łopoczącą na wietrze i dumnie oświetloną przez popołudniowe słońce.

— Raczej dziewięćdziesięciotysięczna — skorygował Arthura Zmierzchnik, zerkając na trzymany w dłoni pergamin. — Granicznicy donoszą, że przed chwilą dotarła nowa kolumna. O właśnie — w oddali widać wzniecane przez nią tumany kurzu.

Arthur skierował wzrok w miejsce wskazywane przez marszałka Zmierzchnika.

— Jak daleko jest ten rejon?

— Sześć, może siedem kilometrów stąd — odparł Zmierzchnik. — Poza obszarem stałych segmentów. W normalnych okolicznościach o zachodzie słońca zostaliby przeniesieni daleko stąd.

Arthur nie wypowiedział ani słowa, lecz wszyscy popatrzyli na zachodzące słońce, w milczeniu żałując, że nie udało się zniszczyć kolca.

— Przygotowują się do następnego ataku — zauważył jeden z pułkowników, stojący u boku Zmierzchnika.

— To nietypowe — mruknął Zmierzchnik. — Dopiero co ponieśli klęskę. Po nieudanym ataku zwykle czekają dzień lub dwa, aby wyraźnie zwiększyć swój stan liczebny. Ciekawe, dlaczego tym razem tak się śpieszą?

— Niewiele brakowało, a przechwyciliby bastion w południowo-zachodnim rogu — odparł pułkownik. — Może doszli do wniosku, że szybki atak pozwoli im dokończyć dzieła.

— Najlepiej będzie, jeśli pójdę na inspekcję pierwszej linii obrony — zaproponował Zmierzchnik. — Jeżeli mogę coś zasugerować, dobrze byłoby wysłać tam także marszałka Południka. To doskonały żołnierz, jego obecność zawsze poprawia morale wojska.

— Wszyscy pójdziemy — zadecydował Arthur i zwilżył nagle spierzchnięte usta.

To przez ten wiatr, pomyślał.

— Wyjdę za mury, niosąc flagę posłańca — oznajmił. — Nie sądzę, bym zastał Szczurołapa... Choć pewnie potrafi on korzystać z Niebywałych Schodów... Może więc będzie...

Arthur zamilkł i kontynuował dopiero po chwili namysłu.

— Spytam o niego. Jeśli go nie zastanę, ale nieprzyjaciel będzie gotowy do pertraktacji, z pewnością zyskam choć trochę czasu. Jeżeli zastanę Szczurołapa, spróbuję przeciągnąć rozmowę możliwie długo, aby dać Pierwszej Damie czas na sprowadzenie tutaj posiłków.

Mam tylko nadzieję, że nie okaże się jak zwykle powolna i odpuści sobie biurokrację, przeszło mu przez myśl. Łudził się, że zwątpienie nie odbiło się na jego twarzy.

— Mogą zechcieć najzwyczajniej zabić waszą lordowską mość — zwrócił mu uwagę marszałek Zmierzchnik. — Klucz gwarantuje pewną ochronę, ale nie znamy zakresu nieprzyjacielskiej magii oraz mocy, opartej na Nicości. Co do Szczurołapa... Niewiele o nim wiem, ale zawsze krążyły pogłoski, że jest wyjątkowo potężnym i niezwykłym czarnoksiężnikiem.

— Kiedy ostatnio o nim słyszeliście? — zainteresował się Arthur.

— Nie przywiązujemy zbytniej wagi do tego, co się dzieje w innych częściach Domu ani też w Poślednich Królestwach — wyjaśnił mu Zmierzchnik. — Ale nowi poborowi powtarzają plotki, to oczywiste. Poza tym z ich domów docierają listy. Po zastanowieniu muszę przyznać, że od co najmniej kilkuset lat nie słyszałem ani słowa na temat poczynań Szczurołapa.

— Teraz powrócił, najwyraźniej z Nicości, na czele armii Neoniconi.

— Za pozwoleniem, chciałbym osobiście dobrać i poprowadzić straż przyboczną waszej lordowskiej mości — zaproponował Zmierzchnik.

Arthur pokręcił przecząco głową i ruchem dłoni wskazał obóz za murami.

— Pójdę sam — obwieścił. — Dotrę na środek strefy skąpanej w ogniu, między tamtymi dwoma bastionami. Możecie mnie stamtąd osłaniać. Jeśli wyruszy ku mnie zbyt duża grupa nieprzyjaciół, niezwłocznie się wycofam. Mam jednak nadzieję, że na widok białej flagi przyślą tylko jednego posłańca. Zachowują się jak regularne wojsko... Chyba postąpią zgodnie z wojskowymi obyczajami.

— To dobrzy żołnierze — wycedził Zmierzchnik powoli, jakby głośne wypowiedzenie tego komplementu sprawiało mu trudności. — Może wyślą posłańca. Jeżeli jednak tego nie zrobią... W Cytadeli stacjonuje oddział Hordy. Za pozwoleniem waszej lordowskiej mości, każę im stać w gotowości przy południowo-zachodnich drzwiach wypadowych. W razie czego, gdyby potrzebna była interwencja ratunkowa.

— Oczywiście — zgodził się Arthur. — Ale nikomu nie wolno nic robić, dopóki nie dam wyraźnego sygnału lub nie zobaczycie, że z pewnością mnie atakują lub porywają. Nie chcę, aby moje plany wzięły w łeb, bo ktoś postanowi zastrzelić posłańca albo postąpić równie głupio.

Zawahał się, ale mówił dalej:

— Najlepiej będzie, jeżeli wyznaczycie żołnierzy do obserwacji dzieci Szczurołapa. On może dysponować umiejętnością narzucania im swojej woli. Nie chcę, aby któreś z nich zostało ranne lub aresztowane. Dzieciom Szczurołapa nic nie może się stać. Powinny dalej wykonywać powierzone im obowiązki. Wystarczy mieć je na oku, a jeśli ktoś zauważy w ich zachowaniu coś dziwnego, trzeba będzie je odizolować. Ale nie wolno robić im krzywdy, czy to jasne?

— Tak jest, wasza lordowska mość — potwierdził Zmierzchnik. — Oto marszałek Południk, z flagą posłańca.

Zirytowany Południk wdrapał się na blanki, ściskając w dłoni drzewce z nawiniętą białą flagą.

— Dziękuję, panie marszałku. — Arthura gryzło sumienie z powodu wysłania marszałka po białą chorągiew. Postąpił tak, bo Rezydent działał mu na nerwy, ale teraz chłopiec żałował swojej decyzji. Jego mama i tata byliby wstrząśnięci na widok tak drastycznego nadużywania władzy. Arthur pomyślał, że jeśli nie zachowa dostatecznej ostrożności, nie tylko zmieni się w Rezydenta, lecz w dodatku zacznie przypominać kogoś pokroju Księcia Czwartka. — Powinienem był wysłać jednego z podoficerów. Przepraszam.

— Tak jest, wasza lordowska mość — odparł Południk sztywno. — Czy wasza lordowska mość ma jeszcze jakieś rozkazy?

— Chcę, by objął pan dowództwo nad obroną zewnętrznych bastionów — wyjaśnił Arthur. — Zamierzam zyskać na czasie, przystępując do pertraktacji z nieprzyjacielem, ale mój plan może spalić na panewce, bo Neoniconie najwyraźniej sposobią się do następnego natarcia.

Południk wyjrzał przez blanki i ponownie skierował wzrok na Arthura.

— Ataku należy się spodziewać w ciągu godziny — oszacował. — O zachodzie słońca.

— Chyba powinienem się przebrać w coś bardziej reprezentacyjnego. — Arthur przyjrzał się zakurzonemu kirysowi oraz podartemu i obszarpanemu mundurowi pod pancerzem.

— Dzierżysz Klucz, a na ręce nosisz Czwarty Fragment Woli Architektki — zauważyła Wola. — Nie potrzebujesz ozdób, by dowieść swojej rangi. Lordzie Arthurze, myślę że powinieneś teraz wygospodarować dziesięć minut, by zwołać sąd i postawić przed jego obliczem Księcia Czwartka...

— Bardzo proszę, abyś wreszcie przestała bezustannie mówić o procesie Księcia Czwartka! — wykrzyknął Arthur. — Mam dostatecznie dużo zmartwień na głowie.

— Z własnego doświadczenia wiem, że jeśli trzeba komuś wymierzyć sprawiedliwość, należy to uczynić szybko i w sposób wyraźny — zaprotestowała Wola.

Chłopiec nie słuchał. Jeden z otaczających go oficerów dla zabicia czasu podniósł ołowianą kulę, czy też mały kamyk i rzucił nim o ścianę. Tor lotu przedmiotu nagle zastanowił Arthura. Ogarnęły go wątpliwości, czy na pewno cisnął kieszeń Bezskórego Chłopca dostatecznie mocno, aby wylądowała w Nicości. Jeśli upadła zbyt blisko, co nagle wydało mu się bardzo prawdopodobne, wówczas będzie musiał spróbować odebrać ją Szczurołapowi i zniszczyć.

— Księcia Czwartka czeka proces sądowy — oznajmił, aby skupić uwagę na innych sprawach. — Zamordował Starodobrego i Jazbitę. Teraz jednak brak nam na to czasu. Chodźmy do zewnętrznych bastionów. Panie marszałku — zwrócił się do Południka — czy zechce pan poprowadzić?

Podobnie jak w trakcie podróży do Cytadeli, Arthur przechodził wzdłuż i obok plątaniny tuneli i chodników, mijał bramy i stróżówki. Tym razem jednak wędrówka przebiegała inaczej. Bezustannie mu salutowano, a jego ręka opadała mu ze zmęczenia, bo musiał odpowiadać unoszeniem buławy. Marszałkowie przemawiali do żołnierzy, podnosili ich na duchu, zwracali się do nich po imieniu, gratulowali im osiągnięć podczas oblężenia. Arthur nie mógł iść w ich ślady. Za każdym razem, gdy otwierał usta, by powiedzieć coś ku pokrzepieniu serc, dochodził do wniosku, że jego słowa brzmią nieszczerze. Dlatego zachował milczenie, sunął w tłumie marszałków i innych oficerów, ale był dziwnie samotny. Przez cały czas miał pustkę wokół siebie, nawet kiedy znajdowali się w ciasnych pomieszczeniach.

Poczuł się jeszcze bardziej samotny, gdy otwarto małe drzwi wypadowe, a sierżant wręczył mu drzewce z rozwiniętą białą flagą. Sztandar był wielki, rozmiarów podwójnego prześcieradła, więc Arthur oparł go o ramię niczym pikę.

— Powodzenia, wasza lordowska mość — odezwał się sierżant, pomagając Arthurowi przecisnąć się razem z flagą przez drzwi na spaloną ziemię za murami.

— Powodzenia, wasza lordowska mość — powtórzył marszałek Zmierzchnik, a wraz z nim dwunastu oficerów sztabowych, którzy najwyraźniej nie mieli nic do roboty poza snuciem się za najwyższymi rangą oficerami.

Arthur ruszył naprzód i podniósł flagę. Drzwi wypadowe zatrzasnęły się za nim. Wykonał kilka kroków i odwrócił głowę, aby rzucić okiem za siebie i w górę. Blanki bastionu znajdowały się na wysokości ponad trzydziestu metrów; zza murów wystawały głowy żołnierzy, zerkających na niego z ciekawością.

Chłopiec ponownie skierował wzrok przed siebie, ku liniom wroga, i ruszył naprzód, na środek skąpanej w ogniu jałowej ziemi pomiędzy bastionem a frontowymi okopami nieprzyjaciela.

— Mam nadzieję, że to poskutkuje — syknęła Wola. — Lordzie Arthurze, twoje zachowanie jest dość brawurowe. Podejrzewam, że pierwsze trzy części mnie nie służyły ci wystarczająco dobrą radą. Moim zdaniem doznały zaburzenia równowagi, jako że są to zaledwie trzy fragmenty z siedmiu. Wraz z moją osobą powstanie grupa czteroczęściowa, dzięki czemu waga będzie nieco lepiej wyregulowana.

— Jeśli ostatecznie dojdzie do naszego spotkania z Neoniconiami, będę od ciebie oczekiwał, byś milczała — uprzedził Arthur. — Nie życzę sobie żadnego przerywania rozmowy. Nie wolno ci także nikogo atakować. Ostatnie, czego potrzebujemy, to zatruty posłaniec.

— Potrafię samodzielnie decydować, czy będę jadowita, czy nie — pochwaliła się Wola. — To zależy od sytuacji. Jestem w stanie nawet wybrać rodzaj jadu.

— Nie chcę, abyś kogokolwiek jadowicie kąsała, chyba że specjalnie cię o to poproszę — podkreślił Arthur z naciskiem. Popatrzył na flagę i przekonał się, że jest całkowicie rozpostarta. Gałązka oliwna okazała się nieosiągalna, ale Arthur doszedł do wniosku, że biała flaga musi wystarczyć jako znak, iż prosi o rozejm i negocjacje.

Chłopiec wcześniej nieco się obawiał, że spalona ziemia okaże się ponurym cmentarzyskiem martwych Niconi, lecz nigdzie nie dostrzegł ani jednego ciała, czy choćby plam krwi. Na gruncie zalegała tylko dwu- i trzycentymetrowa warstwa drobnego, szarego popiołu. Idąc ku okopom, wzniecał go stopami jak kurz.

W połowie drogi Arthur natrafił na skrawek luźnej ziemi. Zapewne było to miejsce, w które na początku oblężenia uderzyła kula armatnia. Chłopiec zatknął tam flagę i pozostał przy niej, oczekując na przybycie posłańców nieprzyjaciela.

Bardzo wyraźnie widział pierwszą linię okopów, a także głowy obserwujących go z uwagą Neoniconi. Jeżeli się orientował, nie używali muszkietów ani żadnej innej broni, służącej do rażenia z dystansu, ale i tak czuł napięcie, jakby lada moment miał się rozlec wystrzał lub świst spadającej z nieba strzały.

Przez dłuższy czas nie działo się zupełnie nic. Słońce powoli wędrowało ku linii horyzontu. Arthur ze zdumieniem poczuł, że ogarnia go znużenie. Neoniconie wędrowali po okopach, przenosili drabiny i inny sprzęt, a także przepychali na tyły wielkie działa oblężnicze. Żaden z nich nie opuścił jednak okopów i nie wyszedł do Arthura.

Niemal przeoczył chwilę, w której zachowanie Neoniconi się zmieniło. Nagle ich schemat poruszania się uległ odmianie i całkowicie wstrzymali prace przy transporcie dużego sprzętu. Zrobiło się też wyraźnie ciszej.

Z frontowego okopu wyszła wysoka postać i ruszyła ku Arthurowi. Osobnik o wzroście Rezydenta, odziany w obszerny, żółty szynel, całkowicie skrywający ciało, miał na głowie napoleoński pieróg, a na twarzy stalową maskę. Nie było widać przy nim żadnej broni, lecz palto mogło skrywać niemal wszystko. Rzecz jasna, zapewne zabrał ze sobą fujarkę.

Obcy przystanął w odległości dwóch metrów od Arthura i częściowo uniósł rękę w niedbałym półsalucie. Chłopiec machinalnie wyprężył się jak struna i odwzajemnił pozdrowienie instynktownym, eleganckim powitaniem.

— Jesteś uprzejmy — zauważył Szczurołap. Mówił cicho, dziwnym głosem. Arthur poczuł się tak, jakby to wszystko mu się śniło. Nie bardzo rozumiał, co się z nim dzieje, ale gwałtownie zapragnął zgodzić się ze Szczurołapem. Natychmiast potrząsnął głową, aby oczyścić myśli i mocniej zacisnął dłoń na Czwartym Kluczu.

— Widzę, że jesteś chroniony — ciągnął Szczurołap. Jego głos nadal brzmiał tak jak poprzednio, ale nie odniósł tego samego skutku. — Mogłem się tego spodziewać.

— Po co tu przybyłeś? — spytał Arthur chrapliwie. Na tle melodyjnych tonów Szczurołapa jego głos zabrzmiał jak gardłowe krakanie wrony. — Dlaczego atakujesz Armię?

— Przede wszystkim powinniśmy się sobie przedstawić — zwrócił uwagę Szczurołap. — Choć powiedziano mi już, za kogo się podajesz. Zwę się Szczurołapem i jestem synem Architektki oraz Starucha. Jestem Prawowitym Dziedzicem Domu.

ROZDZIAŁ DWUDZIESTY ÓSMY

H m — mruknął Arthur. — To… zastanawiające. Otóż ja się nazywam Arthur Penhaligon i choć wcale tego nie chciałem, jestem Mistrzem Niższego Domu oraz Odległych Rubieży, Księciem Morza Granicznego, Głównodowodzącym i Suwerenem Wielkiego Labiryntu, a wszystko to dlatego, że Wola twojej mamy… Architektki wybrała mnie na Prawowitego Dziedzica.

— Wola dokonała takiego wyboru, bo w owym czasie nie byłem osiągalny — oświadczył Szczurołap. — Tę godną ubolewania pomyłkę można łatwo naprawić.

— Rozumiem — odparł Arthur. — A gdzie przebywałeś?

— Tkwiłem w Nicości — wyznał Szczurołap z nieskrywaną goryczą w głosie. — Siedem wieków temu wtrącił mnie tam mój zdradziecki brat, Lord Niedziela.

— Do Nicości? Dlaczego się nie…

— Dlaczego się nie rozpuściłem? — dokończył Szczurołap. — Pod tym paltem i maską pozostało bardzo niewiele mojego dawnego ciała. Jestem jednak synem Architektki. Choć Nicość pochłonęła mięśnie i kości, potrafiłem nad nią zapanować. Zbudowałem dla siebie dom, mały świat. Tam mogłem odzyskiwać siły i tam leżałem przez pierwsze stulecie. Dochodziłem do siebie. Podczas następnych stu lat powiększałem swój świat. Stworzyłem służących, by się o mnie troszczyli i przystąpiłem do kształtowania połączeń z Domem. Kolejny wiek stał pod znakiem rozpoczęcia budowy Armii. Nie składa się ona z bezrozumnych Niconi, lecz z moich Neorezydentów. Lepszych niż ci stworzeni przez moją matkę. Bardziej przypominają śmiertelników. Są inteligentniejsi, potrafią się zmieniać. W większym stopniu odpowiadają wizji mego ojca. W czwartym wieku zbudowałem kolec, a w piątym wziąłem się do opracowywania planów powrotu do Domu przez Wielki Labirynt…

Umilkł na moment, aby odetchnąć.

— Ale nie spotkaliśmy się tu, by rozmawiać o mojej przeszłości — oznajmił. — Do niedawna nie wierzyłem, że moja Część Woli matki została uwolniona. Dopiero moje szczury potwierdziły wiarygodność tych pogłosek. Nie jestem jednak niezadowolony z twoich postępów, Arthurze. Wystarczy, że przekażesz mi Klucze, a ja będę kontynuował kampanię przeciwko mojemu zdradzieckiemu bratu i jego słudze, Sobocie. Możesz powrócić do swojego świata w Poślednich Królestwach i wieść tam sobie dawne życie. Jak mniemam, takie jest twoje życzenie.

Arthur rozchylił usta i zamknął je ponownie. Nie wiedział, co powiedzieć i co myśleć. Właśnie otrzymał propozycję przekazania komuś innemu poważnych i nieznośnych obowiązków, narzuconych mu wbrew jego woli.

— To nie takie proste — zasyczał głos przy jego łokciu.

— A tobie co do tego, jeśli łaska? — spytał Szczurołap i pochylił się tak, że jego metalowa maska znalazła się tuż przy łbie węża. Szczurołap zauważył wersy czcionki, wirującej tak, aby stworzyć iluzję pokrytej łuskami skóry.

— Jestem Czwartym Fragmentem Woli Architektki, o czym doskonale wiesz — odparł wąż. — Arthur zaś to Prawowity Dziedzic. Wiesz również, że z tego powodu nie może ci przekazać Kluczy. Nie ty jesteś Prawowitym Dziedzicem, tylko on.

— Jestem Dziedzicem zgodnie z prawem pokrewieństwa i dziedziczenia!

— Gdyby tylko to się liczyło, Dziedzicem byłby Niedziela — spostrzegła Wola. — On jest najstarszy.

— Dowiodłem, że jestem jej spadkobiercą — upierał się Szczurołap. Szeroko rozłożył ręce, aby zademonstrować całą armię Neoniconi. — Spójrzcie, co stworzyłem z Nicości!

— Imponujące, ale to nic nie zmienia — podkreślił wąż. — Prawowitym dziedzicem pozostaje Arthur. A skoro do niego należy Czwarty Klucz i jest głównodowodzącym, to ty jesteś buntownikiem. Wszcząłeś rebelię nie przeciwko zdrajcy Niedzieli, lecz przeciwko prawowitemu władcy Domu. Innymi słowy, sam jesteś zdrajcą, a twoja lojalność zawsze pozostawiała wiele do życzenia.

— Twój ton jest mi zbyt dobrze znany — powiedział Szczurołap. W jego głosie nie było słychać gniewu, raczej dezorientację. — Kim jesteś, by podawać w wątpliwość moją lojalność?

— Jesteś w równym stopniu synem swojego ojca, jak i matki — oświadczył wąż i rozwinął się tak, aby jego łeb znalazł się powyżej głowy Arthura. — Nigdy nie zamierzałeś samodzielnie oswobodzić Woli. Sytuacja zmieniła się dopiero po twojej kłótni z bratem, do której doszło całkiem niedawno, jak na nasze standardy w Domu. Czyżbym się mylił, sądząc, że Niedziela wtrącił cię do Nicości, bo wbrew jego życzeniom ponownie podjąłeś próbę uwolnienia Starucha?

— To nie ma nic do rzeczy — oburzył się Szczurołap. — Arthurze, albo mi oddasz Klucze, poczynając od Czwartego, który masz przy sobie, albo sam je zabiorę, tobie lub każdemu, kto je przejmie.

— Co zrobisz, gdy… jeśli je zdobędziesz? — zapytał Arthur.

— Będę rządził Domem.

— Czy to znaczy, że zaprowadzisz w nim porządek i przywrócisz dawne obyczaje, aby Dom tylko obserwował i odnotowywał to, co się dzieje w Poślednich Królestwach, nie wtrącając się w ich sprawy?

— Pielęgnacji tego, co uległo wykoślawieniu, nie nazwałbym wtrącaniem się — odparł Szczurołap. — Moja matka nie miała jasności w tej kwestii. Zasadniczo nie życzyła sobie, aby inni ingerowali w sprawy jej dzieła, ale sama „wtrącała się" do problemów Królestw, kiedy tylko naszła ją na to ochota. Będę postępował tak samo.

Arthur pokręcił głową.

— Nic cię nie obchodzi życie, które się tam rozwija, prawda? Śmiertelnicy nic dla ciebie nie znaczą. Jesteśmy tylko końcowym produktem wielkiego eksperymentu Architektki.

— Bynajmniej — zaprzeczył Szczurołap. — Tak rozumuje mój brat, Niedziela. Ja myślę inaczej. Kocham moich śmiertelników: dzieci, które tu sprowadziłem, aby uatrakcyjnić Dom, a także Szczury, służące mi jako szpiedzy. Starałem się tak stworzyć moich Neorezydentów, by jak najbardziej przypominali istoty śmiertelne. Chyba nawet udało mi się to aż nazbyt dobrze, bo oni wolą pracować na roli i wytwarzać różne przedmioty, choć są wybornymi żołnierzami i pragną służyć mi jak najlepiej. Ale teraz dość gadania. Arthurze, jaką podjąłeś decyzję? Śpieszę cię uprzedzić, że jeśli odrzucisz moją wspaniałomyślną propozycję, ruszymy do ataku, gdy tylko obaj opuścimy to spopielone pole.

— Jaki los spotkał dzieci Szczurołapa, które były ze mną podczas ataku na kolec? — spytał Arthur.

— Dwoje zginęło z ręki Księcia Czwartka, choć usiłowałem je ratować. Pozostałe mi służą, i tym samym postępują godnie i słusznie.

— Z własnej woli?

— Sensem ich istnienia jest służba pod moimi rozkazami — odparł Szczurołap. — Dlatego pojawili się na świecie.

Arthur skierował spojrzenie na buławę w swojej dłoni. Moc Czwartego Klucza wyczuwał w postaci bezustannego, niskiego drżenia oraz rozkosznego ciepła.

Ciekawe, czy uzależniam się od Kluczy, rozważał chłopiec. Może popełniam naprawdę poważny błąd. Jego konsekwencje mogą się okazać zgubne dla wszystkich żywych istot tutaj w Domu, jak i dla miliardów ludzi, kosmitów i najrozmaitszych, nie znanych mi stworzeń z Poślednich Królestw.

— Z radością stanąłbym u twojego boku w walce z Lordem Niedzielą — oświadczył Arthur powoli. — Jestem przekonany, że moglibyśmy ofiarować twojej Armii część Wielkiego Labiryntu, z przeznaczeniem na założenie gospodarstw. Są tutaj nawet gotowe wsie, do których wystarczy się wprowadzić. Nie mogę jednak przekazać ci Kluczy. Cokolwiek o tym sądzisz, jestem Prawowitym Dziedzicem i muszę wypełnić spoczywające na mych barkach obowiązki. Trzeba przywrócić porządek w Domu. Wszechświat musi spokojnie istnieć i nie ma potrzeby, abyś... bawił się życiem wszystkich jego mieszkańców.

— Zatem wszystko jasne — oświadczył Szczurołap. — Zagram na twoim pogrzebie, Arthurze. Zasługujesz na to, co cię spotka, bo brak ci rozumu. Twój los dopełni się niedługo, niestety, bo Cytadela nie uchroni cię przed potęgą, którą mogę sprowadzić...

Arthur nigdy potem nie wiedział, co się w tamtej chwili zdarzyło. Wola splunęła jadem w usta, rozchylone pod maską Szczurołapa, albo uderzyła go w wargi tak błyskawicznie, że ruch jej głowy przypominał mgiełkę jadu.

Bez względu na to, co się wówczas rozegrało, Szczurołap cofnął się chwiejnie i krzyknął z bólu oraz wściekłości tak donośnie, że Arthura zapiekły uszy, choć zdążył zasłonić je dłońmi. Chłopiec się odwrócił i rzucił pędem w kierunku bastionu. Usłyszał za sobą niespokojne dudnienie wielkich kotłów i ryk dziesiątków tysięcy rozjuszonych Neoniconi. Hałas przypominał grzmot pioruna, choć budził znacznie większy strach.

Arthur dobiegł do otwartych drzwi wypadowych i szybko minął próg. Gdy tylko znalazł się w środku, wrota zablokowano sześcioma ciężkimi sztabami, a następnie dociśnięto ogromnym kamieniem.

— Mówiłem ci, żebyś nic nie robiła! — krzyknął Arthur na Wolę, zwiniętą na jego przedramieniu, z nisko opuszczoną głową. — Postąpiłaś niegodnie i głupio! Neoniconie wpadną w szał.

— Powiedziałeś, żebym nikogo nie kąsała jadowicie — przypomniała Wola. — Posłuchałam cię. Użyłam kwasu. Niestety, w najlepszym wypadku Szczurołap pozostanie obezwładniony zaledwie przez dzień lub dwa, pod warunkiem że trafiłam mu w usta. Jeżeli jeszcze ma jakieś usta.

Tupot kroków i stuk zbroi obwieścił przybycie marszałka Zmierzchnika oraz jego podkomendnych.

— Co się stało, lordzie Arthurze? — spytał Zmierzchnik. — Mieliśmy ograniczoną widoczność, ale Neoniconie ruszyli do ataku!

— Wola opluła Szczurołapa jadem — wyjaśnił Arthur z goryczą. — Kierując się własnymi, niskimi pobudkami.

— Szczurołap zdradził Prawowitego Dziedzica — odezwał się wąż. — Teraz wiemy, że przez jeden albo dwa dni bardzo potężny wróg nie stanie przeciwko nam. Zresztą, rozmowy i tak dobiegły już końca.

— Złaź z mojej ręki — rozkazał Arthur lodowatym tonem. — I zejdź mi z oczu.

— Wedle życzenia — odparła Wola i zsunęła się z ręki chłopca, by wężowatym ruchem przemierzyć podłogę i zniknąć między kamieniami.

— Czy z Niższego Domu nadeszła jakaś pomoc? — zapytał Arthur, gdy prowadzono go z powrotem przez zewnętrzną linię obronną. Nawet przez liczne, grube, kamienne mury dzielące go od wroga wyraźnie słyszał dudnienie kotłów oraz okrzyki.

— Jeszcze nie, jaśnie panie — odparł marszałek Zmierzchnik. — Skąd wasza lordowska mość pokieruje bitwą? Proponuję zająć stanowiska w Forcie Gwiaździstym.

— Nie — pokręcił głową Arthur. — Udam się gdzieś na drugą linię bastionów, bo tam będę bliżej toczących się zdarzeń.

— Najwyższy w drugiej linii jest centralny bastion zachodni — pośpieszył z wyjaśnieniem Zmierzchnik. — Zwykle panuje tam nieznośny hałas i wszędzie unosi się dym, bo są to stanowiska dwóch haubic i czterech armat, ale bez prochu z Nicości...

— Tak, wiem — przerwał marszałkowi Arthur. — Czy telefon będzie tam funkcjonował?

— O ile wiem, telefon działa na całym obszarze Labiryntu — zapewnił chłopca Zmierzchnik, kiedy wyszli na świeże powietrze i przemierzali wysoki gzyms, łączący dwa bastiony z drugiej linii obronnej. — Pod warunkiem że w odpowiednim tempie obraca się korbką. Na szczęście kapitan Drury jest specjalistą w tej dziedzinie.

— Jeszcze raz zadzwonię do Pierwszej Damy i ją ponaglę...

Jego słowa zagłuszył niewyobrażalny huk, któremu towarzyszyło uderzenie fali powietrza i wstrząs. Gzyms niebezpiecznie zadrżał, kilku oficerów straciło równowagę.

— Co to było? — zdumiał się Arthur.

— Mina — odparł Zmierzchnik ponuro i odwrócił się ku zewnętrznej linii umocnień. Nie widać już było południowo-zachodniego bastionu, ukrytego za pióropuszem pyłu i dymu, który unosił się na wysokość co najmniej stu metrów i rozpływał po okolicy. — Przez kilka ostatnich dni z pewnością ryli podkop... i nie narzekają na niedobór prochu z Nicości.

Dudnienie kotłów za gigantyczną, czarną chmurą stało się donośniejsze i szybsze.

— Przypuszczają atak! Chcą się przedostać przez wyrwę w murze! — oznajmił Zmierzchnik. — Musimy się śpieszyć!

Ruszył biegiem, Arthur za nim. Gdy straże przepuszczały dowódców na drugą linię obrony, dusząca chmura dymu i kurzu pochłonęła ich całkowicie.

Z tyłu pozostały bastiony pierwszej linii. Ich załogi zrzuciły mosty, pozamykały wszystkie łącznikowe bramy oraz drzwi i przygotowały się na zajadły atak siedemdziesięciu pięciu tysięcy żołnierzy Neoniconi.

ROZDZIAŁ DWUDZIESTY DZIEWIĄTY

Nikt nie odpowiada, wasza lordowska mość — oznajmiła telefonistka. — Nie możemy się połączyć z nikim w Pokoju Dziennym Niższego Domu.

Arthur zwrócił słuchawkę kapitanowi Drury'emu i pokręcił głową.

— Brak odpowiedzi! Nie rozumiem, co się dzieje. Ktoś tam musi być. Do tej pory pomoc powinna już do nas dotrzeć!

Marszałek Zmierzchnik nie odezwał się ani słowem. Znajdowali się w środkowozachodnim bastionie trzeciej linii. Pojedyncze bastiony jeszcze stawiały opór w pierwszej i drugiej linii, lecz mury obronne w wielu miejscach już przerwano, i to zaledwie w godzinę.

— Czy nocą będzie gorzej? — zaniepokoił się Arthur i zerknął na zachodzące słońce. — A może nastąpi poprawa?

— Obawiam się, że nie odczujemy żadnej różnicy — westchnął Zmierzchnik. — Księżyc będzie w pełnym blasku, a wokoło jest tyle ognia, że Neoniconie bez trudu trafią tam, gdzie zechcą.

W dole szalały płomienie. Neoniconie sprowadzili nowy rodzaj broni, coś na kształt rury, przeznaczonej do wyrzucania ostrego strumienia silnie skoncentrowanej kąpieli ogniowej. Tę „płomienistą lancę", jak szybko nazwano niebezpieczną broń, stosowano do wypalania otworów w grubych, kamiennych murach oraz w bramach. Trzecia linia obrony istniała jeszcze tylko dlatego, że wróg najwyraźniej zużył całe zapasy rur, jak się okazało — jednorazowych.

— Czy posłaniec wrócił już z Fortu Gwiaździstego? — chciał wiedzieć Arthur.

— Nie, wasza lordowska mość — padła odpowiedź jednego z oficerów sztabowych. Miał głowę owiniętą bandażem, po tym, jak odniósł rany w trakcie szturmu Neoniconi na centralny bastion. Do ostatniej chwili ich drabiny wydawały się zbyt krótkie, lecz gdy oparli je o mur i uruchomili bliżej nieokreślony mechanizm, wydłużyły się o kilka metrów z obu stron. Arthur nie zawahał się i stanął do walki z najeźdźcami, aby odeprzeć ich kilkuminutowy i upiorny atak, w którego trakcie Neoniconie zdawali się przelewać przez blanki niczym strumienie wody.

Żołnierze Arthura uporali się z agresorami, ale widać było, że spokój nie potrwa długo. Nieprzeliczone tysiące Neoniconi ponownie zbierało się w dole. Wrogowie zapełniali całą przestrzeń pomiędzy liniami obrony. Czuli się bezkarni, bo obrońcom skończyła się kąpiel ogniowa i zabrakło nawet wszechobecnych gruzów, przydatnych do rażenia nieprzyjaciela z wysokości.

— Zwierają szyki! — przestrzegł wszystkich Zmierzchnik. — Gotowość bojowa!

Jego okrzyk odbił się echem od murów bastionu i pomknął poza jego obręb, podchwycony i powtórzony przez oficerów oraz podoficerów.

— Najlepiej będzie, jeśli wasza lordowska mość przejdzie do Fortu Gwiaździstego. — Zmierzchnik mówił prawie szeptem, usta przysunął do ucha Arthura. — Wątpię, by tym razem udało się nam ich powstrzymać.

— Nigdzie nie idę — burknął Arthur. Rzucił okiem na krokodyli pierścień na palcu i pomyślał o domu i rodzinie. Jego krewni wydawali się teraz tak odlegli, wręcz nieosiągalni. Z trudem odtwarzał w pamięci ich twarze, brzmienie głosu. — Użyję przeciw nim Klucza. Zwyciężymy.

Uniósł buławę i popatrzył, jak odbijają się w niej ostatnie promienie słońca. Magiczny przedmiot w jednej chwili przeobraził się w broń. Tym razem nie był to nieporęczny miecz Księcia Czwartka, lecz smukły, ostry jak igła rapier. Na jego głowni zabłysło światło słoneczne i odbiło się kaskadą jasności, rozświetlając wszystkie bastiony czystym odblaskiem, który bez trudu przenikał dym i kurz.

— Armia i lord Arthur! — zakrzyknął Zmierzchnik. Jego głos ponownie zabrzmiał w bastionach, tym razem donośniej, z głębi serca.

— Lord Arthur! Lord Arthur!

Rezydenci w dole odpowiedzieli dudnieniem kotłów i okrzykami. Szeregi wroga jeden po drugim rozpoczęły marsz ku bastionom. Nieprzyjaciele dźwigali liczne drabiny, liny z hakami i dymiące granaty ogniowe do rażenia obrońców.

— Wasza lordowska mość!

Nie był to okrzyk wojenny. Kapitan Drury dotknął łokcia Arthura, lecz tym razem nie trzymał telefonu. Miał rękę wyciągniętą na zachód, gdzie w oddali znikła za horyzontem słoneczna tarcza, choć resztki światła jeszcze się błąkały po niebie.

— Proszę spojrzeć!

Arthur zamrugał oczyma raz, potem drugi. Przez dryfujący dym, w zapadającym zmroku z początku nie potrafił dojrzeć tego, co wskazywał Drury. Potem to dostrzegł. Zmieniła się linia horyzontu. Na zachodzie, w odległości może półtora kilometra, ciągnął się górski łańcuch.

Żołnierze zaczęli wiwatować i jeszcze głośniej wołać „Lord Arthur!", jakby nie mogli się nacieszyć nieoczekiwanym powrotem nadziei.

— Kolec — odezwał się marszałek Zmierzchnik. — Książę Czwartek kłamał. Jednak go zniszczył.

— Nie. — Arthur pokręcił głową. Przez chwilę rozkoszował się upojnym uczuciem ulgi. Kieszeń przestała istnieć, a wraz z nią Bezskóry Chłopiec. Jego rodzinie nic już nie groziło. Chwila wytchnienia okazała się jednak bardzo krótka. Arthur wyjrzał przez blank. Nie żywił specjalnej nadziei, więc niewielkie było jego zdziwienie, że Neoniconie nic nie stracili na zajadłości i energii. Najwyraźniej wróg nie przejął się odcięciem części posiłków w wyniku wznowienia strategii tektonicznej i przemieszczenia segmentów.

Ciekawe, jak powinienem wykorzystać Klucz, pomyślał Arthur i wbił wzrok w jednolitą falę nadciągających Neoniconi. Za jego sprawą pewnie mogę się stać silniejszy i szybszy, a także wytrzymalszy niż Niconie czy Rezydenci. Najeźdźców jest jednak tak wielu… Nie pokonam ich wszystkich. Ciągle napływają nowi… są jak klęska żywiołowa. Nic się nie da zrobić… A przecież te Neoniconie chcą być rolnikami. Istne szaleństwo…

Czyjaś ręka nagle gwałtownie szarpnęła Arthura z powrotem za krenelaż.

— Przepraszam — przemówił znajomy głos. Moment później nad blankami pofrunęła baryłka z dwoma lontami, z których obficie sypały się iskry. Cztery sekundy później u podnóża muru gruchnęła potężna eksplozja.

— Granat — wyjaśnił szeroko uśmiechnięty Spalony Słońcem, Środowy Południk. — Nie daliśmy rady zrobić większego. I mamy ich jeszcze całą furę!

— Spalony Słońcem! — wykrzyknął Arthur. — Przybyłeś!

— A jakże, nie ja jeden, są i inni — oświadczył.

Arthur się wyprostował, gdy za murami rozległ się huk następnych wybuchów. Bastion nagle zapełnił się Rezydentami. Żeglarze w błękitnych kurtkach podpalali lonty przy beczułkach prochu z Nicości i wystrzeliwali te proste pociski z pękatych, drewnianych moździerzy. Komisarze Sierżanci i Metalowi Komisarze zwarli szyki z żołnierzami. Nocni Przybysze fruwali pod niebem i zasypywali Neoniconi deszczem długich, metalowych strzałek.

Gromada odzianych w skóry Artylerzystów przebiegła nieopodal, pchając na taczkach małe beczki prochu i sterty szrapneli. Jednocześnie z ożywieniem dyskutowali o tym, jak nisko da się pochylić armaty w bastionie. Nowi obrońcy tryskali entuzjazmem, mogąc ponownie sprawdzić w boju swoją broń.

— Pierwsza Dama sposobi się do wypadu — uprzedził Arthura Spalony Słońcem. — Zamierza użyć Kluczy, a u boku ma dostojnych Rezydentów Poniedziałka i Środową Jutrzenkę, i starego Scamandrosa, i wszystkich innych, których udało się nam ściągnąć. Braliśmy tych, co walczyli z Niconiami albo mówili, że walczyli. W sumie będzie ich z pięć tysięcy, ale nadchodzą coraz to nowi.

Spalony Słońcem umilkł i wyjrzał za blanki.

— Ci tutaj nie wyglądają mi na Niconi — orzekł.

— To Neoniconie — objaśnił Arthur. — Niemal Rezydenci...

— Jakoś nie jesteś specjalnie zadowolony, Arthurze. Chciałem powiedzieć, lordzie Arthurze.

— Wystarczy, że będziesz mówił: Arthurze — podkreślił chłopiec. Spojrzał na rapier w swojej zaciśniętej dłoni. Broń powoli znowu przybrała formę buławy. Arthur zatknął ją za pasem, wstał i rozejrzał się po polu bitwy.

Neoniconie wycofywali się w uporządkowany sposób. Choć Pierwsza Dama jeszcze nie zaatakowała, wyszła już przez drzwi wypadowe, a w ślad za nią wysypało się jej zróżnicowane wojsko.

Niconie uciekali nie dlatego, że ich oczom ukazał się oddział zbrojnych przeciwników. Umykali na widok Pierwszej Damy. Liczyła ona sobie prawie dwa i pół metra wzrostu i nosiła szynel zadziwiająco podobny w barwie i kroju do płaszcza Szczurołapa. Otaczała ją magiczna poświata wirujących niebieskich i zielonych iskier, które co kilka sekund wystrzeliwały na odległość do dwudziestu pięciu metrów, kładąc Niconi trupem. Pierwsza Dama stała przy tym zupełnie nieruchomo. Gdy uniosła pięści w rękawicach, będących jej Drugim Kluczem, i mocno uderzyła jedną o drugą, gromada co najmniej stu Niconi nieoczekiwanie wyleciała w powietrze i gruchnęła o tylny mur najbliższego bastionu drugiej linii obrony.

Arthur po raz pierwszy ujrzał na własne oczy, co naprawdę oznacza władza nad Kluczami. Chłopiec krzyknął, kiedy Pierwsza Dama sięgnęła za pas po Trzeci Klucz w formie trójzębu i niedbale nim pomachała. Jej nonszalancki gest sprawił, że z ciał kilkuset Niconi wytrysnęły płyny i rozprysły się ohydnym prysznicem na płonący nieopodal chodnik, niemal całkowicie tłumiąc ogień.

— Pozwól im uciec! — zawołał Arthur. — Niech się wycofają!

Nikt go nie słyszał. Nawet Spalony Słońcem, który stał zaledwie kilka metrów dalej, był za bardzo zajęty wrzeszczeniem na członków obsługi moździerzy, aby nie przestawali strzelać.

Arthur dobył zza pasa Czwarty Klucz w postaci buławy i uniósł go wysoko.

— Wzmocnij mi głos — rozkazał. — I rozświetl pole.

Buława zaczęła od drugiego polecenia. Wystarczyło, że sama pojaśniała, by od jej blasku zaświecił się intensywnie niedawno wzeszły księżyc. Jego zielona poświata w kilka sekund stała się tak intensywna, że przy obiektach na ziemi pojawiły się cienie.

— Niech Neoniconie wycofają się do linii okopów — rozkazał Arthur normalnym głosem. Gdy jednak wypowiadał te słowa, momentalnie stawały się one niesłychanie głośne, donośniejsze nawet od grzmotu moździerzy i armat. — Wstrzymajcie ogień i pozwólcie im odejść!

Miał tak mocny głos, że odbijał się echem od łańcucha górskiego, który o zachodzie słońca pojawił się w sąsiedztwie.

— Odejść… odejść… odejść… odejść…

Jaskrawy księżyc przygasł i nagle zrobiło się cicho.

— Odchodzą — zauważył marszałek Zmierzchnik z nieskrywaną ulgą. — Ciekawe, czy wrócą.

— Wszystko zależy od Szczurołapa — odparł Arthur powoli, głosem ciężkim z wycieńczenia. — Ale skoro jest tutaj Pierwsza Dama, ja, wszystkie cztery Klucze i nasze dodatkowe oddziały… Chyba będzie chciał zawrzeć pokój albo wycofa się tam, skąd przyszedł i przygotuje się do następnego ataku.

— Skoro jednak segmenty znowu wędrują…

— Ma *Efemerydę* — przerwał marszałkowi Arthur. — Widziałem jej róg, wystawał mu z kieszeni szynela. Poza tym brakuje nam siły, aby ich ścigać, prawda?

Oparty plecami o mur, osunął się na ziemię. Wielu poszło za jego przykładem, lecz marszałek Zmierzchnik pozostał w pozycji stojącej, a Spalony Słońcem skupił się na wydawaniu rozkazów załogom moździerzy, aby przepchały wyciorami i wyczyściły masywne, drewniane baryły.

— Chwila ciszy — mruknął Arthur. — Zanim przyjdzie tu Pierwsza Dama. Potrzeba mi tylko krótkiej chwili spokoju, niczego więcej…

Jego głos ucichł, głowa opadła mu do przodu. Uległ zmęczeniu, zasnął.

Pierścionek w kształcie krokodyla, zdobiący jego palec, połyskiwał w blasku księżyca.

Był dokładnie w połowie złoty.

L iść ocknęła się w panice. Krztusiła się i nie rozumiała, co się z nią dzieje. Zanim się zorientowała, gdzie jest i co ją dławi, strumień przezroczystego płynu wyleciał jej z nosa i wpadł do wiadra. Ktoś trzymał naczynie przed głową dziewczyny i jednocześnie podpierał jej głowę.

— Nie ruszaj się — polecił spokojny kobiecy głos. — To potrwa jakieś pięć minut.

— Ech, au, fu — wybełkotała Liść, a płyn bezustannie spływał strumieniem tak wartkim, że jego część wpadła do gardła. Dlatego dziewczyna się rozkaszlała.

— Właśnie dochodzisz do siebie po przyjęciu środków na uspokojenie — ciągnął głos. — Ten przejrzysty płyn to mieszanka czynnika, którego użyliśmy do wypłukania z ciebie obcego... jak by to ująć, pleśniaka. Gdy się go całkiem pozbędziesz, wrócisz do zdrowia.

— To tachke ohytne — wysapała Liść. Była osłabiona, padała z nóg. Z trudem odzyskiwała świadomość, a jej zatoki przeszywał przenikliwy ból. Leżała w łóżku, to nie ulegało wątpliwości, ale sufit był zielony i dziwnie obwisły. Dookoła stały plastikowe ściany.

Liść odwróciła głowę i zobaczyła pielęgniarkę, podtrzymującą jej głowę oraz wiadro. Kobieta nosiła kombinezon ratownictwa biologicznego, twarz miała zasłoniętą przezroczystą przyłbicą.

— Znajdujesz się w polowym szpitalu, zorganizowanym na szkolnym boisku. Zdaje się, że chodzisz do tej szkoły — zauważyła pielęgniarka. — Wszystko będzie dobrze.

— Jagdugo tlesze?

— Jak długo tu leżysz?

Liść skinęła twierdząco głową.

— Jakiś tydzień. Panował kompletny chaos, ale wszystko wraca do normy. Przynajmniej dopadli terrorystów, odpowiedzialnych za rozprzestrzenianie tego paskudztwa.

— Czotkiego?

— Ściślej rzecz biorąc, terroryści zginęli podczas ataku na ich siedzibę.

Liść z niedowierzaniem pokręciła głową, lecz pielęgniarka stanowczo ją unieruchomiła.

— Bardzo proszę, nie rób tak. Kieruj twarz w stronę zbiornika.

Tydzień, pomyślała Liść z niedowierzaniem. Przez siedem dni leżałam otępiała od środków uspokajających. Ale Suzy musiała oddać kieszeń Arthurowi, bo nie byłoby mnie tutaj...

— Dżosz mojmi rodżiczem?

— Co z twoimi rodzicami?

Liść chciała spytać: „Gdzie są moi rodzice?", ale tylko powoli skinęła głową, aby nie zatamować strumienia płynu.

— Muszę sprawdzić. Rzecz jasna, odwiedziny nie wchodzą w grę. Pewnie są w domu, tak myślę.

— Blyf Szpilu Wszchotnim.

Dłoń pielęgniarki zadrżała na wiadrze.

— Byli w Szpitalu Wschodnim?

Liść ostrożnie pokiwała głową.

— Poproszę lekarza, aby to sprawdził dla ciebie — powiedziała pielęgniarka ostrożnie. — Jestem pewna, że nic im się nie stało, niemniej... We Wschodniej Dzielnicy było kilka ofiar. Spadł śmigłowiec, parę osób próbowało wydostać się ze Szpitala, żołnierze też ucierpieli... Ale większość ludzi w środku miewa się dobrze...

— Jagiź zień?

— Jaki dziś dzień? Piątek, słonko. Piątek rano. Och, nareszcie idzie pani doktor, z pewnością chce cię zbadać. Strasznie to dziwne, ale nazywa się Piątek i pracuje tylko w piątki! Doktor Piątek, wyobrażasz sobie? Na oddziale nazywamy ją Panią Piątek, bo jest taka... piękna i elegancka... Och, nie ruszaj się!

KONIEC

Tytuł oryginału
Sir Thursday

Copyright © Garth Nix 2006
© Copyright for the Polish edition by Wydawnictwo Literackie,
Kraków 2007
Illustration by John Blackford from THE KEYS TO THE KINGDOM:
SIR THURSDAY by Garth Nix. Published by Scholastic Inc./Scholas-
tic Press. Illustration copyright © 2006 by Scholastic Inc. Used by
permission.

Wydanie pierwsze

Redaktor prowadzący
Anita Kasperek

Redakcja
Paweł Ciemniewski

Korekta
Anna Rudnicka, Barbara Wojtanowicz, Etelka Kamocki

Opracowanie komputerowe okładki na podstawie oryginału
Piotr Kołodziej

Printed in Poland
Wydawnictwo Literackie Sp. z o.o., 2007
ul. Długa 1, 31-147 Kraków
bezpłatna linia telefoniczna: 0 800 42 10 40
księgarnia internetowa: www.wydawnictwoliterackie.pl
e-mail: ksiegarnia@wydawnictwoliterackie.pl
fax: (+48-12) 430 00 96
tel.: (+48-12) 619 27 70
Skład i łamanie: Scriptorium „TEXTURA"
Druk i oprawa: Drukarnia GS

ISBN 978-83-08-03990-8